◎もうだいじょうぶ!!シリーズ
不動産鑑定士

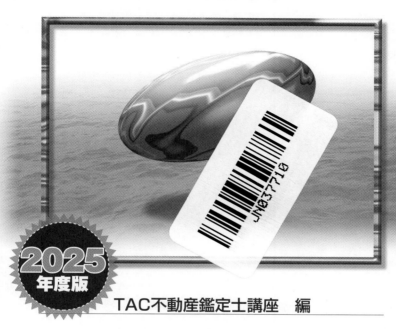

2025年度版

TAC不動産鑑定士講座　編

論文式試験
鑑定理論
過去問題集 論文

は じ め に

　不動産鑑定士試験は，短答式と論文式の二段階の選抜試験となっており，鑑定理論は論文式試験において４問出題されます。教養科目（民法，経済学，会計学）がそれぞれ２問ずつの出題なので，論文式試験において鑑定理論が最も重要な科目であることは言うまでもありません。

　不動産鑑定士の作成する鑑定評価報告書は，依頼者をはじめとする関係者の意思決定に大きな影響を与え，また，不動産の適正な価格形成の基礎となるものです。したがって，それは，

　○何よりも内容が正確であること

　○結論に至る過程が，論理的に分かりやすく説明されていること

などが求められます。

　論文式試験において受験生に求められるものは，このような報告書を作成するための基礎的な力ということができるでしょう。

　すなわち，論文式試験に合格するためには，出題意図をしっかりと掴んだうえで，「基準」や「留意事項」の規定に基づいて，結論に至る過程を論理的に，かつ，分かりやすく文章化することが必要となります。

　本試験ではどのような論点が問われるのか，また出題者の問いかけに対してはっきりと筋道を通して答えるためにはどのように答案を構成すればよいのか，ということを常に意識しながら，この過去問題集を十分に活用してください。

　なお，2006年度（平成18年度）より試験制度が変更となり，従来の論文問題に加えて演習問題が新しく追加されました。これに伴い，ＴＡＣでは，試験対策の効率性等の観点から，現制度（2006年度〜現在）の論文問題と，旧制度（1965年度〜2005年度）の論文問題を分冊して刊行することとしました。

　近年の試験問題の傾向対策という観点から考えると，現制度の問題集を優先して取り組むことが合理的ですが，旧制度の問題の中にも基本かつ重要な論点が問われているものがあり，今後の本試験で出題される可能性もありますので，学習進度に応じて旧制度の問題集にも取り組むことをおすすめします。

2024年９月

ＴＡＣ鑑定理論研究会

本 書 の 構 成

○各問題とも，問題文，解答例，解説からなっています。

　まずは，問題文をよく読み，解答として論述すべき事項をピックアップし，どのような順序で解答すればよいか，「答案構成」を行ってください。答案構成が正しく行えるということは，「基準」を正しく理解できているということです。

問題

○2006年度（平成18年度）から2024年度（令和6年度）までの論文問題を完全収録しています。

　また，問題文のうち旧「基準」又は旧法律を前提とする部分は，現行の「基準」等と適合するように適宜書き換えてあります（「一部改題」と注記）。

解答例

○解答例のうち「基準」からの引用には_____（実線）を，「留意事項」又は旧「運用通知」からの引用には⋯⋯⋯⋯（点線）を付しました。なお，各引用部分には，文章を読みやすくするために表現を変更した個所や，簡潔に述べるために一部省略した個所などがあります。

　また，側注として論点，章を記しています。

解　説

○解答作成に当たってのポイントを記しています。押さえるべき論点を確認してください。

○鑑定理論の問題は「基準」の各章にまたがる複合的な出題が多いため，本書は出題年度順の構成とし，章順の構成とはしませんでした。巻末に章順の索引を付しましたので，苦手な論点をまとめて押さえる際などに利用してください。

目 次

不動産鑑定士

鑑定理論

論 文

2006 ～ 2024
（H18）（R6）

◆ 平成18年度

> **問題①** 特定価格について，次の問に答えなさい。
> (1) 特定価格について，意義，内容，正常価格との相違点を簡潔に説明しなさい。
> (2) 特定価格での鑑定評価が必要とされる場合を3つ説明し，特定価格として求める理由，その場合の鑑定評価の基本的な手法について説明しなさい。

解答例

小問(1)

不動産の鑑定評価によって求める価格は，基本的には正常価格であるが，鑑定評価の依頼目的に対応した条件により限定価格，特定価格又は特殊価格を求める場合があるので，依頼目的に対応した条件を踏まえて価格の種類を適切に判断し，明確にすべきである。なお，評価目的に応じ，特定価格として求めなければならない場合があることに留意しなければならない。

価格の種類
「基準」総論第5章

正常価格とは，市場性を有する不動産について，現実の社会経済情勢の下で合理的と考えられる条件を満たす市場で形成されるであろう市場価値を表示する適正な価格をいう。この場合に，合理的と考えられる条件を満たす市場とは，①市場参加者の合理性（市場参加者が対象不動産の最有効使用を前提とした価値判断を行うこと等），②取引形態の合理性，③相当の市場公開期間，を満たす市場をいう。

正常価格の定義
「基準」総論第5章

一方，特定価格とは，市場性を有する不動産について，法令等による社会的要請を背景とする鑑定評価目的の下で，正常価格の前提となる諸条件を満たさないことにより正常価格と同一の市場概念の下において形成されるであろう市場価値と乖離することとなる場合における不動産の経済価値を適正に表示する価格をいう。

特定価格の定義
「基準」総論第5章

両者は，市場において一般の売手及び買手の間で取引の対象となり得る「市場性を有する不動産」についての価格という点で共通している。一方，正常価格は，上記の「合理的と考えられる条件」を

正常価格と特定価格の相違点

満たす市場を前提とし，一般の取引市場において誰にでも妥当する価格概念であるが，特定価格は，法令等（法律，政令，内閣府令，省令等）による社会的要請を受け，正常価格の前提となる「合理的と考えられる条件」を満たさないことにより正常価格と乖離する場合の価格概念であるという点で相違している。

<u>小問(2)</u>

1. 各論第3章第1節に規定する証券化対象不動産に係る鑑定評価目的の下で，投資家に示すための投資採算価値を表す価格を求める場合。

　　この場合は，投資法人，投資信託又は特定目的会社等（以下，投資法人等という。）の投資対象となる資産（以下，投資対象不動産という。）としての不動産の取得時又は保有期間中の価格として投資家に開示することを目的に，投資家保護の観点から対象不動産の収益力を適切に反映する収益価格に基づいた投資採算価値を求める必要がある。

　　投資対象資産としての不動産の取得時又は保有期間中の価格を求める鑑定評価については，上記鑑定評価目的の下で，資産流動化計画等により投資家に開示される対象不動産の運用方法を所与とするが，その運用方法による使用が対象不動産の最有効使用と異なることとなる場合には特定価格として求めなければならない。なお，投資法人等が投資対象資産を譲渡するときに依頼される鑑定評価で求める価格は正常価格として求めることに留意する必要がある。

　　鑑定評価の方法は，基本的に①収益還元法のうちDCF法により求めた試算価格を標準とし，直接還元法による検証を行って求めた収益価格に基づき，②比準価格及び③積算価格による検証を行い鑑定評価額を決定する。

2. 民事再生法に基づく鑑定評価目的の下で，早期売却を前提とした価格を求める場合。

　　この場合は，民事再生法に基づく鑑定評価目的の下で，財産を処分するものとしての価格を求めるものであり，対象不動産の種類，性格，所在地域の実情に応じ，早期の処分可能性を考慮した

特定価格を求める場合①と評価手法
「基準」総論第5章，各論第1章
「留意事項」総論第5章

3

適正な処分価格として求める必要がある。

　鑑定評価に際しては，通常の市場公開期間より短い期間で売却されることを前提とするものであるため，早期売却による減価が生じないと判断される特段の事情がない限り特定価格として求めなければならない。

　鑑定評価の方法は，通常の市場公開期間より短い期間で売却されるという前提で，原則として，①比準価格と②収益価格を関連づけ，③積算価格による検証を行って鑑定評価額を決定する。なお，比較可能な事例資料が少ない場合は，通常の方法で正常価格を求めた上で，早期売却に伴う減価を行って鑑定評価額を求めることもできる。

特定価格を求める場合②と評価手法
「基準」総論第5章，各論第1章
「留意事項」総論第5章

3．会社更生法又は民事再生法に基づく鑑定評価目的の下で，事業の継続を前提とした価格を求める場合。

　この場合は，会社更生法又は民事再生法に基づく鑑定評価目的の下で，現状の事業が継続されるものとして当該事業の拘束下にあることを前提とする価格を求めるものである。

　鑑定評価に際しては，上記鑑定評価目的の下で，対象不動産の利用現況を所与とすることにより，前提とする使用が対象不動産の最有効使用と異なることとなる場合には特定価格として求めなければならない。

　鑑定評価の方法は，原則として①事業経営に基づく純収益のうち不動産に帰属する純収益に基づく収益価格を標準とし，②比準価格を比較考量の上，③積算価格による検証を行って鑑定評価額を決定する。

特定価格を求める場合③と評価手法
「基準」総論第5章，各論第1章
「留意事項」総論第5章

以　上

4

解　説

　本問は，価格の種類のうち「特定価格」に着目した問題である。

　小問(1)は，まず，鑑定評価によって求める価格の種類に触れ，正常価格と特定価格の定義を「基準」に即して確実に述べること。正常価格との相違点については，特定価格は法令等による社会的要請を受け，正常価格の前提となる「合理的と考えられる条件（①市場参加者の合理性，②取引形態の合理性，③相当の市場公開期間）」のいずれかを欠くという点を述べること。

　小問(2)は，特定価格を求める場合の具体例を「基準」に即して３つ挙げ，それぞれの場合ごとに「合理的と考えられる条件」をどのように満たさないのかを述べ，あわせて評価方法についても述べること。

問題② 事例資料のうち取引事例について次の問に答えなさい。
(1) どのような取引事例をどのように収集するかについて具体的に説明しなさい。
(2) 取引事例比較法を適用する際に，現地で取引事例のどのような点を確認するか具体例を3つ挙げて説明しなさい。
(3) 守秘義務と関連付けながら，取引事例の取り扱い上の注意事項を説明しなさい。

解答例

小問(1)

　鑑定評価の成果は，採用した資料によって左右されるものであるから，資料の収集及び整理は，鑑定評価の作業に活用し得るように適切かつ合理的な計画に基づき，実地調査，聴聞，公的資料の確認等により的確に行うものとし，公正妥当を欠くようなことがあってはならない。

資料収集上の留意点
「基準」総論第8章

　設問の取引事例とは，取引事例比較法等の適用に必要な，現実の取引価格に関する事例資料をいう。

取引事例の定義

　取引事例比較法は，まず多数の取引事例を収集して適切な事例の選択を行い，これらに係る取引価格に必要に応じて事情補正及び時点修正を行い，かつ，地域要因の比較及び個別的要因の比較を行って求められた価格を比較考量し，これによって対象不動産の試算価格（比準価格）を求める手法である。

取引事例比較法の定義
「基準」総論第7章

　取引事例比較法は，市場において発生した取引事例を価格判定の基礎とするものであるので，多数の取引事例を収集することが必要である。ただし，投機的取引であると認められる事例等適正さを欠くものであってはならない。

取引事例収集上の留意点
「基準」総論第7章

　取引事例は，①原則として近隣地域又は同一需給圏内の類似地域に存する不動産に係るもののうちから選択するものとし，必要やむを得ない場合には近隣地域の周辺の地域に存する不動産に係るもののうちから，対象不動産の最有効使用が標準的使用と異なる場合等

6

には，同一需給圏内の代替競争不動産に係るもののうちから選択するものとするほか，次の要件の全部を備えなければならない。

② 取引事情が正常なものと認められるものであること又は正常なものに補正することができるものであること。

③ 時点修正をすることが可能なものであること。

④ 地域要因の比較及び個別的要因の比較が可能なものであること。

取引事例比較法の適用に際しては，対象不動産に係る典型的な需要者の視点に立ち，代替性のある事例（同種別・同類型であり，需要者の属性に応じて規模や不動産の性格等が類似する事例）を収集・選択しなければならない。

また，上場会社やJ-REITの公開する取引情報や仲介業者への聴聞等を通じて，できるだけ最新の取引事例を収集すべきである。

小問(2)

選択された取引事例は，取引事例比較法を適用して比準価格を求める場合の基礎資料となるものであり，収集された取引事例の信頼度は比準価格の精度を左右する。

したがって，取引事例比較法の適用に際しては，実地調査や公的資料の確認を通じて，取引事例に係る確認や要因の把握を的確に行わなければならない。そこで，現地においては，例えば次のような事項を確認すべきである。

① 物的確認

事例不動産の存否及びその内容（位置・形状・規模，建物の構造・用途など）

② 地域要因

商業地であれば繁華性の程度，住宅地であれば街並みの状態など，実地調査をしなければ把握し難い事項

③ 個別的要因

道路との高低差，現況道路幅員，建物の施工の質など，実地調査をしなければ把握し難い事項

小問(3)

不動産鑑定士は，不動産の鑑定評価に関する法律に規定されているとおり，正当な理由がなくて，その職務上取り扱ったことについ

事例選択4要件
「基準」総論第7章

補足説明

信頼度の高い事例の重要性「留意事項」総論第7章

事例の確認の必要性と実地調査における留意点

鑑定士の守秘義務
「基準」総論第1章

て知り得た秘密を他に漏らしてはならない。

　取引事例には，保護されるべき個人情報や企業経営上の情報が含まれているため，その取り扱いには慎重を期すべきである。

　不動産鑑定評価基準には「事例資料等は必要に応じて鑑定評価報告書に添付する（総論第9章）」と規定されているが，例えば，次のような情報は，原則として依頼者等に開示してはならない。

・地番，住居表示，その他取引事例を特定できるデータ
・取引事例の位置を特定できる図面
・取引当事者名，事例収集源

以　上

取引事例の取扱い

解　説

　本問は，総論第8章「資料の収集・整理」と第7章「取引事例比較法」のうち，「取引事例」に関する諸論点を取り上げたものである。

小問(1)

　「どのような取引事例（を収集するか）」という問には，主に事例選択要件について解答し，「どのように収集するか」という問には，主に資料収集に関する留意点を解答する。

小問(2)

　取引事例の信頼度は鑑定評価の精度を大きく左右するものであるから，採用した鑑定士の責任において確実な調査を行わなければならない。したがって，対象不動産の実地調査における確認事項に準じて，物的確認・権利の態様の確認・価格形成要因の把握を行うべきである。

小問(3)

　鑑定士の守秘義務について総論第1章を引用した上で，取扱い上の注意事項を記述する。関連する説明は「基準」「留意事項」には全く示されていないので，常識の範囲で対応するしかないだろう。

—— MEMO ——

不動産の価格に関する次の諸原則のうち「均衡の原則」及び「適合の原則」に係る事項について，次の問に答えなさい。

(1) この２つの原則は，「最有効使用の原則」とどのような関係にあるのか説明しなさい。

(2) 最有効使用の判定に当たって，建物とその敷地とが均衡を欠いていると判断される場合の留意点について説明しなさい。

(3) 「適合の原則」の活用により，不動産が最有効の状態にないと判断することができる具体的事例を２つ示し，理由も説明しなさい。

解答例

小問(1)

1．価格諸原則の意義と設問の各原則の定義

　　不動産の価格形成過程には基本的な法則性が認められる。不動産の鑑定評価に際しては，必要な指針としてこれらの法則性を認識し，かつ，これらを具体的に現した諸原則を活用すべきである。なお，価格諸原則は，直接的又は間接的に相互に関連しているものである。

> 価格諸原則の意義
> 「基準」総論第4章

① 最有効使用の原則

　　不動産の価格は，その不動産の効用が最高度に発揮される可能性に最も富む使用（最有効使用）を前提として把握される価格を標準として形成される。この場合の最有効使用は，現実の社会経済情勢の下で客観的にみて，良識と通常の使用能力を持つ人による合理的かつ合法的な最高最善の使用方法に基づくものである。

> 最有効使用の原則の定義
> 「基準」総論第4章

② 均衡の原則

　　不動産の収益性又は快適性が最高度に発揮されるためには，その構成要素の組合せが均衡を得ていることが必要である。したがって，不動産の最有効使用を判定するためには，この均衡を得ているかどうかを分析することが必要である。

> 均衡の原則の定義
> 「基準」総論第4章

③　適合の原則

　　　不動産の収益性又は快適性が最高度に発揮されるためには，当該不動産がその環境に適合していることが必要である。したがって，不動産の最有効使用を判定するためには，当該不動産が環境に適合しているかどうかを分析することが必要である。

適合の原則の定義
「基準」総論第4章

2．均衡・適合原則と最有効使用原則との関係

　　不動産の最有効使用は，構成要素相互の内部バランスと，不動産と周辺環境との外部バランスが取れているときに，はじめて実現する。

　　前述のとおり「均衡の原則」は内部バランスを検討するための原則であり，「適合の原則」は外部バランスを検討するための原則である。すなわち，「均衡・適合の原則」は，「最有効使用の原則」に示された最有効使用を判定するための補助的原則と言うことができる。

各原則の関係

小問(2)

　「建物及びその敷地」の最有効使用の判定とは，「更地として」の最有効使用を踏まえ，現状の建物利用を継続すべきか否かを判定することを言う。

複合不動産の最有効使用判定の定義

　建物とその敷地とが均衡を欠いていると判断される場合（例えば，都心の高度商業地に容積率未消化の建物が存する場合）は，更地としての最有効使用と現状建物とが一致していない。そこで，その不一致の程度に応じて，①当面現状利用を継続すること，②増築等を実施すること，③建物を取り壊し更地化すること，のうち最も合理的な使用方法を判定することとなる。

不均衡の具体例と，その場合の最有効使用の判定方法

　最有効使用の判定に当たっては，「現実の建物の用途等を継続する場合の経済価値」と「建物の取壊し・用途変更等を行う場合のそれらに要する費用等を適切に勘案した経済価値」とを十分比較考量しなければならない。また，その際は，特に下記の内容に留意すべきである。

ア．物理的，法的にみた当該建物の取壊し，用途変更等の実現可能性

イ．建物の取壊し，用途変更等を行った後における対象不動産の競

複合不動産の最有効使用判定における留意点
「基準」総論第6章
「留意事項」総論第6章

争力の程度等を踏まえた収益の変動予測の不確実性，及び取壊し，
用途変更に要する期間中の逸失利益の程度

小問(3)

　不動産がその環境（近隣地域の特性）に適合していない場合は，
不動産が最有効使用の状態にない（敷地の最有効使用と現実の建物
とが一致していない）と判断される。具体例は次のとおり。

①　住宅地域から商業地域への移行地域に存する中古賃貸共同住宅
　　竣工当時は環境と適合していた建物であっても，その後の近隣
地域の変化に伴い，環境との適合を徐々に失うことがある。この
ような場合，価格時点における建物は環境と適合していないため，
最有効使用の状態にないと判断される。

②　住宅地域に存する自社用の事務所ビル
　　不動産の現実の使用方法は，不合理な又は個人的な事情による
使用方法のために，当該不動産が十分な効用を発揮していない場
合がある。個別の営業上の必要性から，場違いな事務所ビルが建
築された場合，建物は環境と適合していないため，最有効使用の
状態にないと判断される。

以　上

不適合の具体
例と，当該状
況が生ずる理
由等
「基準」総論第
４章

解　説

　本問は，総論第4章「最有効使用・均衡・適合の原則」と，総論第6章「（複合不動産の）最有効使用の判定」に関するものである。

小問(1)

　価格諸原則の意義と各原則の定義を記述した上で，均衡・適合原則が最有効使用原則の補助的原則であることを述べる。

小問(2)

　主に複合不動産の最有効使用判定に関する問である。「均衡を欠いている場合」の具体例も挙げること。

小問(3)

　「…事例を2つ示し，理由も説明しなさい。」という問であるが，この日本語では，「最有効使用の状態にないと判断する理由」を述べればよいのか，「不適合状態の生ずる理由」を述べればよいのか分からない。解答例は，どちらの解釈でも最低限の得点ができるものとした。

借地権の取引慣行の成熟の程度の高い地域における，底地及び借地
権の鑑定評価について，次の問に答えなさい。但し，借地権はいわゆ
る普通借地権であり，定期借地権は含まないものとする。
  (1) 底地の鑑定評価を行うにあたり総合的に勘案すべきとされる事項の
うち，以下についてなぜ重要なのか簡潔に説明しなさい。
    ① 将来における賃料の改定の実現性とその程度
    ② 契約に当たって授受された一時金の額及びこれに関する契約条件
  (2) 底地を当該借地人が買い取る場合における底地の鑑定評価について，
この場合の価格の種類を説明しなさい。
  (3) 当該借地権を底地の所有者が買い取る場合における借地権の鑑定評
価について，この場合の価格の種類を説明しなさい。

解答例

小問(1)

1．底地の価格

　　宅地の類型は，その有形的利用及び権利関係の態様に応じて，
更地，建付地，借地権，底地，区分地上権等に分けられる。

> 宅地の類型
> 「基準」総論第
> 2章

　　底地とは，宅地について借地権が付着している場合における当
該宅地の所有権をいう。また，借地権とは，借地借家法（廃止前
の借地法を含む。）に基づく借地権（建物の所有を目的とする地
上権又は土地の賃借権）をいう。

> 底地の定義
> 借地権の定義
> 「基準」総論第
> 2章

　　底地の価格は，借地権の付着している宅地について，借地権の
価格との相互関連において借地権設定者に帰属する経済的利益を
貨幣額で表示したものである。

　　借地権設定者に帰属する経済的利益とは，当該宅地の実際支払
賃料から諸経費等を控除した部分の賃貸借等の期間に対応する経
済的利益及びその期間の満了等によって復帰する経済的利益の現
在価値をいう。なお，将来において一時金の授受が見込まれる場
合には，当該一時金の経済的利益も借地権設定者に帰属する経済
的利益を構成する場合があることに留意すべきである。

> 底地価格の意
> 義
> 「基準」各論第
> 1章

　　底地の価格は，地代徴収権に相応する経済的利益のほか，期間の満了により復帰する最有効使用実現の可能性等に係る経済的利益や，将来見込まれる一時金に係る経済的利益を加味して形成されるものである。

　　底地の価格は，借地権の価格と密接に関連し合っているので，相互に比較検討しなければならない。ただし，借地権の価格と底地の価格とを合計した金額は，更地（又は建付地）の価格を下回ることが多い。これは，借地権及び底地の価格は，借地権（賃借権）の譲渡や抵当権設定が制約され借地権の市場性・収益性が減退すること，土地の最有効使用が契約で制約され底地の市場性や収益性が減退すること等を反映して，異なる取引市場において個別的に形成されるためである。

底地価格と借地権価格の関連
「基準」各論第1章

2．底地の評価手法

　　底地の鑑定評価額は，①実際支払賃料に基づく純収益等の現在価値の総和を求めることにより得た収益価格及び②取引事例比較法による比準価格を関連づけて決定するものとする。

底地の評価手法
「基準」各論第1章

3．設問の勘案事項と底地価格との関連

①　将来における賃料の改定の実現性とその程度

　　前述の通り底地の価格は，借地権設定者に帰属する経済的利益を貨幣額表示したものであり，それは実際支払賃料によって左右される。実際支払賃料の値上げが予測される場合，賃料差額が縮小し借地権価格の引き下げ要因となるが，借地権設定者の利益が増加するため，底地価格の引き上げ要因となる。したがって，底地の鑑定評価に際しては，契約の内容，契約締結及びその後現在に至るまでの経緯等に関する分析を行って，「将来における賃料改定の実現性とその程度」を把握すべきである。さらに，賃料改定が予測される場合には，収益還元法の適用に際し，実際支払賃料の標準化や還元利回りの査定等において適切に反映しなければならない。

実際実質賃料と底地価格との関連

②　契約に当たって授受された一時金の額及びこれに関する契約条件

　　契約に当たって授受される一時金には，一般に，(ア)預り金的

15

性格を有し，通常，保証金と呼ばれているもの，(イ)借地権の設定の対価とみなされ，通常，権利金と呼ばれているもの，(ウ)借地権の譲渡等の承諾を得るための一時金がある。上記のうち，(イ)は賃貸借が終了しても地主から借地人に返還されない一時金であり，当該一時金が支払われる場合には，その額に応じて支払地代（実際支払賃料）が低下し，底地価格は低くなる。なお，これらの一時金が底地価格を構成するか否かはその名称の如何を問わず，一時金の性格，社会的慣行等を考察して個別に判定することが必要である。

一時金と底地価格との関連「留意事項」各論第1章

小問(2)

不動産の鑑定評価によって求める価格は，基本的には正常価格であるが，鑑定評価の依頼目的に対応した条件により限定価格，特定価格又は特殊価格を求める場合がある。

鑑定評価によって求める価格「基準」総論第5章

正常価格とは，市場性を有する不動産について，現実の社会経済情勢の下で合理的と考えられる条件を満たす市場で形成されるであろう市場価値を表示する適正な価格をいう。

限定価格とは，市場性を有する不動産について，不動産と取得する他の不動産との併合又は不動産の一部を取得する際の分割等に基づき正常価格と同一の市場概念の下において形成されるであろう市場価値と乖離することにより，市場が相対的に限定される場合における取得部分の当該市場限定に基づく市場価値を適正に表示する価格をいう。限定価格を求める場合を例示として，借地権者が底地の併合を目的とする売買に関連する場合等がある。

正常価格の定義　限定価格の定義「基準」総論第5章

底地を当該借地権者が買い取る場合における底地の鑑定評価に当たっては，当該宅地又は建物及びその敷地が同一所有者に帰属することによる市場性の回復等に即応する経済価値の増分が生ずる場合があることに留意すべきである。

すなわち，借地権者が底地を併合する場合には，これにより借地権の存する土地が完全所有権に復帰することとなり，従来の借地契約上の制限がなくなることから当該土地に増分価値が生ずる場合がある。この場合，買い手である借地権者にとっては，底地を正常価格と同一の市場概念の下において形成されるであろう市場価値より

借地権者が底地を買い取る場合の価格の種類「基準」各論第1章

高い価格で買っても経済合理性がある。したがって，第三者が介入する余地がなくなり，市場が相対的に限定されるため求める価格は限定価格となる。

　なお，増分価値が生じない場合には，求める価格の種類は原則通り正常価格である。

小問(3)

　底地の所有者が借地権の併合を目的とする売買に関連する場合，前記(2)と同様借地権の存する土地が完全所有権に復帰し，当該土地に増分価値が生ずる場合には，第三者が介入する余地がなくなり市場が相対的に限定されるため，この場合の求める価格の種類は限定価格であると考えられる。

　しかし，借地権取引の態様は都市によって異なり，同一都市内においても地域によって異なることもあり，借地権の取引が一般に所有者以外の者を対象として行われない地域もある。また，完全所有権に復帰することによる増分価値を考慮して取引されず，第三者間取引の場合とその取引価格に差異が見られないような場合には，市場が相対的に限定されないため，求める価格の種類は原則通り正常価格であると考えられる。

以　上

底地の所有者が借地権を買い取る場合の価格の種類「基準」各論第1章

　本問は，「基準」各論第1章の底地及び借地権に関する問題である。

　小問(1)は，借地権と底地との関連について述べ，底地の価格，底地の評価手法，総合的勘案事項について基準に即して述べたあと，「将来における実現性とその程度」，「契約に当たって授受された一時金の額及びこれに関する契約条件」との関連について述べる。底地の価格が上昇すれば借地権の価格は下落するというように，両者は表裏一体の関係にあることについても触れて欲しい。

　小問(2)は，価格の種類について簡単に述べたあと，底地を当該借地権者が買い取る場合における底地の鑑定評価について述べる。完全所有権に復帰することにより市場性，担保価値が上昇し増分価値が発生する場合には，求める価格の種類は限定価格となる旨について説明する。なお，増分価値が生じない場合には原則通り正常価格となる旨についても触れて欲しい。

　小問(3)は，増分価値が発生する場合には限定価格となり得るが，増分価値が発生しない場合や通常当事者間取引と第三者間取引に価格差異が認められない地域では，求める価格は原則通り正常価格となる。

　なお，借地権（賃借権）の譲渡に際して借地権者から地主へ名義書換料を支払うことが慣行化している地域では，第三者間取引の場合の受取額との均衡を図るため，借地権価格から名義書換料相当額を控除した額が借地権価格の下限値となることがある。

─── MEMO ───

◇ 平成19年度

問題① 対象不動産の現実の建物の用途（賃貸事務所ビル）が更地としての
最有効使用（共同住宅の敷地）に一致していない場合，対象不動産の
最有効使用をどのように判定すべきか，具体的に鑑定評価の手法を用
いて述べなさい。

※対象不動産の概要
- 敷地　　　　　地積500㎡
- 建物　　　　　地上7階建，延床面積3,000㎡，築後35年，大規模設備更
新は1回のみ
- テナント　　　現在，1〜3階を大手電機メーカーに，5階と6階をIT
関連企業に賃貸中だが，4階と7階は空室である。
- 用途地域等　　商業地域，防火地域，指定建ぺい率80%，指定容積率600%

解答例

1．複合不動産に係る最有効使用判定の意義

　不動産の価格は，その不動産の最有効使用を前提として把握さ
れる価格を標準として形成されるものであるから，不動産の鑑定
評価に当たっては，対象不動産の最有効使用を判定する必要があ
る。最有効使用とは，現実の社会経済情勢の下で客観的にみて，
良識と通常の使用能力を持つ人による合理的かつ合法的な最高最
善の使用方法に基づくものである。

最有効使用判
定の意義
「基準」総論
第6章，第4
章

　「建物及びその敷地」に係る最有効使用の判定とは，更地とし
ての最有効使用と現実の建物とが一致しているか否か，一致して
いない場合はどの程度乖離しているかを把握し，その結果を踏ま
えて，①現状利用の継続，②建物の用途変更等，③建物の取壊し
のうち，最も合理的なシナリオを判定することをいう。

複合不動産の
最有効使用判
定の意義

2．「貸家及びその敷地」に係る最有効使用と評価手法

　「貸家及びその敷地」の一般的な買手は，収益物件の運用を企
図する投資家である。したがって，その鑑定評価額は，「収益還
元法による収益価格（実際実質賃料に基づく純収益等の現在価値

貸家及びその
敷地の評価手
法（原則）
「基準」各論
第1章

の総和）」を標準とし，「原価法による積算価格」及び「取引事例
比較法による比準価格」を比較考量して決定するものとする。

しかし，「建物の用途変更」や「建物の取壊し」も現実的な選
択肢となり得る場合は，それぞれのシナリオに基づいて評価手法
を適用した上，最も高く求められるものを最有効使用と判定し，
かつ，そのシナリオに基づいて求めた価格を鑑定評価額とすべき
である。

なお，この場合における最有効使用の判定に際しては，「現実
の建物の用途等を継続」する場合の経済価値と，「建物の取壊し」
や「用途変更等」を行う場合のそれらに要する費用等を適切に勘
案した経済価値を十分比較考量しなければならない。このとき，
①物理的，法的にみた建物取壊し，用途変更等の実現可能性，②
建物取壊し，用途変更等を行った後における対象不動産の競争力
の程度等を踏まえた収益の変動予測の不確実性及び取壊し，用途
変更に要する期間中の逸失利益の程度に留意すべきである。

3．設問の対象不動産に係る最有効使用の判定

対象不動産は，指定容積率を使用し切っているものの，現実の
建物用途が更地の最有効使用と異なり，また，築後35年も経過し
ている。さらに，テナントは事務所2社のみであり，立退き交渉
を行った場合の成功可能性は高い。したがって，次の3つのシナ
リオに基づいて評価手法を適用し，結論が最も高く求められるも
のを最有効使用と判定すべきである。

(1) 「現状利用の継続」を前提とする評価

原則として3手法を併用し，調整して結論を求める。

① 収益還元法：建物用途が周辺環境と適合していないことを
考慮して，既存契約の賃料動向や空室部分の新規賃料を把握
した上，総収益を査定する。また，築年や修繕履歴を踏まえ，
今後予測される大規模修繕工事を「修繕費（総費用）」又は
「還元利回り」に反映させる。さらに，建物の経済的残存耐
用年数が短い場合は，直接還元法の適用において有期還元式
を選択すべきである。

右側の注釈：

貸家及びその
敷地の評価手
法（例外）

複合不動産の
最有効使用判
定上の留意点
「基準・留意
事項」総論第
6章

対象不動産へ
のあてはめ

「現状継続」
の場合におけ
る手法適用上
の留意点

21

② その他の手法：建物と敷地とが適応していないこと等を，機能的・経済的要因に基づく減価額の査定（原価法）や，事例選択・個別的要因比較（取引事例比較法）において，それぞれ反映させる。

(2) 「建物の用途変更（共同住宅への改修）」を前提とする評価

　　上記(1)と同様，原則として３手法を併用し，調整して結論を求める。

　　収益還元法の適用に関しては，改修後の共同住宅を新規に賃貸することを想定して求めた収益価格から，改修事業実施に必要な既存テナントへの立退料，工事費用，事業期間中の逸失利益（金利等）などを控除する方法が考えられる。

「用途転換」の場合における手法的適用上の留意点

(3) 「建物の取壊し」を前提とする評価

　　まず，共同住宅開発素地の取引事例等から求めた比準価格，最有効使用の共同住宅を建築することを想定して求めた開発法による価格・土地残余法による収益価格等を調整して，更地価格を求める。

　　次に，当該更地価格から，建替え事業実施に必要な既存テナントへの立退料，取壊し費用，事業期間中の逸失利益（金利等）などを控除し，建物解体による発生材料価格を加算して，結論を求める。

「取壊し」の場合における手法適用上の留意点

　なお，上記(1)の検討に際しては，修繕工事の実施に際して既存テナントを空室部分に順次仮移転させる等，より現実的な方法を想定すべきである。

　また，上記(2)(3)の検討に際しては，既存テナントの業種や契約種類（普通借家・定期借家の別）等を考慮し，立退き実現の可能性を吟味するとともに，立退料負担の要否・金額・交渉期間等について，より現実的な想定を行うべきである。

その他の留意点

以　上

解　説

　対象不動産の詳細な状況を示した上，その最有効使用判定の具体的な方法を尋ねる問題で，過去問題にはあまり見られない形式である。

　解答作成に際しては，「複合不動産の最有効使用」という概念を説明してから，設問の不動産に係る最有効使用の判定方法について述べるとよい。問題文に従い，「現状継続」「用途変更」「取壊し」という各選択肢について，それぞれ具体的な評価方法を説明すること。

問題②　以下に掲げる土地に関する個別的要因について，住宅地であるケースと商業地であるケースの双方について，それらがどのように土地価格に作用するのか具体的に説明しなさい。

① 街路との高低差

② 街路の幅員

③ 基準容積率

④ 街路との接面方位

⑤ 間口

解答例

1．個別的要因の意義

　　不動産の価格を形成する要因（価格形成要因）とは，不動産の効用及び相対的稀少性並びに不動産に対する有効需要の三者に影響を与える要因をいい，一般的要因，地域要因及び個別的要因に分けられる。

　　個別的要因とは，不動産に個別性を生じさせ，その価格を個別的に形成する要因をいう。

　　一般に，個別の不動産の価格は，地域の価格水準の大枠の下で個別的に形成される。すなわち，個別的要因とは，土地の価格に関していえば，地域の価格水準と比較して個別的な差異を生じさせる要因ということができる。不動産の価格は，その不動産の最有効使用を前提として把握される価格を標準として形成される（最有効使用の原則）ものであるから，不動産の鑑定評価に当たっては，対象不動産の個別的要因が対象不動産の利用形態と価格形成についてどのような影響力を持っているかを分析してその最有効使用を判定する（個別分析）必要がある。

2．個別的要因の住宅地価格及び商業地価格への作用

　　不動産の種別とは，不動産の用途に関して区分される不動産の分類をいい，類型（有形的利用及び権利関係の態様に応じた分類）とともに，不動産の経済価値を本質的に決定づけるものである。

価格形成要因の意義
「基準」総論
第3章

個別的要因の定義
「基準」総論
第3章
個別的要因の分析の意義
「基準」総論
第6章

不動産の種別の定義
「基準」総論
第2章

土地の種別のうち，住宅地とは住宅地域（居住の用に供される建物等の敷地の用に供されることが合理的と判断される地域）のうちにある土地をいい，商業地とは商業地域（商業活動の用に供される建物等の敷地の用に供されることが合理的と判断される地域）のうちにある土地をいう。

住宅地・商業地の定義「基準」総論第2章

不動産の価格は，多数の価格形成要因の相互作用の結果として形成されるものであるが，通常，市場参加者が不動産に期待する効用は不動産の種別（及び類型）ごとに異なるため，個別的要因の土地価格への作用の程度も土地の種別ごとに異なるものである。

住宅地であれば主に「居住の快適性」や「生活上の利便性」に関する要因が，商業地であれば主に「収益性」に関する要因がそれぞれ重視される。

不動産の種別と個別的要因との関係「基準」総論第3章

① 街路との高低差

住宅地の場合，接面街路よりも高い土地は，日照，通風，眺望等が優れ，プライバシーも守られる等，「快適性」が高まり増価要因となり得るが，一方で，擁壁や階段等を設置する必要性や，当該階段等の上り下り等の不便さという点で，「快適性」が阻害され減価要因ともなり得る。接面街路より極端に高い土地になると，さらに建築工事費等の増加や崩落の危険性等も加わり，大きな減価要因となり得る。

商業地の場合，接面街路よりも高い土地は，駐車場の設置等が難しく，客足の流動性が劣ること等から，「収益性」が阻害され，減価要因となることが多い。

なお，接面街路よりも低い土地は，住宅地，商業地とも，日照，通風，眺望等が劣ること，擁壁設置等の必要性や，大雨・洪水等の際の危険性等から，通常，減価要因となる。

「街路との高低差」と住宅地・商業地価格との関係

② 街路の幅員

戸建住宅地の場合，接面街路が広幅員だと，通常，日照，通風，街路修景等が優れ，自動車通行もしやすくなる等，「快適性」「利便性」が高まり，増価要因となる。ただし，街路幅員が極端に広くなると，自動車通行による騒音，振動，排気ガス等によって「快適性」が阻害され，減価要因となり，特に閑静

「街路の幅員」と住宅地・商業地価格との関係

な住環境が好まれる高級住宅地等にあっては大きな減価要因となり得る。なお，画地規模の大きな共同住宅地の場合，騒音，振動等のマイナス面の作用の程度は比較的小さいが，幅員が狭いと，斜線制限及び基準容積率等の公法上の規制によって，利用効率が阻害されることによって大きな減価要因となり得る。

商業地の場合，上記の公法上の規制や，自動車交通の利便性，客足の流動性等の面から，通常，幅員が広いほど「収益性」が高まり増価要因となるが，広幅員の街路によって地域の繁華性が分断されることもあるので注意する必要がある。

③　基準容積率

戸建住宅地や別荘住宅地の場合，地域的にみて土地の高度利用は好まれず，基準容積率はさほど価格に影響しないが，共同住宅地の場合には「利用効率」の観点から，基準容積率は高い方が増価要因となる。

商業地の場合，高度利用の適否が「収益性」に大きく影響することから，通常，基準容積率は高いほど増価要因となり，特に高度商業地においては大きな増価要因となる。

④　街路との接面方位

住宅地の場合，東方接面を基準とすると，通常，日照条件のよい南方接面が「快適性」が高く増価要因となり，逆に北方接面は減価要因となる。ただし画地規模の大きな共同住宅地の場合，建物の配置等の工夫が可能なため，戸建住宅地ほど価格に作用しないことが多い。

商業地の場合，通常，接面方位によって「収益性」は影響を受けず，価格形成要因として作用しない。

⑤　間口

住宅地の場合，間口の広い土地は，建物の設計，駐車スペースの配置等が容易なため増価要因となることが多い。

商業地の場合，間口の広い土地は上記に加え，視認性が優れ，客足の流動性が高まること等からも，通常，増価要因となる。

このように，同じ個別的要因でも，住宅地と商業地，さらには細分化された種別の土地間において，価格への作用の程度が異な

「基準容積率」と住宅地・商業地価格との関係

「街路との接面方位」と住宅地・商業地価格との関係

「間口」と住宅地・商業地価格との関係

るため，個別的要因の分析に当たっては，対象不動産の種別を極
力細分化して判定すべきである。

以　上

解　説

　本問は，「基準」総論第3章の価格形成要因のうち個別的要因に着目し，具体
的な個別的要因と住宅地価格・商業地価格との関連について問うものである。
　まず，価格形成要因の意義，個別的要因の意義について，「基準」に即して簡
潔に述べること。設問の各要因と住宅地・商業地の価格との関係については，市
場参加者の価値尺度（住宅地は主に「快適性」「利便性」，商業地は主に「収益性」）
を明確にし，具体例を交えて述べるとよい。

問題③ 区分所有建物の鑑定評価について，次の問に答えなさい。
 (1) 対象不動産Aは，中高層住宅が立ち並ぶ地域において，5階建住宅の1階に位置する区分所有建物（店舗）である。対象不動産Aの最有効使用が地域の標準的使用である住宅としての使用と異なると判断される場合において，近隣地域及び同一需給圏の範囲を把握し，事例収集する際の留意点を述べなさい。
 (2) 高層オフィスビルの1階に存する区分所有建物（店舗）がある。対象不動産Bは，比較的人通りの多い道路（歩道）に面した視認性の高い場所に位置しており，対象不動産Cは，同じ建物の1階の奥まった，ふだん人通りが少ない場所に位置している。
　　このような高層ビルの低層階に位置する区分所有建物（店舗）の価格または賃料を求める際において，以下の点についてそれぞれ，同一需給圏内における市場参加者（店舗経営者）の属性及び行動や彼らの想定する顧客層等の観点から指摘しなさい。
 ① ビル全体における1階の階層別効用比率を算定する際の留意点
 ② 1階における対象不動産Bと対象不動産Cの位置別効用比率把握の際の留意点

解答例

小問(1)

　区分所有建物及びその敷地とは，建物の区分所有等に関する法律第2条第3項に規定する専有部分並びに当該専有部分に係る同条第4項に規定する共用部分の共有持分及び同条第6項に規定する敷地利用権をいい，分譲マンション等，居住用途のものが一般的であるが，設問のように店舗区画となる場合もある。

区分所有建物及びその敷地の定義等「基準」総論第2章

　同一需給圏とは，一般に対象不動産と代替関係が成立して，その価格の形成について相互に影響を及ぼすような関係にある他の不動産の存する圏域をいう。それは，近隣地域を含んでより広域的であり，近隣地域と相関関係にある類似地域等の存する範囲を規定するものである。

同一需給圏の定義等「基準」総論第6章

28

　近隣地域とは，対象不動産が属する用途的地域であって，対象不動産と地域要因を共通にする一定範囲である。また，類似地域とは，近隣地域の地域の特性（地域要因）と類似する特性を有する地域である。

　これら地域の特性は，通常，その地域に属する不動産の一般的な標準的使用に具体的に現れるが，この標準的使用は，①利用形態からみた地域相互間の相対的位置関係及び価格形成を明らかにする手掛りとなるとともに，②その地域に属する不動産のそれぞれについての最有効使用を判定する有力な標準となるものである。

　個々の不動産の最有効使用は，一般に近隣地域の地域の特性の制約下にあるので，近隣地域の標準的使用と個々の不動産の最有効使用は合致するのが通常であるが，設問のように居住用マンションが建ち並ぶ地域に存する店舗区画等，対象不動産の位置，規模，環境等によっては，標準的使用の用途と異なる用途が最有効使用となる場合がある。

　これは，対象不動産の個別的要因が近隣地域内の標準的な不動産と大きく異なる場合，対象不動産と当該標準的な不動産とで市場参加者が相違し，不動産の利用形態の選択や価格形成要因に係る判断基準が異なるためであり，設問の場合，地域の標準的な不動産（居住用マンション）に係る典型的な需要者はエンドユーザーであるのに対し，対象不動産（店舗区画）に係る典型的な需要者は店舗経営者，投資家等であり，価格判断に当たっては居住用途の場合と異なり，「快適性」「利便性」ではなく「収益性」が重視される。

1．近隣地域及び同一需給圏の把握における留意点

　上記を踏まえ，近隣地域の把握に当たっては，「収益性」に影響を与える「商業施設又は業務施設の種類，規模，集積度等の状態」や「繁華性の程度及び盛衰の動向」等の地域要因に留意し，これらを共通にする範囲をもって近隣地域の範囲とすべきである。

　また，同一需給圏の把握に当たっては，同一需給圏は，不動産の種類，性格及び規模に応じた需要者の選好性によってその地域的範囲を異にするものであるから，その種類，性格及び規模に応じて需要者の選好性を的確に把握した上で適切に判定する必要が

欄外注記

近隣地域，類似地域の定義等
「基準」総論第6章

標準的使用と最有効使用の関係
「基準」総論第6章

典型的な需要者の観点

近隣地域の把握における留意点
「基準」総論第3章

同一需給圏の把握における留意点
「基準」総論第6章

ある。対象不動産について，典型的な需要者は店舗経営者等であるから，その観点に立ち，対象不動産の同一需給圏は対象不動産に係る商業背後地を基礎に成り立つ商業収益に関して代替性の及ぶ地域の範囲に一致する傾向があることに留意すべきである。

3．事例収集における留意点

同一需給圏は，地域的な範囲・圏域として捉えられる一方で，対象不動産と代替競争等の関係にある不動産の集合体，つまり「対象不動産が属する市場」とも捉えられるものである。したがって，事例収集の対象となるのは上記同一需給圏内に存する事例であり，同一需給圏の外に存する事例を採用してはならない。また，同一の価値尺度で比較可能な同種別（用途），同類型の事例を収集すべきであり，居住用途ではなく店舗区画の区分所有建物及びその敷地の事例を採用すべきことに留意する必要がある。

事例収集における留意点

小問(2)

一般に，市場参加者は，市場の需給動向に関する見通しを前提として取引の可否・取引価格等についての意思決定を行い，その決定基準は市場参加者の属性ごとに一定の傾向を見出すことができる。市場参加者は，不動産の利用形態や価格形成に主導的な役割を果たしていることから，市場分析により市場参加者の属性や行動を把握することを通じて，価格形成要因の把握・分析を的確に行うことができる。

市場分析の必要性

地域分析における市場分析に当たっては，①同一需給圏における市場参加者がどのような属性を有しており，②どのような観点から不動産の利用形態を選択し，価格形成要因についての判断を行っているかを的確に把握することが重要である。あわせて③同一需給圏における市場の需給動向を的確に把握する必要がある。

地域分析における市場分析「基準」総論第6章

個別分析における市場分析に当たっては，対象不動産に係る典型的な需要者がどのような個別的要因に着目して行動し，対象不動産と代替，競争等の関係にある不動産と比べた優劣及び競争力の程度をどのように評価しているかを的確に把握したうえで，最有効使用を判定しなければならない。

個別分析における市場分析「基準」総論第6章

本問の対象不動産はいずれも店舗区画であり，その典型的な需要

者は店舗経営者等であり，「収益性」を重視して価格判断を行うものであるから，「収益性」に影響を与える「繁華性の程度（地域要因）」や「顧客の流動の状態との適合性（個別的要因）」を分析の上，対象不動産の市場競争力を的確に把握し，鑑定評価の手法の適用における各種の判断においても反映すべきである。

対象不動産の市場分析「基準」総論第3章，第6章

1．階層別効用比率・位置別効用比率

区分所有建物及びその敷地の積算価格は，区分所有建物の対象となっている一棟の建物及びその敷地の積算価格を求め，当該積算価格に当該一棟の建物の各階層別及び同一階層内の位置別の効用比により求めた配分率を乗ずることにより求めるものとする。当該手法は価格評価における原価法だけでなく，賃料評価における積算法，利回り法等で基礎価格を査定する際にも準用されるものである。

区分所有の場合の原価法「基準」各論第1章

配分率は，一般に，階層別効用比率に位置別効用比率を乗じて求める。

階層別効用比率とは，対象不動産の所在する階層の階層別効用比（一棟建物の基準階の専有部分の単位面積あたりの効用に対する，各階層の専有部分の単位面積あたりの効用の比）に当該階層の専有面積を乗じて得た階層別効用積数の，一棟全体の階層別効用積数の合計値に対する割合をいう。

位置別効用比率とは，対象不動産の位置別効用比（同一階層内において基準となる専有部分の単位面積あたりの効用に対する，他の各専有部分の単位面積あたりの効用の比）に対象不動産の専有面積を乗じて得た位置別効用積数の，対象不動産の所在する階層全体の位置別効用積数の合計値に対する割合をいう。

配分率の求め方

2．①ビル全体の1階の階層別効用比率算定上の留意点

本件のようなオフィスビルにおいては，一般に，オフィス区画よりも店舗区画の方が，賃料水準・価格水準とも高くなる傾向が認められる。また店舗の顧客層の観点から見ると，「階を上がる（下がる）」ということ自体が心理的ハードルとなり，「顧客流動性」「視認性」等の面から，通常，低層店舗階の中において1階が最も高い繁華性・収益性を有し，賃料水準・価格水準とも高く

なる傾向がある。

　このような傾向を，階層別効用比率算定の前提となる階層別効用比の判定において十分に反映させる必要がある。

　また，専有面積については，オフィスビルの１階にはエントランスやエレベーターホール等，比較的大きな共用部分が設けられ，専有面積の割合が低くなる場合が多いことに留意すべきである。

3．②１階における対象不動産Ｂ・Ｃの位置別効用比率算定上の留意点

　対象不動産Ｂのような表通りの店舗区画は，優れた「顧客流動性」「視認性」を活かして，ビル外部からの顧客をも呼び込みやすい位置にある。よって，飲食，物販店舗等の顧客誘引が重視される業態では特に高収益が期待され，賃料水準・価格水準とも高くなる傾向がある。

　これに対し，対象不動産Ｃのような人通りの少ない位置に存する店舗区画は，特にビル外部からの顧客誘引において表通りの区画に劣り，賃料水準・価格水準共に表通りの区画よりも低くなる傾向がある。

　このような傾向を，位置別効用比率算定の前提となる位置別効用比の判定において十分に反映させる必要がある。

以　上

解　説

小問(1)

　1階部分を店舗区画とした店舗併用共同住宅（いわゆる下駄履きマンション）の評価を題材とするものである。「近隣地域」「同一需給圏」「標準的使用」「最有効使用」等の文言が問題文にあることから，これらの概念を「基準」の引用を中心に丁寧に説明した上で，問われている「近隣地域及び同一需給圏の把握」「事例収集」における留意点を述べればよい。

小問(2)

　階層別・位置別効用比率をテーマとする問題であり，店舗経営者の属性・店舗顧客の属性等の実務的な視点もある程度要求されているが，受験生のレベルや制限時間等を考慮すると，過度な深入りは禁物である。

　まず，問題文で「同一需給圏内における市場参加者の属性及び行動等の観点」から記述するよう指示されていることから，「市場分析」について述べ，また，階層別・位置別効用比率を用いる「区分所有の場合の原価法」にも言及して，小問(1)同様「基準」の引用中心に概念の説明を丁寧にした上で問いに答えていくのが無難である。

　「表通り沿いに位置する対象不動産Ｂの方が対象不動産Ｃよりも効用が優る」という結論は導き出せると思うので，これを中心に自己文の部分は極力簡潔にまとめるべきであろう。

問題④　収益還元法について次の問に答えなさい。

　(1)　収益還元法の有用性及び直接還元法とDCF法の手法の概要を説明し，
　　　それぞれの手法の適用のあり方について述べなさい。

　(2)　DCF法は説明性の高い手法とされているが，その理由を述べなさい。

　(3)　DCF法において割引率を求める手法の一つに類似の不動産の取引事
　　　例との比較から求める方法がある。この方法を適用する場合の留意点
　　　を述べなさい。

解答例

小問(1)

　収益還元法は，対象不動産が将来生み出すであろうと期待される
純収益の現在価値の総和を求めることにより対象不動産の試算価格
（収益価格）を求める手法である。収益還元法は，賃貸用不動産又
は賃貸以外の事業用不動産の価格を求める場合に特に有効である。
また，収益は不動産の経済価値の本質を形成するものであるから，
原則として市場性を有する不動産には全て適用すべきである。

収益還元法の
定義と有効性
「基準」総論
第7章

　収益価格を求める方法には，①直接還元法と②DCF法がある。

①　直接還元法：一期間の純収益を還元利回りによって還元する
　　方法をいい，基本的に次の式で表される。

　「P収益価格＝a 一期間の純収益÷R還元利回り」

②　DCF法：連続する複数の期間（保有期間）に発生する純収
　　益及び復帰価格を，その発生時期に応じて現在価値に割り引き，
　　それぞれを合計する方法をいい，基本的に次の式で表される。

　「P収益価格＝毎期の純収益の現在価値の総和＋復帰価格の現
　　在価値」

（復帰価格とは保有期間満了時点における対象不動産の価格をい
　い，通常，「a_{n+1} 期間満了時点翌年の純収益÷R_n 最終還元利
　回り」で求める）

直接還元法・
DCF法の定義
「基準」総論
第7章

　直接還元法又はDCF法のいずれの方法を適用するかについて
は，収集可能な資料の範囲，対象不動産の類型及び依頼目的に即

して適切に選択することが必要である。

　ただし，証券化対象不動産の鑑定評価における収益価格を求めるに当たっては，DCF法を適用しなければならない。この場合において，併せて直接還元法を適用することより検証を行うことが適切である。

各手法の適用のあり方
「基準」総論
第7章，各論
第3章

小問(2)

　収益還元法は将来の純収益を予測し，その現在価値の総和を求める手法であるが，直接還元法とDCF法の適用における将来予測の反映方法はそれぞれ異なる。

　例えば，現行家賃が割高で将来減額改定やテナント退去が予測される場合，直接還元法では，還元利回りに減収リスクを反映する（又は減額を想定して総収益を減ずる）。一方，DCF法では毎期の貸室賃料収入や空室等損失の査定に直接反映することができる。

将来予測反映方法の比較①

　また，例えば，老朽化により大規模修繕が必要と予測される場合，直接還元法では，還元利回りに老朽化リスクを反映する（又は平準化した修繕費を総費用に計上する）。一方，DCF法では工事スケジュールを想定して各期の大規模修繕費に直接計上することができる。

将来予測反映方法の比較②

　このように，将来予測を，直接還元法では還元利回り（又は純収益の標準化）に反映するのに対し，DCF法では毎期の総収益や総費用等に直接明示することができる。そのため，DCF法の適用に当たっては，純収益の見通しについて十分な調査を行うことが求められる。

　これらのことから，DCF法は試算過程に関する説明性の高い手法とされており，広範な投資家への明確な説明責任を求められる証券化不動産の鑑定評価において必須適用とされているのである。

　なお，将来予測の内容が各手法の試算過程に適切に反映されている場合は，両者に手法上の優劣があるとは言えない。

直接還元法とDCF法との違いと，DCF法の優位点
「基準」総論
第7章

小問(3)

　割引率は，DCF法において，ある将来時点の収益を現在時点の価値に割り引く際に使用される率であり，還元利回りに含まれる変動予測と予測に伴う不確実性のうち，毎期のキャッシュフロー予測に反映されたものを除くものである。

割引率の定義
「基準」総論
第7章

割引率を求める方法には，①類似の不動産の取引事例との比較から求める方法，②借入金と自己資本に係る割引率から求める方法などがあり，一つ又は複数の方法を組み合わせて採用する。必要に応じ，投資家等の意見や整備された不動産インデックス等を参考として活用すべきである。

　このうち，「類似の不動産の取引事例との比較から求める方法」とは，対象不動産と類似の不動産の取引事例から求められる割引率をもとに，取引事情，取引時点，地域要因・個別的要因の違いに応じた補正を行うことにより求めるものである。

　この方法は，対象不動産と類似性を有する取引事例に係る利回りが豊富に収集可能な場合には特に有効である。

　取引事例の収集・選択については，取引事例比較法に準じ，選択要件（場所的同一性・事情正常性・時間的同一性・要因比較可能性など）を全て満たす事例を選択しなければならない。

　また，取引事例に係る割引率は，基本的に取引利回りをもとに算定される内部収益率（将来収益の現在価値と当初投資元本とを等しくする割引率）として求める。したがって，取引事例から得られるデータが初年度純収益と取引価格のみの場合は，取引事例について毎期の純収益が予測可能であることが必要である。なお，取引に際してDCF法による価格検討が行われ，その情報が開示されている場合は，当該取引事例から割引率データを直接的に得られることがある。

以　上

割引率を求める方法の例示
「留意事項」
総論第7章

取引事例比較法に準ずる方法の定義・留意点
「基準・留意事項」総論第7章

解　説

　直接還元法とDCF法との比較を中心論点とする問題で，平成15年の過去問題（問題２）と類似している。

| 小問(1) |

　基本的な定義の引用等で対応できるため，しっかり得点してほしい。

| 小問(2) |

　直接還元法とDCF法との最大の違いは，将来予測の反映方法の違いである。具体例を挙げた上，DCF法の優位点を説明すること。

| 小問(3) |

　些末な論点である上，実務において具体的な比較方法が確立されているわけでもない。基準・留意事項を引用でき，若干の補足説明を加えられれば十分であろう。

平成20年度

> 問題[1] 空室率が比較的高い賃貸事務所ビルの鑑定評価について，次の問に
> 答えなさい。
> (1) 不動産鑑定評価基準において貸家及びその敷地の鑑定評価額決定の
> 際の総合勘案事項の1つとして「将来における賃料の改定の実現性とそ
> の程度」が掲げられているが，その理由を述べなさい。
> (2) 空室部分の賃料を査定する方法について述べなさい。

解答例

小問(1)

1. 貸家及びその敷地の鑑定評価について

　　建物及びその敷地の類型は，その有形的利用及び権利関係の態
様に応じて，自用の建物及びその敷地，貸家及びその敷地，借地
権付建物，区分所有建物及びその敷地等に分けられる。

　　貸家及びその敷地とは，建物所有者とその敷地の所有者とが同
一人であるが，建物が賃貸借に供されている場合における当該建
物及びその敷地をいう。貸家及びその敷地は，借家人が居付のま
まの状態であることから，通常，賃料収入を前提とする「収益物
件」として投資家によって取引される。

　　貸家及びその敷地の鑑定評価額は，実際実質賃料（売主が既に
受領した一時金のうち売買等に当たって買主に承継されない部分
がある場合には，当該部分の運用益及び償却額を含まないものと
する。）に基づく純収益等の現在価値の総和を求めることにより
得た収益還元法による収益価格を標準とし，原価法による積算価
格及び取引事例比較法による比準価格を比較考量して決定するも
のとする。この場合において，次に掲げる事項を総合的に勘案す
るものとする。

　　①将来における賃料の改定の実現性とその程度　②契約に当たっ
て授受された一時金の額及びこれに関する契約条件　③将来見込
まれる一時金の額及びこれに関する契約条件　④契約締結の経緯，

建物及びその
敷地の類型
「基準」総論第
2章

貸家及びその
敷地の定義・
特徴
「基準」総論第
2章

貸家及びその
敷地の鑑定評
価
「基準」各論第
1章

総合勘案事項
「基準」各論第
1章

38

経過した借家期間及び残存期間並びに建物の残存耐用年数　⑤貸家及びその敷地の取引慣行並びに取引利回り　⑥借家の目的，契約の形式，登記の有無，転借か否かの別及び定期建物賃貸借か否かの別　⑦借家権価格

2．将来における賃料改定について

　前記1．で述べたように，設問のような賃貸事務所ビルの典型的な需要者は，通常，投資家と考えられ，投資家は対象不動産の「収益性」を特に重視して取引の意思決定を行うこととなる。賃貸事務所ビルの価格は，賃料徴収権に相応する価格がその主要な部分を占めるので，将来の賃料改定（減額又は増額）は，買手にとっての収益性に大きな影響を及ぼし，結果，当該不動産の価格を大きく左右することとなる。したがって，設問の「将来における賃料の改定の実現性とその程度」については，近隣地域及び同一需給圏内の類似地域等に存する代替可能な他の不動産の賃料水準及びその動向並びに賃貸借契約内容等を分析し，慎重に予測検討することが必要である。

　例えば，設問の賃貸事務所ビルの賃料が近隣の代替物件に比し割高なため，賃借人の退去が相次ぎ，空室率が高くなっているような場合，既存の賃借人も退去又は賃料減額改定を要求する可能性が高く，投資家はこのリスクを価格に織り込んで購入の意思決定を行う。このような賃貸事務所ビルの鑑定評価に当たっては，当該賃料減額改定等が生じる時期とその程度を予測し，例えば，直接還元法（一期間の純収益を還元利回りで還元する方法）においては還元利回り（又は一期間の純収益）に，DCF法（連続する複数の期間に発生する純収益及び復帰価格を，その発生時期に応じて現在価値に割り引き，それぞれを合計する方法）においては当該改定時以降のキャッシュフロー等にそれぞれ適切に反映させる必要がある。

小問(2)

　賃貸用不動産の収益価格を求める場合，基本的には満室稼働を前提とした総収益を求め，空室損失相当額を費用項目のひとつとして計上する。したがって，設問の事務所ビルに係る空室部分について

右欄注記：
- 将来の賃料改定と貸家及びその敷地の価格との関連
- 将来の賃料改定予測の鑑定評価手法への反映「基準」総論第7章
- 空室部分の賃料査定の必要性

は，価格時点における正常賃料（新規賃料）を査定のうえ，総収益を求める必要がある。

正常賃料とは，正常価格と同一の市場概念（市場参加者の合理性，取引形態の合理性，相当の市場公開期間）の下において新たな賃貸借等の契約において成立するであろう経済価値を表示する適正な賃料（新規賃料）をいう。

正常賃料の定義
「基準」総論第5章

新規賃料を求める鑑定評価の手法には，積算法，賃貸事例比較法及び収益分析法等がある。しかし，設問の場合，基礎価格から試算賃料を求めることは循環論に陥るため積算法の適用は困難であり，また，賃貸以外の事業収益を前提とした収益分析法の適用も困難であること等から，通常，賃貸事例比較法による比準賃料を標準として決定するものとする。

空室部分の正常賃料を求める手法
「基準」総論第7章

賃貸事例比較法は，まず多数の新規の賃貸借等の事例を収集して適切な事例の選択を行い，これらに係る実際実質賃料に必要に応じて事情補正及び時点修正を行い，かつ，地域要因の比較及び個別的要因の比較を行って求められた賃料を比較考量し，これによって対象不動産の試算賃料（比準賃料）を求める手法である。

賃貸事例比較法の定義
「基準」総論第7章

賃貸事例比較法は，近隣地域又は同一需給圏内の類似地域等において対象不動産と類似の不動産の賃貸借等が行われている場合又は同一需給圏内の代替競争不動産の賃貸借等が行われている場合に有効である。設問のように事務所ビルの一部が対象である場合は，同一建物内で最近入居した賃借人に係る賃貸事例についても代替性の高い事例として採用し得る。

賃貸事例比較法の有効性
「基準」総論第7章

なお，建物及びその敷地の正常賃料を求める場合の鑑定評価に当たっては，賃貸借の契約内容による使用方法に基づく建物及びその敷地の経済価値に即応する賃料を求める必要がある。したがって，賃貸事例比較法の適用に当たっては，まず当該空室部分を賃貸する際の賃貸形式，賃貸面積，契約期間，一時金の有無とその内容等，市場における標準的な契約条件を明らかにしたうえで，当該契約内容について類似性を有する事例を選択すべきことに留意しなければならない。

賃貸事例比較法適用上の留意点①
「基準」各論第2章
「留意事項」総論第7章
「基準」総論第7章

また，建物及びその敷地の一部を対象とする場合の正常賃料の鑑

定評価額は，当該建物及びその敷地の全体と当該部分との関連について総合的に比較考量して求める必要がある。したがって，同一建物内の賃貸事例を採用する場合等であっても，対象部分と当該事例との間で階層別・位置別の効用格差等が生じている場合には，個別格差として試算賃料に適切に反映させる必要がある。

以　上

賃貸事例比較
法適用上の留
意点②
「基準」各論第
2章

解　説

本問は，貸家及びその敷地の鑑定評価方法を切り口に，総合勘案事項のひとつでもある「将来における賃料改定」と，収益価格の試算で特に重要な「空室部分の取り扱い（賃料査定方法）」について問うものである。

小問(1)は，前半は基本的な流れで①貸家の定義・特徴，②貸家の評価方針，③総合勘案事項について述べていけばよい。後半が勝負どころとなるが，近い将来の賃料改定によって，当該物件の収益性が大きく左右されることから，貸家の典型的な需要者である投資家にとって重要な意思決定要因となる点を明確にしてほしい。さらに，設問の「空室率が比較的高い」原因について軽く触れたうえで，将来起こりうる賃料改定（減額）と当該要因をどのように試算価格へ反映するかという説明につなげるとよい。

小問(2)は，まず，賃貸用不動産の総収益は満室稼働を前提に査定するため，空室部分については自用の建物及びその敷地と同様に，価格時点における新規賃料（正常賃料）を求める必要がある点を述べること。次に，空室部分の正常賃料の評価方法については，積算法と収益分析法の困難性に触れ，賃貸事例比較法のみ適用可能である点を述べること。賃貸事例比較法の定義等は「基準」の引用でよいが，さらに，設問の場合，標準的な契約条件を前提とした賃料査定である点と，査定対象が一棟の建物の一部分である点を，手法適用上の留意点として挙げるとより具体的な説明となってよい。

価格評価と賃料評価を織り交ぜた，いわゆる「基準」横断型の問題となっているが，個々の論点は概ね基本レベルであり，「基準」の引用によってそれなりに解答を組み立てていくこともできる。

問題② 　建物及びその敷地に関する個別的要因のうち，賃貸用不動産に関する個別的要因として「賃貸経営管理の良否」があるが，その主なものを例示し，証券化対象不動産の鑑定評価の場合において，収益費用項目をはじめとするDCF法の個別の査定項目との対応関係を具体的に述べなさい。

解答例

1．賃貸用不動産に関する個別的要因

　　価格形成要因とは，不動産の効用，相対的稀少性，不動産に対する有効需要の三者に影響を与える要因をいう。不動産の価格は，多数の要因の相互作用の結果として形成されるものであるから，不動産の鑑定評価を行うに当たっては，価格形成要因を市場参加者の観点から明確に把握して，三者に及ぼす影響を判定することが必要である。

　　価格形成要因は，一般的要因，地域要因，個別的要因に分けられる。

価格形成要因の意義
「基準」総論第3章

　　個別的要因とは，不動産に個別性を生じさせ，その価格を個別的に形成する要因をいう。

　　個別的要因は，不動産の種類に応じて，「土地に関する個別的要因」「建物に関する個別的要因」「建物及びその敷地に関する個別的要因」「賃貸用不動産に関する個別的要因」に分けられる。

個別的要因の定義と分類
「基準」総論第3章

　　設問の「賃貸用不動産に関する個別的要因」には，賃貸経営管理の良否があり，その主なものを例示すれば，次のとおりである。

①　賃借人の状況及び賃貸借契約の内容

②　貸室の稼働状況

③　躯体・設備・内装等の資産区分及び修繕費用等の負担区分

　　上記①については，賃料の滞納の有無及びその他契約内容の履行状況，賃借人の属性（業種，企業規模等），総賃貸可能床面積に占める主たる借主の賃貸面積の割合に特に留意する必要がある。

賃貸用不動産に関する個別的要因
「基準」総論第3章
「留意事項」総論第3章

2．賃貸用不動産の個別的要因とDCF法査定項目との対応関係

(1)　個別的要因分析の意義

　　　鑑定評価の手順において，個別的要因の分析結果は，鑑定評価の手法の適用等における各種の判断において反映すべきである。

　　　また，証券化対象不動産の鑑定評価は，広範な投資家をはじめとする多数の利害関係者に重大な影響を与える。

　　　したがって，証券化対象不動産に係る「賃貸経営管理の良否」の把握に際しては，「投資後に予期せぬ収入減・支出増が生ずるリスクはないか？」という観点で要因分析を行い，これを評価手法に反映させなければならない。

個別的要因分析の意義「基準」総論第6章

(2)　DCF法の意義

　　　収益還元法は，対象不動産が将来生み出すであろうと期待される純収益の現在価値の総和を求めることにより対象不動産の試算価格（収益価格）を求める手法である。

　　　DCF法とは，収益還元法のうち，「連続する複数の期間に発生する純収益及び復帰価格を，その発生時期に応じて現在価値に割り引き，それぞれを合計する方法」をいう。

　　　なお，証券化対象不動産の鑑定評価において，「純収益」は「運営純収益（運営収益－運営費用）＋一時金の運用益－資本的支出」により査定する。

収益還元法・DCF法の定義「基準」総論第7章

(3)　要因とDCF法との対応関係

①　賃借人の状況及び賃貸借契約の内容

　　　現行賃料水準とその将来動向は，対象不動産の価値を本質的に決定する。したがって，賃貸借契約内容等を十分に分析して，毎期の運営収益（貸室賃料収入，共益費収入）等を的確に予測しなければならない。

　　　また，賃借人に滞納履歴がある場合や，その財務状況が悪い場合は，将来貸倒れ損失の生ずる恐れがある。この要因は，将来の運営収益（貸倒れ損失）又は割引率（減収リスク）等に反映しなければならない。

　　　さらに，一棟全体の面積に占める特定賃借人の面積割合が

契約内容等のDCF法への反映

高い場合は，当該借主の退去に伴う大規模な空室損失の生ず
る恐れがある。この要因は，将来の運営収益（空室等損失）
又は割引率（減収リスク）等に反映しなければならない。

② 貸室の稼働状況

貸室の稼働状況は，運営収益を直接的に左右する。仮に現
在の稼働率が低いのであれば，その原因を分析の上，投資家
の視点に立った現実的なシナリオ想定（例えば，賃料引下げ
やリニューアル実施）を行い，これを将来の運営収益（貸室
賃料収入）や資本的支出（リニューアル費用）等に反映しな
ければならない。

貸室稼働状況
のDCF法への
反映

③ 躯体・設備・内装等の資産区分及び修繕費用等の負担区分

建物に係る躯体・設備・内装等の資産区分及び修繕費用等
の負担区分は，市場における賃料水準との乖離や，賃貸人が
負担する修繕費等に影響を及ぼす。特に，店舗用ビルの場合
には，賃貸人は躯体及び一部の建物設備を施工するのみで賃
貸し（スケルトン貸し），内装，外装及び建物設備の一部は
賃借人が施工することがあるので，このような場合において
賃借人が負担する修繕費等の項目を賃貸人負担の費用として
計上することのないよう留意する必要がある。

資産区分等の
DCF法への反
映
「留意事項」各
論第2章

以　上

解　説

　「賃貸用不動産固有の要因」を「DCF法」適用に際しどのように反映すべきか
を問うものである。

　ＴＡＣでは「要因と手法との関連」を問う問題を，答練等を通じて多数提供し
ており，受講生にとって答案構成は容易であったと考える。ただし，質問内容自
体は奥深いものであり，どこまで「具体的な例示」ができたかが合否の分かれ目
となるだろう。

　小問形式ではないので，例えば次のような見出しを付して解答するとよい。

1．賃貸用不動産に関する個別的要因

　　価格形成要因と個別的要因の定義を述べてから，「賃貸用不動産に関する個
　別的要因」を例示する。「留意事項」からの引用も忘れないこと。

2．要因分析と手法との関連

　(1)　個別的要因分析の意義

　　　要因分析結果を手法適用に反映させる必要性について述べる。本問は証券
　　化対象不動産に関するものであるので，「投資家保護」に関連する記述も盛
　　り込むとよい。

　(2)　DCF法の意義

　　　「基準」から収益還元法とDCF法の定義を引用する。収益費用項目につい
　　て詳しく説明すれば加点理由となるだろう。

　(3)　要因分析と手法との関連

　　　本問のメインテーマである。上記1で例示した要因をDCF法査定項目に
　　どのように反映すればよいか，できるだけ具体的に論ずること。

問題③　建物の再調達原価を求めるにあたって次の問に答えなさい。
　(1)　再調達原価の意義を述べ，建物の再調達原価を求める方法について
　　　説明しなさい。
　(2)　以下の建物の個別的要因について説明し，建築後，数年を経過して
　　　いる建物（中高層事務所）の再調達原価及び積算価格を求めるにあた
　　　りどのような影響を与えるか述べなさい。
　　ア　設計設備等の機能性
　　イ　建物の性能
　　ウ　維持管理の状態
　　エ　有害な物質の使用の有無及びその状態

解答例

小問(1)

1．再調達原価の意義

　　原価法は，価格時点における対象不動産の再調達原価を求め，
この再調達原価について減価修正を行って対象不動産の試算価格
（積算価格）を求める手法である。

　　再調達原価とは，対象不動産を価格時点において再調達するこ
とを想定した場合において必要とされる適正な原価の総額をいう。

　　すなわち，再調達原価とは，建物は新築を想定した価格を，敷
地は更地としての最有効使用を前提とする価格を指す。したがっ
て，建物に経年劣化が生じている場合や，建物が更地の最有効使
用に合致していない場合等においては，上限値としての再調達原
価に減価修正を行うことにより適正な積算価格を求めることがで
きる。

　　減価修正とは，減価の要因（物理的・機能的・経済的要因）に
基づき発生した減価額を対象不動産の再調達原価から控除するこ
とである。

2．建物の再調達原価を求める方法

　　建物の再調達原価は，建設請負により，請負者が発注者に対し

原価法（再調
達原価）の意
義
「基準」総論第
7章

46

て直ちに使用可能な状態で引き渡す通常の場合を想定し，発注者が請負者に対して支払う標準的な建設費（直接工事費＋間接工事費＋請負者利潤を含む一般管理費等）に，発注者が直接負担すべき通常の付帯費用を加算して求めるものとする。

建物の再調達原価を求める方法には，①直接法（直接的に再調達原価を求める方法）と②間接法（建設事例から間接的に再調達原価を求める方法）があるが，収集した建設事例等の資料としての信頼度に応じていずれかを適用するものとし，また，必要に応じて併用するものとする。

なお，直接法は，a.使用資材の種別等を調査して積算する方法と，b.実際の建設費用を補修正する方法とに分けられる。

再調達原価の
求め方
「基準」総論第
7章

小問(2)

1．個別分析の意義と中古事務所ビルの積算価格算定上の留意点

個別的要因とは，不動産に個別性を生じさせ，その価格を個別的に形成する要因をいう。

個別的要因の分析においては，対象不動産に係る典型的な需要者が重視する個別的要因等を的確に把握することが重要である。また，個別的要因の分析結果は，鑑定評価の手法の適用等における各種の判断においても反映すべきである。

したがって，竣工後数年経過している中高層事務所の積算価格を求めるに際しては，当該不動産の需要者（投資家又は自社ビルを求める企業等）の視点に立ち，収益性や利用効率等に影響を与える個別的要因を把握・分析して，各査定項目に反映させなければならない。

個別的要因の
分析の意義
「基準」総論第
6章

2．建物の個別的要因の原価法への反映

ア　設計設備等の機能性

各階の床面積，天井高，床荷重，情報通信対応設備の状況，空調設備の状況，エレベーターの状況，電気容量，自家発電設備・警備用機器の有無，省エネルギー対策の状況，建物利用における汎用性等に特に留意する必要がある。

これらの要因は建築コストを左右するため，原価法の適用に際しては再調達原価に反映しなければならない。

設計設備の機
能性と原価法
「留意事項」総
論第3章

なお，「天井高」の変更はできないため，事務所ビルに通常求められる天井高より低い場合は，家賃水準の劣る程度等を考慮の上，機能的要因に基づく減価修正を行わなければならない。

イ　建物の性能

　建物の耐震性については，建築基準法に基づく耐震基準との関係及び建築物の耐震改修の促進に関する法律に基づく耐震診断の結果について特に留意する必要がある。

　これらの要因は建築コストを左右するため，原価法の適用に際しては再調達原価に反映しなければならない。

　なお，「建物の耐震性」は，ビルの安全性を左右する重要な要因である。通常求められる耐震性を有していない場合，耐震改修工事費等を考慮の上，機能的要因に基づく減価修正を行わなければならない。

建物性能と原価法
「留意事項」総論第3章

ウ　維持管理の状態

　屋根，外壁，床，内装，電気設備，給排水設備，衛生設備，防災設備等に関する破損・老朽化等の状況及び保全の状態について特に留意する必要がある。

　十分な保全が行われていない場合，経年相応以上の劣化が生ずることがあるので，物理的要因に基づく減価修正に反映させる。

維持管理と原価法
「留意事項」総論第3章

エ　有害な物質の使用の有無及びその状態

　建設資材としてのアスベストの使用の有無及び飛散防止等の措置の実施状況並びにポリ塩化ビフェニル（PCB）の使用状況及び保管状況に特に留意する必要がある。

　有害物質が存在し，かつ，必要な措置が実施されていない場合，ビル利用者に健康被害の生ずる恐れがあるので，有害物質の種類や状態，建物の用途等を考慮して，減価修正を行うべきである。「観察減価法（減価修正の方法）」を採用し，必要な措置の概要や当該措置に要する費用，工事期間中の逸失利益等を積算して減価額を査定する。

有害物質と原価法
「留意事項」総論第3章

以　上

解　説

　「建物の個別的要因」を「原価法」適用に際しどのように反映すべきかを問う
ものである。

　本年「問題 2 （賃貸用不動産の個別的要因とDCF法）」と同様，小問(2)におい
てどこまで具体的な例示ができたかが合否の分かれ目となるだろう。

小問(1)

　原価法・再調達原価の定義，（建物の）再調達原価の求め方を「基準」から引
用する。再調達原価とは「新築・最有効を前提とする上限値」であり，減価修正
を行うことによって適正な試算価格を求めることができる。

小問(2)

　まず，個別的要因の定義とその分析の必要性について述べ，設問のような中古
事務所ビルに係る要因分析上のポイントを説明する。

　次に，設問の個別的要因について，「留意事項」からの引用により説明した上
で，各要因を原価法のどの項目にどのように反映させるかをできるだけ具体的に
述べること。

問題④　不動産鑑定士Ａは，Ｂ社から証券化対象不動産としての鑑定評価の依頼を受けた。当該鑑定評価に関して次の問に答えなさい。

※依頼概要

　　Ｂ社は，自社所有地に共同住宅を建築中であり，依頼日現在，竣工直前の段階にある。Ｂ社は，当該共同住宅（建物及びその敷地から構成される複合不動産）の価格に関する鑑定評価を希望している。なお，建物竣工後，Ｂ社は，対象不動産を大手食品会社Ｃ社に独身寮として一括賃貸した上で対象不動産を証券化する予定であり，既にＣ社と建物賃貸借契約（賃貸借契約期間は建物竣工後５年間）を締結している。

⑴　対象不動産の確定について簡潔に説明し，建築中の建物は鑑定評価の対象となるか否かについて述べなさい。

⑵　価格時点について簡潔に説明し，本件ではどの時点に設定すべきか述べなさい。

⑶　本件において，貸室賃料収入の把握の際，留意すべき点を述べなさい。

解答例

小問⑴

1．対象不動産の確定の意義

　　不動産の鑑定評価を行うに当たっては，まず，鑑定評価の対象となる土地又は建物等を物的に確定することのみならず，鑑定評価の対象となる所有権及び所有権以外の権利を確定する必要がある。

　対象不動産の確定の意義「基準」総論第5章

　　不動産は人文的特性に基づき，その範囲等が可変的であり，また，所有権・賃借権等の物権のみならず，外形上不分明な賃借権等の債権も対象となり，これらが複合的・重層的に存在する等，その対象が複雑な様相を呈するために，対象不動産を確定することが必要となる。

　確定の必要性

　　対象不動産の確定は，鑑定評価の対象を明確に他の不動産と区別し，特定することであり，それは不動産鑑定士が鑑定評価の依

50

頼目的及び条件に照応する対象不動産と当該不動産の現実の利用状況とを照合して確認するという実践行為（対象不動産の確認）を経て最終的に確定されるべきものである。

確定と確認の関係
「基準」総論第5章

2．対象確定条件の意義

　対象確定条件とは，対象不動産の確定に当たって必要となる鑑定評価の条件である。

　対象確定条件は，鑑定評価の対象とする不動産の所在，範囲等の物的事項及び所有権，賃借権等の対象不動産の権利の態様に関する事項を確定するために必要な条件である。

対象確定条件の意義
「基準」総論第5章

3．設問の場合に設定すべき対象確定条件

　対象不動産の確認は適正な鑑定評価の前提となる行為で，実地調査の上，閲覧，聴聞等を通じて的確に行うべきであり，いかなる場合にも省略することは出来ないのが原則である。

　そうすると，設問のような建築中の建物については，鑑定評価を行う時点において完成後の状態を確認することはできず，このような物件は鑑定評価の対象とはならないのが通常である。

　しかし，鑑定評価に際しては，現実の用途及び権利の態様並びに地域要因及び個別的要因を所与として不動産の価格を求めることのみでは多様な不動産取引の実態に即応することができず，社会的な需要に応ずることができない場合がある。

　設問の場合も，証券化において建築中の建物の評価が必要とされているが，鑑定評価基準上，このような評価の需要に応ずるために，対象確定条件については，対象不動産の現況を所与とするのみならず，造成に関する工事が完了していない土地又は建築に係る工事（建物を新築するもののほか，増改築等を含む。）が完了していない建物について，当該工事の完了を前提として鑑定評価の対象とする，「未竣工建物等鑑定評価」を設定することが認められている。

設問の場合に設定すべき対象確定条件
「基準」「留意事項」総論第5章

　設問の場合，当該条件を設定した上で鑑定評価を行うことが可能と考えられるが，以下の要件を満たすことが必要となる。

　対象確定条件を設定するに当たっては，対象不動産に係る諸事項についての調査及び確認を行った上で，依頼目的に照らして，

51

鑑定評価書の利用者の利益を害するおそれがないかどうかの観点から当該条件設定の妥当性を確認しなければならない。

さらに、未竣工建物等鑑定評価を行う場合は、上記妥当性の検討に加え、価格時点において想定される竣工後の不動産に係る物的確認を行うために必要な設計図書等及び権利の態様の確認を行うための請負契約書等を収集しなければならず、さらに、当該未竣工建物等に係る法令上必要な許認可等が取得され、発注者の資金調達能力等の観点から工事完了の実現性が高いと判断されなければならない。

未竣工建物等鑑定評価を行う場合の要件「基準」総論第5章

また、設問のような証券化対象不動産の鑑定評価の場合、工事の中止、工期の延期又は工事内容の変更が発生した場合に生じる損害が、当該不動産に係る売買契約上の約定や各種保険等により回避される場合に限り、未竣工建物等鑑定評価を行うことができる。

証券化対象不動産について未竣工建物等鑑定評価を行う場合の要件「基準」各論第3章

小問(2)

1. 価格時点の意義

価格形成要因は、時の経過により変動するものであるから、不動産の価格はその判定の基準となった日においてのみ妥当するものである。したがって、不動産の鑑定評価を行うに当たっては、不動産の価格の判定の基準日を確定する必要があり、この日を価格時点という。

価格時点の意義「基準」総論第5章

不動産の価格は、多数の価格形成要因の相互因果関係の組み合わせの流れである変動の過程において形成され（変動の原則）、また、不動産の属する地域は常に拡大縮小、集中拡散、発展衰退等の変化の過程にあり、不動産の価格は、通常、過去と将来とにわたる長期的な考慮の下に形成される。したがって、不動産の鑑定評価を行うに当たっては、このような変動の過程でどの時点の価格を求めるのか、すなわち不動産の価格の判定の基準日となる価格時点を確定しなければならない。

価格時点確定の必要性「基準」総論第1章、第4章

価格時点は、鑑定評価を行った年月日を基準として現在の場合（現在時点）、過去の場合（過去時点）及び将来の場合（将来時点）に分けられる。

価格時点の分類「基準」総論第5章

2．設問の場合に設定すべき価格時点

　設問の場合，小問(1)で述べた「未竣工建物建物等鑑定評価」を対象確定条件として鑑定評価を行うこととなるが，当該条件は「現在時点」を価格時点とし，当該現在時点において工事が完了している状態を想定するものであり，現実に当該工事が完了する「将来時点」を価格時点とする鑑定評価ではない。

　将来時点の鑑定評価は，対象不動産の確定，価格形成要因の把握，分析及び最有効使用の判定についてすべて想定し，又は予測することとなり，また，収集する資料についても鑑定評価を行う時点までのものに限られ，不確実にならざるを得ないので，原則として，このような鑑定評価は行うべきではない。

　したがって，設問の場合に設定すべき価格時点は「現在時点」である。

設問の場合に設定すべき価格時点「留意事項」総論第5章

小問(3)

1．ＤＣＦ法及び貸室賃料収入の意義

　ＤＣＦ法とは，収益還元法のうち，連続する複数の期間に発生する純収益及び復帰価格を，その発生時期に応じて現在価値に割り引き，それぞれを合計する方法をいう。

　証券化対象不動産の鑑定評価における収益価格を求めるに当たっては，ＤＣＦ法を適用しなければならない。この場合において，併せて直接還元法を適用することにより検証を行うことが適切である。

ＤＣＦ法の定義等「基準」総論第7章，各論第3章

　証券化対象不動産に係るＤＣＦ法適用に際しては，運営収益から運営費用を控除して運営純収益を求め，これに一時金の運用益を加算し資本的支出を控除して純収益を求める。

　設問の貸室賃料収入は上記運営収益の一項目であり，対象不動産の全部又は貸室部分について賃貸又は運営委託をすることにより経常的に得られる収入（満室想定）をいう。

証券化評価における純収益の求め方，貸室賃料収入の定義「基準」各論第3章

2．設問の場合の留意点

　設問の場合，既にＣ社との賃貸借契約が締結されていることから，当該賃貸借契約によって定められた合意賃料が賃料収入把握の基礎となるものであるが，この契約賃料の水準は，将来におけ

る賃料の改定の実現性とその程度に影響を与える。よって，当該賃料の妥当性についても検証を行なう事が必要となる。

　なお，当該検証は賃貸事例比較法を準用して求めた正常実質賃料から一時金の運用益等を控除して正常支払賃料を求め，これと上記契約賃料とを比較すること等により行う。

設問の場合の留意点

　賃貸事例比較法は，まず多数の新規の賃貸借等の事例を収集して適切な事例の選択を行い，これらに係る実際実質賃料に必要に応じて事情補正及び時点修正を行い，かつ，地域要因の比較及び個別的要因の比較を行って求められた賃料を比較考量し，これによって対象不動産の試算賃料（比準賃料）を求める手法である。

　賃貸借等の事例の収集及び選択については，賃貸借等の契約の内容について類似性を有するものを選択すべきであるが，その際には本件賃貸借契約と同様，一棟貸しの事例を収集・選択することが原則であり，部分貸し等の事例を採用する場合には，賃貸形式の違いによる賃料格差を適切に修正することが必要となる。

賃貸事例比較法
適用上の留意点
「基準」総論第7章

以　上

解 説

小問(1)

　「対象不動産の確定」「対象確定条件」等について，「基準」の引用を中心に説明した上で，設問の場合は「未竣工建物等鑑定評価」を対象確定条件として設定した上で鑑定評価の対象とすることが可能である旨を述べればよい。

　「未竣工建物等鑑定評価」は想定要素が大きく，設定する場合には厳格な要件が規定されているので，鑑定評価においては原則として現地調査（対象不動産の確認）が必要であることや，「未竣工建物等鑑定評価」を行う場合の要件について，「基準」総論第5章や各論第3章を中心に丁寧に記述すること。

小問(2)

　「未竣工建物等鑑定評価」を行う場合の価格時点は「現在時点」となる。前提概念として「価格時点」の意義や必要性，「将来時点」を設定することの困難性等に触れながら，結論を簡潔に述べればよい。

小問(3)

　「ＤＣＦ法」「収益費用項目」「貸室賃料収入」等について，「基準」を適切に引用して説明した上で，問いに答えること。

　設問においてはすでに一棟貸しの賃貸借契約が締結され，賃料の金額も合意していると解されるので，当該賃料を採用するのが原則だが，賃貸事例比較法等による検証を踏まえる必要がある旨を述べてほしい。

> 問題① 配分法について，次の問に答えなさい。
>   (1) 配分法の意義と適用に当たっての一般的留意点について，それぞれ述べなさい。
>   (2) 戸建住宅である「自用の建物及びその敷地」について，配分法を適用して土地価格を導出する場合の留意点について具体的に述べなさい。
>   (3) 「貸家及びその敷地」について，配分法を適用して土地価格を導出することの適否とその理由について述べなさい。

解答例

小問(1)

1．配分法の意義

　　配分法とは，取引事例が対象不動産と同類型の不動産の部分を内包して複合的に構成されている異類型の不動産に係る場合に，当該複合不動産の取引事例より，対象不動産の類型に係る事例資料を求める方法である。

　　配分法は，特に更地の鑑定評価において，更地の取引事例が少なく，かつ複合不動産の取引事例が多数得られる場合において事例収集の可能性を広げ，これにより，比準価格の精度の向上と，取引事例比較法の適用範囲を拡大する役割を果たすものである。

　　配分法には，以下の2方法が存する。

　① 対象不動産と同類型の不動産以外の部分の価格が，取引価格等により判明しているとき，当該事例の取引価格からその価格を控除して，対象不動産の類型に係る事例資料を求める方法

　② 当該取引事例について各構成部分の価格の割合が取引価格，新規投資等により判明しているとき，当該事例の取引価格に対象不動産と同類型の不動産の部分に係る構成割合を乗じて，対象不動産の類型に係る事例資料を求める方法

2．配分法適用上の留意点

（右欄注記）
配分法の意義
「基準」総論第7章

適用方法
「基準」総論第7章

配分法を適用するに当たっての一般的留意点は，以下の通りである。

① 対象不動産と同類型の不動産の部分が，事例適格四要件を具備していること

② 更地の事例資料を求める場合においては，敷地が最有効使用の状態にある事例を採用し，建付地の事例資料を求める場合においては，建物と敷地の適応の状態が類似した事例を採用すること

一般的留意点

小問(2)

戸建住宅である「自用の建物及びその敷地」について，配分法を適用して土地価格を導出する場合の留意点は，以下の通りである。

① 戸建住宅の売買においては，契約書に記載された建物等の価格が，適正な建物価値を表していない場合も多い。よって，契約書に建物価格の記載がある場合においても，不動産鑑定士が関連諸資料を具体的に分析し，原価法を準用することにより，建物価格を判断すべきである

② 戸建住宅の売買に当たっては，「単価と総額の関係（面積が小さい物件は，単価ベースでは割高になりがちである）」及び「総額としての市場性」が，取引価格に大きく影響することから，係る点についての分析を十分に行うべきである

戸建住宅に配分法を適用する際の留意点

小問(3)

「貸家及びその敷地（建物所有者とその敷地の所有者とが同一人であるが，建物が賃貸借に供されている場合における当該建物及びその敷地をいう）」の事例について配分法を適用し，土地価格を導出する場面としては，

① 更地の事例資料を求める場合（複合不動産の原価法適用の過程における更地価格の査定も含む）

② 自用の「建付地」の評価において，同類型の事例資料を求める場合

③ 貸家の「建付地」の評価において，同類型の事例資料を求める場合

に分類される。

貸家及びその敷地に配分法を適用するケース

これらのうち，①更地の事例資料を求める場合・②自用の建付地の事例資料を求める場合においては，原則的には「貸家及びその敷地」の事例を採用すべきでないと考える。

　なぜなら，「貸家及びその敷地」の価格は，土地・建物一体として形成される傾向が強く，また「賃貸経営管理の良否」が取引総額に与える影響が大きいことから，かかる取引価格から建物価格を控除したとしても，適正な更地価格（又は自用の建付地価格）になるとは限らないからである。

　但し，都心商業地等の評価の際には，「貸家及びその敷地」以外の取引事例の収集が困難な場合も存する。このような場合においては，実証的な取引事例比較法の適用範囲を広げる意味で，「賃貸経営管理の良否」に関する十分な分析・補正を行った上で，「貸家及びその敷地」の取引事例より更地価格（又は自用の建付地価格）を導出することも許容されるものと判断する。

　③の評価にあたって取引事例比較法を適用する際には，「貸家及びその敷地」に配分法を適用して貸家の「建付地」の事例を導出することが，最も理論的である。よって，建物と敷地の適応状態・賃貸経営管理の良否の類似性に留意の上，配分法を適用すべきと考える。

以　上

貸家建付地事例の採用の適否

解　説

　小問(1)は典型的な論点であるが，小問(2)と小問(3)は実務色が強い問題である。

　特に，小問(2)は，基準・留意事項及びその理解の範疇で解答できる内容は限られてしまうが，実務的には，解答例で挙げたものの他，

- 新築戸建の取引事例の場合，開発業者の開発利潤が相当上乗せされている点に留意すること
- 控除する建物等の取引価格には，各種設備・門・塀等・地中式以外の駐車場等の価格も含むこと
- 老朽建物が有る場合，取り壊しが前提かどうか，取壊し費用の負担は買主・売主のいずれかに留意すること

等も挙げられる。

問題[2]　借地権付建物の鑑定評価について，次の問に答えなさい。

(1)　①　借地権付建物で当該建物が賃貸に供されている場合の鑑定評価
　　　　　額の決定はいかになすべきか説明しなさい。なお，定期借地権は
　　　　　考慮外とする。

　　　②　①の鑑定評価を行う場合において，総合的に勘案すべき事項を
　　　　　5つ挙げ，なぜ勘案すべきかをそれぞれ説明しなさい。

(2)　(1)①の鑑定評価に当たり，付与された下記の資料から必要なものを
　　　選択し，計算過程を記載して，収益価格を試算しなさい。なお，定期
　　　借地権は考慮外とする。

＜資料＞

建物の賃貸借に係る保証金の運用益（年額）※1：　　　　　　　1,000,000円

（※1　この保証金は，預り金的性格を有する一時金である。）

建物還元利回り：　　　　　　　　　　　　　　　　　　　　　　　　10％

空室等による損失相当額（年額）：　　　　　　　　　　　　　1,000,000円

土地価格：　　　　　　　　　　　　　　　　　　　　　　100,000,000円

借地権還元利回り：　　　　　　　　　　　　　　　　　　　　　　　6％

公租公課（年額）：　　　　　　　　　　　　　　　　　　　　650,000円

　　　　　　　　　　　　　（内訳：土地250,000円，建物400,000円）

建物価格：　　　　　　　　　　　　　　　　　　　　　　　50,000,000円

建物修繕費（年額）：　　　　　　　　　　　　　　　　　　　400,000円

建物の賃貸借に係る権利金の運用益及び償却額（年額）※2：　3,000,000円

（※2　この権利金は，賃料の前払的性格を有する一時金である。）

建物維持管理費（年額）：　　　　　　　　　　　　　　　　　300,000円

建物の賃料（年額）：　　　　　　　　　　　　　　　　　　9,000,000円

土地還元利回り：　　　　　　　　　　　　　　　　　　　　　　　5％

地代（年額）：　　　　　　　　　　　　　　　　　　　　　　600,000円

損害保険料（建物の火災保険。年額）：　　　　　　　　　　　300,000円

借地権価格：　　　　　　　　　　　　　　　　　　　　　　50,000,000円

解答例

小問(1)

① 借地権付建物（貸家）の鑑定評価

　　借地権とは，借地借家法（廃止前の借地法を含む。）に基づく借地権（建物の所有を目的とする地上権又は土地の賃借権）をいい，借地権付建物とは，この借地権を権原とする建物が存する場合における当該建物及び借地権をいう。

　　借地権付建物で，当該建物が賃貸に供されている場合，借家人が居付きの状態で，直ちに需要者の用に供することは困難であり，通常，賃料収入に基づく収益物件として投資家によって取引の対象とされる。

　　したがって，借地権付建物で，当該建物が賃貸されているものについての鑑定評価額は，実際実質賃料（売主が既に受領した一時金のうち売買等に当たって買主に承継されない部分がある場合には，当該部分の運用益及び償却額を含まないものとする。）に基づく純収益等の現在価値の総和を求めることにより得た収益還元法による収益価格を標準とし，原価法による積算価格及び取引事例比較法による比準価格を比較考量して決定するものとする。

② 総合的勘案事項

　　設問の鑑定評価を行うに当たって総合的に勘案すべき事項を挙げると，以下のとおりである。

　a．将来における賃料の改定の実現性とその程度

　　　近い将来，地主に支払っている賃料（地代）又は借家人から受け取っている賃料（家賃）が改定されると，借地権付建物の将来の収益性が左右されることとなる。例えば，地代の増額改定は「総費用」の増加に，家賃の増額改定は「総収益」の増加にそれぞれつながる。

　b．借地権の態様及び建物の残存耐用年数

　　　借地権の態様（地上権か賃借権か，転借か否か等）によって，借地権付建物の収益性や市場性は左右されることとなる。例えば，物権である地上権は，通常，債権である賃借権よりも担保

（右欄注記）

借地権・借地権付建物の定義
「基準」総論第2章

借地権付建物（貸家）の特徴

借地権付建物（貸家）の鑑定評価
「基準」各論第1章

総合的勘案事項
「基準」各論第1章

能力や譲渡性に優れることから市場性が高い。

　　また，建物の残存耐用年数が短い場合は，借地権の滅失可能性や増改築承諾料等の発生可能性が高くなり，借地権付建物の価格にマイナスの影響を与える。

ｃ．契約に当たって授受された一時金の額及びこれに関する契約条件

　　借地権付建物（貸家）の場合，借地契約に係る一時金だけでなく，建物賃貸借契約に係る一時金についても留意する必要がある。前者について，預り金的性格を有する一時金は，通常，借地権の価格を形成するものではないが，借地権の設定の対価としての一時金は，実際支払賃料の額に影響を及ぼすだけでなく，借地権の価格を形成する要素となる。一方，後者について，預り金的性格を有する一時金の運用益は総収益の構成要素となるが，賃料の前払的性格の一時金は，通常，売買に当たって買主に承継されないことから，総収益の構成要素とはならない。

ｄ．将来見込まれる一時金の額及びこれに関する契約条件

　　前記と同様，借地契約と建物賃貸借契約それぞれに係る一時金について留意する必要がある。借地権付建物の需要者にとって，借地契約に係る更新料，増改築承諾料，条件変更承諾料等の一時金は将来の支出を，建物賃貸借契約に係る更新料やテナント入れ替えに係る敷金，礼金等は将来の収入を意味し，それぞれ収益性を左右することとなる。

ｅ．借地権の取引利回り又は貸家及びその敷地の取引利回り

　　土地残余法や賃料差額還元法を適用して借地権価格を求める際や，収益還元法を適用して借地権付建物の収益価格を求める際に，対象不動産と類似の不動産の取引事例から求められる利回り（取引利回り）をもとに還元利回りを求め得る。

小問(2)

　直接還元法を採用し，実際実質賃料に基づく純収益を還元利回りで還元して，収益価格を試算する。

①　純収益

　ａ．総収益

直接還元法による収益価格の計算

　　　年額支払賃料　　　保証金の運用益
　　9,000,000円＋1,000,000円＝10,000,000円

　ｂ．総費用

　　　維持管理費　　　建物修繕費　　建物公租公課　　　地　代　　　損害保険料
　　300,000円＋400,000円＋400,000円＋600,000円＋300,000円

　　　　空室損失相当額
　　＋1,000,000円＝3,000,000円

　ｃ．純収益

　　　ａ－ｂ＝7,000,000円

②　還元利回り

$$6.0\% \times \frac{50,000千円}{100,000千円} + 10.0\% \times \frac{50,000千円}{100,000千円} = 8.0\%$$

③　収益価格

　　①÷②　＝　87,500,000円

以　上

解　説

　本問は，「基準」各論第１章から，借地権付建物（貸家）の鑑定評価方法と総合的勘案事項について正面から問うものである。

小問(1)

　まず①で借地権付建物の定義と，建物が賃貸されている場合の特徴（「収益物件」としての性格）に触れた上で，評価方針を「基準」に即して確実に述べること。②の総合的勘案事項の例示と勘案すべき理由については，①からのつながりで，「収益性」が左右されることを意識した論述が望ましい。「基準」には，借地権に係る総合的勘案事項と，貸家及びその敷地に係る総合的勘案事項があるが，本問では特に指定されていないので，両者のうちから論述しやすい事項を選べばよい。

小問(2)

　鑑定理論の論述問題では初の計算問題だが，総費用の査定に当たり，土地の公租公課の代わりに支払地代を計上する点さえ気をつければ，手計算でも容易に解答可能なレベルである。

問題③　下記の業務高度商業地域に存する自用の建物及びその敷地の鑑定評価について，次の問に答えなさい。

＜対象不動産の概要＞
- 土地　敷地面積約2,000㎡
- 建物　鉄骨造地下1階付16階建て事務所，延べ床面積約23,000㎡，築後約3年
- 用途　全国に事業所網を有する企業グループの本社ビル

＜依頼目的＞
　売却の検討のため

(1)　同一需給圏内における市場参加者の属性及び行動について述べた上で，対象不動産に係る典型的な市場参加者を判定しなさい。

(2)　(1)で判定した典型的な市場参加者を踏まえ，試算価格の調整における各試算価格が有する説得力に係る判断について，各試算価格ごとに述べなさい。ただし，各手法の適用において採用した資料の特性及び限界からくる相対的信頼性については，考慮しないものとする。

解答例

小問(1)

1．市場分析の意義，同一需給圏内における市場参加者の属性及び行動

　　市場分析とは，地域分析及び個別分析の各過程において，対象不動産に係る市場の範囲，主たる市場参加者の属性や行動基準，需給動向や対象不動産の市場競争力等を分析し，現実の市場の実態を把握することをいう。

　　市場参加者は，不動産取引に際し，市場の需給動向に関する見通しを前提として当該取引の可否・取引価格等についての意思決定を行うが，その決定基準は市場参加者の属性（個人エンドユーザー，各種事業法人，投資家，開発業者等）ごとに一定の傾向を見出すことができる。不動産の価格は，不動産の効用及び相対的稀少性並びに不動産に対する有効需要に影響を与える価格形成要

（市場分析の定義・必要性）

因の相互作用によって形成されるものであるが，その作用に係る判断は，現実の市場参加者の如何によって左右されることから，不動産の利用形態や価格形成に関して，市場参加者は主導的な役割を果たしているといえる。

したがって，地域分析及び個別分析を行って最有効使用を判定するためには，その過程において市場分析を行い，対象不動産について現実的に想定される市場参加者を明らかにし，当該市場参加者の観点から各種の要因を把握し，分析する必要がある。

地域分析における市場分析に当たっては，①同一需給圏における市場参加者がどのような属性を有しており，②どのような観点から不動産の利用形態を選択し，価格形成要因についての判断を行っているかを的確に把握することが重要である。あわせて③同一需給圏における市場の需給動向を的確に把握する必要がある。

同一需給圏における市場参加者の属性及び行動を把握するに当たっては，設問のような業務用不動産の場合，主たる需要者層及び供給者層の業種・業態・法人か個人かの別，並びに需要者の存する地理的な範囲（属性）と，これにより明らかになった市場参加者が，取引の可否・取引価格・取引条件等について意思決定する際に重視する価格形成要因の内容（行動）にそれぞれ留意すべきである。

また，個別分析における市場分析に当たっては，対象不動産に係る典型的な需要者がどのような個別的要因に着目して行動し，対象不動産と代替，競争等の関係にある不動産と比べた優劣及び競争力の程度をどのように評価しているかを的確に把握したうえで，最有効使用を判定しなければならない。

2．対象不動産に係る典型的な市場参加者

設問の対象不動産は，業務高度商業地域に存する自用の建物及びその敷地である。業務高度商業地域とは，高度商業地域のうち，主として行政機関，企業，金融機関等の事務所が高度に集積している地域をいう。自用の建物及びその敷地とは，建物所有者とその敷地の所有者とが同一人であり，その所有者による使用収益を制約する権利の付着していない場合における当該建物及びその敷

地域分析における市場分析「基準」「留意事項」総論第6章

個別分析における市場分析「基準」総論第6章

業務高度商業地域，自用の建物及びその敷地の定義「基準」「留意事項」総論第2章

地をいう。

　対象不動産はオフィスビルが集積する地域に存する，築年が浅い大規模本社ビルである。このような物件は，高品等の資材が使用され，また，エントランスホール等の共用部分が大きく確保される等，企業のシンボルとしての機能を重視した設計・施工となっていることが多い。したがって，対象不動産に係る市場参加者（需要者）としては，対象不動産を現況と同じく自社ビルとして利用することを前提とする法人が典型的と考えられる。

典型的な市場参加者の判定

　また，共用部分が大きくレンタブル比が低い等の本社ビルの一般的な状況を考慮すると，対象不動産は賃貸には不向きな可能性もあるが，業務高度商業地域に存することから，賃貸需要が旺盛で賃貸に供した場合に高い賃料収入が見込める場合も考えられる。このような場合，現況と異なり貸家及びその敷地（建物所有者とその敷地の所有者とが同一人であるが，建物が賃貸借に供されている場合における当該建物及びその敷地）として，賃料収入の獲得を企図する投資家層が需要者となることが考えられる。なお，貸家及びその敷地となる場合，売却方法としては①対象不動産の明け渡しを受けてから賃貸募集を行い，稼働率を上げていく通常の方式のほか，②売却後も現所有者が賃借人として一棟借りで対象不動産を使用し続け，売却時に合意した賃料を支払う「セル＆リースバック方式」による売却も考えられることに留意すべきである。

投資家が需要者となる可能性「基準」総論第2章

小問(2)

　試算価格の調整とは，鑑定評価の複数の手法により求められた各試算価格の再吟味及び各試算価格が有する説得力に係る判断を行い，鑑定評価における最終判断である鑑定評価額の決定に導く作業をいう。

　試算価格の調整に当たっては，対象不動産の価格形成を論理的かつ実証的に説明できるようにすることが重要である。このため，鑑定評価の手順の各段階について，客観的，批判的に再吟味し，その結果を踏まえた各試算価格が有する説得力の違いを適切に反映することによりこれを行うものとする。

試算価格の調整の定義等「基準」総論第8章

　各試算価格が有する説得力に係る判断とは，各試算価格の再吟味の結果を踏まえて，どの試算価格をどの程度重視するか，という重み付けを行うことをいう。判断に当たっては，「対象不動産に係る地域分析及び個別分析の結果と各手法との適合性」に留意すべきであり，具体的には，市場分析において想定した典型的な需要者の意思決定基準に最も合致する試算価格を中心に調整を行うこととなる。

説得力に係る判断の意義「基準」総論第8章

1．自用の建物及びその敷地として評価する場合

　　自用の建物及びその敷地は所有者による使用収益を制約する権利が付着しておらず，直ちに需要者の用に供することができるため，取引当事者は，通常，不動産の価格の三面性を考慮して取引意思を決定する。

　　したがって，設問のように現況利用の継続が最有効使用と認められる場合における自用の建物及びその敷地の鑑定評価額は，①積算価格，②比準価格及び③収益価格を関連づけて決定するものとする。

　　よって，3試算価格を共に重視して調整を行うのが原則であるが，以下のような場合，いずれか一つの試算価格を重視することもあり得る。

　　例えば，本件対象不動産は企業の本社ビルであり，取得後その金額が貸借対照表に計上され，毎期の決算に大きな影響を与えることから，その取得に当たっては資産性が重視されると考えられる。積算価格は土地及び建物の取得費を再調達原価として計上し，減価修正を行うものであり，会計上の減価償却と類似する処理を行い，費用性・資産性を反映した試算価格であるから，このような判断に基づき，積算価格を重視することがあり得る。

　　また，対象不動産と同様の本社ビルの取引が豊富にあり，かつ立地条件や品等格差の比較が適切に行える場合には，本社ビルの取引市場の特性を強く反映した試算価格として，比準価格を重視することが適切である。しかし，一般的に設問のような大規模・高品等な本社ビルの取引は稀少であり，合理的な要因比較も困難であることが多く，取引事例比較法は適用を断念する場合も多い。

　　さらに，賃貸需要が旺盛な地域に存し，本社ビルの取得の際に

自用の建物及びその敷地として評価する場合の各試算価格が有する説得力に係る判断「基準」各論第1章

も，例えば将来的に本社移転等で賃貸に供する必要が生じた場合を考慮して，賃料収入による収益性を重視して価格判断が行われているのであれば，収益価格を重視することもあり得る。

２．貸家及びその敷地として評価する場合

貸家及びその敷地は，建物が賃貸借に供されており，直ちに需要者の用に供することができないため，需要者は主に当該不動産の有する収益性に着目し，収益物件として取引意思を決定する。

したがって，現況利用の継続が最有効使用と認められる場合における貸家及びその敷地の鑑定評価額は，①実際実質賃料（売主が既に受領した一時金のうち売買等に当たって買主に承継されない部分がある場合には，当該部分の運用益及び償却額を含まないものとする。）に基づく純収益等の現在価値の総和を求めることにより得た収益価格を標準とし，②積算価格及び③比準価格を比較考量して決定するものとする。

貸家及びその敷地の場合，収益価格を中心とした調整となることがほとんどである。

貸家及びその敷地として評価する場合の各試算価格が有する説得力に係る判断「基準」総論第３章，各論第１章

収益価格については，上記小問(1)２．「①対象不動産の明け渡しを受けてから賃貸募集を行い，稼働率を上げていく通常の方式」を想定する場合には部分貸しで複数テナントに賃貸することを前提として正常実質賃料を査定する。一方，「②セル＆リースバック方式」を想定する場合で，現所有者（新賃借人）が支払う賃料，一時金等が確定している場合には実際実質賃料を採用し，確定していない場合には一棟貸しを前提として正常実質賃料を査定するが，想定において不確定要素が強い場合等には収益価格の説得力が低くなる場合があることに留意すべきである。

また，積算価格，比準価格については，賃貸経営管理の良否（賃借人の状況及び賃貸借契約の内容，貸室の稼働状況，躯体・設備・内装等の資産区分及び修繕費用等の負担区分）を適切に反映できる場合には，相対的にその説得力が高まる場合もあり得る。

以　上

解　説

小問(1)

　「市場分析」が問われているので，「基準」，「留意事項」を中心に「市場分析」の概念を説明してから問いに答えていくのが無難である。対象不動産は本社ビルであり，現況と同様の「自用の建物及びその敷地」として評価することが原則であるが，「セル＆リースバック」を前提とする売買に係る評価等で，「貸家及びその敷地」として評価する場合があることにも注意してほしい。

小問(2)

　こちらも，限られた時間の中で対象不動産の具体的状況を把握し，各試算価格について的確な記述をすることは受験生のレベルでは困難と思われるので，「試算価格の調整」や「自用の建物及びその敷地の評価方針」「貸家及びその敷地の評価方針」等，基本論点を説明し，最低限の守りを固めてから問いに答えていくべきである。「自用の建物及びその敷地の場合には3価格を重視」「貸家及びその敷地の場合には収益価格を重視」という「基準」各論1章の評価方針を基本にしながら，受験生なりに出来る範囲で簡潔に説明できれば十分である。なお，各手法の定義に係る「基準」を引用すると，記述量が嵩み，また，定義のみでは問いに対する答えにならず，印象が悪い答案になってしまう恐れがあるので，注意してほしい。

証券化対象不動産の鑑定評価について，次の問に答えなさい。

(1) 証券化しようとする不動産の保有者から，特定目的会社（依頼者）が不動産を取得する場合で，譲渡資産の運用受託者のほか，特定目的会社への資金の貸付けや出資等を行う証券化関係者がいる場合の証券化スキームについて，1例，図を用いて説明しなさい。

(2) 証券化対象不動産の鑑定評価書について，依頼者のみならず証券化対象不動産に係る利害関係者その他の者に対しても説明責任を十分に果たすべきとされる意義とその理由について，説明しなさい。

解答例

小問(1)

　不動産の証券化とは，一般に，証券化という特別目的のために設立された投資法人等が，不動産が生み出すキャッシュフローを裏付資産にして証券を発行し，投資家から資金を調達する仕組みのことをいう。 | 不動産の証券化の定義

　証券化対象不動産とは，次のいずれかに該当する不動産取引の目的である不動産又は不動産取引の目的となる見込みのある不動産（信託受益権に係るものを含む）をいう。

① 資産の流動化に関する法律に規定する資産の流動化並びに投資信託及び投資法人に関する法律に規定する投資信託に係る不動産取引並びに同法に規定する投資法人が行う不動産取引

② 不動産特定共同事業法に規定する不動産特定共同事業契約に係る不動産取引

③ 金融商品取引法第2条に規定する有価証券並びに有価証券とみなされる権利の債務の履行等を主たる目的として収益又は利益を生ずる不動産取引 | 証券化対象不動産の定義「基準」各論第3章

　本件は証券化しようとする不動産の保有者から特定目的会社が不動産を取得する際の鑑定評価であることから，上記①に該当する。そのため，不動産鑑定評価基準各論第3章の定めるところに従って行わなければならない。また，鑑定評価報告書にもその旨を記載し | 各論第3章の適用義務等「基準」各論第3章

なければならない。

　本件の証券化スキーム及び証券化関係者を例示すれば以下の通りである。

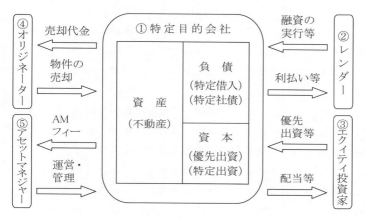

右欄：証券化スキームと証券化関係者「基準」各論第3章

①　特定目的会社：資産流動化法による特別目的会社（SPC）。資産を取得・保有し，その資産を集めることを目的として設立される法人

②　レンダー：SPC等に融資を行う金融機関

③　エクィティ投資家：SPC等の株式等に投資を行う者

④　オリジネーター：保有する不動産等（信託受益権を含む）をSPC等の証券化を行う発行主体に譲渡する者のこと

⑤　アセットマネジャー：投資家等から委託を受けて複数の不動産や金融資産の総合的な運用・運営・管理業務を行う者のこと

証券化対象不動産については，関係者が多岐にわたり利害関係が複雑であることも多いため，不動産鑑定士は当該利害関係を明確にするとともに，

①　依頼者が証券化対象不動産の証券化に係る利害関係者のいずれであるか

②　依頼者と証券化関係者との資本関係又は取引関係の有無等

③　その他依頼者と証券化関係者との特別な利害関係を有する場合にあっては，その内容

右欄：報告書への記載「基準」各論第3章

等について，鑑定評価報告書に記載しなければならない。

小問(2)

　不動産鑑定士は，不動産の鑑定評価を担当する者として，十分に能力のある専門家としての地位を不動産の鑑定評価に関する法律によって認められ，付与されるものである。したがって，不動産鑑定士は，不動産の鑑定評価の社会的公共的意義を理解し，その責務を自覚し，的確かつ誠実な鑑定評価活動の実践をもって，社会一般の信頼と期待に報いなければならない。

　そのために，不動産鑑定士は，依頼者に対して鑑定評価の結果を分かり易く誠実に説明を行い得るようにするとともに，社会一般に対して，実践活動をもって，不動産の鑑定評価及びその制度に関する理解を深めることにより，不動産の鑑定評価に対する信頼を高めるよう努めなければならない。具体的には，依頼者が鑑定評価の内容を正確に理解できるよう，鑑定評価がどのような過程を経て最終の鑑定評価額が決定されたのかを明確に分かりやすく説明する必要がある。

　証券化対象不動産の鑑定評価に当たって，不動産鑑定士は，依頼者のみならず広範な投資家等に重大な影響を及ぼすことを考慮するとともに，不動産鑑定評価制度に対する社会的信頼性の確保等について重要な責任を有していることを認識し，証券化不動産評価の手順について常に最大限の配慮を行いつつ，鑑定評価を行わなければならない。

　そのために，証券化対象不動産の鑑定評価書については，依頼者及び証券化対象不動産に係る利害関係者その他の者がその内容を容易に把握・比較することができるようにするため，鑑定評価報告書の記載方法等を工夫し，及び鑑定評価に活用した資料等を明示することができるようにするなど説明責任が十分に果たされるものとしなければならない。

　すなわち，不動産の証券化は関係者が多岐にわたり，このような中，証券化対象不動産の鑑定評価書は，証券化対象不動産への投資や融資等に当たり多くの利害関係者の参考資料として用いられるため，依頼者だけでなく証券化対象不動産に係る利害関係者等が鑑定

不動産鑑定士の責務
「基準」総論第1章

証券化評価における鑑定士の責務
「基準」各論第3章

証券化評価に係る鑑定評価書の説明責任
「基準」各論第3章

評価の調査内容や判断根拠を容易に把握することができるようにする必要がある。

さらに，依頼者等が他の証券化対象不動産の鑑定評価の内容とも容易に比較を行えるように，鑑定評価報告書の記載方法等を工夫し，調査内容や鑑定評価で用いた数値等の判断根拠をより具体的に明示するとともに，鑑定評価に採用した資料等も明示するなど，説明責任が十分に果たされるものとする必要がある。

具体的には，エンジニアリング・レポート等他の専門家による調査結果の活用の有無について判断した結果や，同一の依頼者から同時に複数物件の鑑定評価を依頼された場合の増減価要因の格差，利回りの判断，評価手法の適用方法等について，複数の鑑定評価報告書相互間の統一性や整合性の確保を行うこと等についての説明責任が要求される。

以　上

解　説

本問は，「基準」各論第3章から，代表的な証券化スキームの図示及び説明と証券化対象不動産の鑑定評価における説明責任について問うものである。

小問(1)

本件が資産流動化法に規定する資産の流動化に係る不動産取引に該当する旨を述べた上で，証券化スキーム図及び証券化関係者についての説明を行うこと。併せて鑑定評価報告書に証券化関係者との利害関係等について記載することも触れること。

小問(2)

まず，不動産鑑定士の責務，不動産鑑定士に要求される説明責任について触れたあと，証券化対象不動産の説明責任について論述する。証券化対象不動産の鑑定評価は広範な利害関係者に重大な影響を及ぼすこと，そのために利害関係者が容易に鑑定評価の内容を理解，比較できるようにする必要があることについて，鑑定評価基準を中心に述べること。さらに，採用資料，ER活用の有無の明示等，説明責任の具体的内容について記述するとよい。

平成22年度

> 問題1 最有効使用がマンション敷地として判定された土地（更地）であり，
> その土地の一部が文化財保護法に規定する周知の埋蔵文化財包蔵地で
> あることが疑われる場合の鑑定評価について，次の問に答えなさい。
> (1) 埋蔵文化財の有無及びその状態に関して調査手続き上の留意点を述
> べなさい。
> (2) 本件土地が文化財保護法に規定する周知の埋蔵文化財包蔵地である
> と判明した場合，開発法を適用するに当たっての留意点を述べなさい。

解答例

小問(1)

　不動産の価格を形成する要因（価格形成要因）とは，不動産の効用及び相対的稀少性並びに不動産に対する有効需要の三者に影響を与える要因をいい，一般的要因，地域要因及び個別的要因に分けられる。

<small>価格形成要因の定義「基準」総論第3章</small>

　個別的要因とは，不動産に個別性を生じさせ，その価格を個別的に形成する要因をいう。土地の個別的要因は，当該土地の属する用途的地域における標準的使用を前提とする土地の価格の水準に比し，個別的な差異を生じさせる要因である。

<small>個別的要因の意義「基準」総論第3章</small>

　設問の対象不動産について文化財保護法で規定された埋蔵文化財の存在が懸念される場合，同法に基づく発掘調査，現状を変更することとなるような行為の停止又は禁止，設計変更に伴う費用負担，土地利用上の制約等により，価格形成に重大な負の影響を与える可能性が高いことから，当該要因についての十分な調査・分析が必要となる。

<small>埋蔵文化財の有無及びその状態の分析の必要性「留意事項」総論第3章</small>

　埋蔵文化財の有無及びその状態に関しては，対象不動産の状況と文化財保護法に基づく手続きに応じて次に掲げる事項に特に留意する必要がある。

　① 対象不動産が文化財保護法に規定する周知の埋蔵文化財包蔵地に含まれるか否か。

② 埋蔵文化財の記録作成のための発掘調査，試掘調査等の措置が指示されているか否か。

③ 埋蔵文化財が現に存することが既に判明しているか否か（過去に発掘調査等が行われている場合にはその履歴及び措置の状況）。

④ 重要な遺跡が発見され，保護のための調査が行われる場合には，土木工事等の停止又は禁止の期間，設計変更の要否等。

（右注：埋蔵文化財の有無及びその状態について留意すべき事項「留意事項」総論第3章）

対象不動産が周知の埋蔵文化財包蔵地であることが疑われる場合の調査としては，a公的資料の確認とb現地調査が挙げられる。

a 公的資料の確認では，教育委員会等の所管の行政庁が保管する遺跡分布図等により周知の埋蔵文化財包蔵地に含まれるか否か等を確認する。

b 現地調査では，対象不動産周辺の利用状況を観察するほか遺跡の存否等に留意する。

（右注：埋蔵文化財の調査についての具体例）

小問(2)

更地とは，建物等の定着物がなく，かつ，使用収益を制約する権利の付着していない宅地をいう。更地は，当該宅地の最有効使用に基づく経済価値を十分に享受することを期待し得るため，更地の鑑定評価に当たっては，最有効使用を前提とした価格として求める必要がある。

（右注：更地の定義等「基準」総論第2章）

更地の鑑定評価額は，更地並びに配分法が適用できる場合における建物及びその敷地の取引事例に基づく比準価格並びに土地残余法による収益価格を関連づけて決定するものとする。再調達原価が把握できる場合には，積算価格をも関連づけて決定すべきである。当該更地の面積が近隣地域の標準的な土地の面積に比べて大きい場合等においては，さらに開発法による価格を比較考量して決定するものとする。

（右注：更地の鑑定評価額「基準」各論第1章）

本件土地は最有効使用がマンション敷地として判定された土地（更地）であるが，この場合の開発法による価格は，建築を想定したマンションの販売総額を価格時点に割り戻した額から建物の建築費及び発注者が直接負担すべき通常の付帯費用を価格時点に割り戻した額をそれぞれ控除して求めるものとする。開発法の基本式を示

（右注：開発法適用上の留意事項「留意事項」各論第1章）

すと次のようになる。

$$P = \frac{S}{(1+r)^{n_1}} - \frac{B}{(1+r)^{n_2}} - \frac{M}{(1+r)^{n_3}}$$

P：開発法による試算価格

S：販売総額

B：建物の建築費等

M：付帯費用

r：投下資本収益率

n_1：価格時点から販売時点までの期間

n_2：価格時点から建築代金の支払い時点までの期間

n_3：価格時点から付帯費用の支払い時点までの期間

開発法の基本式「留意事項」各論第1章

　埋蔵文化財包蔵地と判明した場合の開発法を適用するに当たっての留意点としては，①建築費用等，②開発期間，③投下資本収益率の3点が挙げられる。

① 建築費用等：埋蔵文化財包蔵地における試掘等の調査費用を土地所有者が負担する場合，マンションの建築前に当該調査費用が発生することから，これを開発諸費用として反映させる必要がある。

② 開発期間：一般に，埋蔵文化財包蔵地の場合，試掘調査等により建築期間が長期化され，販売期間にも影響を及ぼす傾向があることから，これを開発スケジュール等に反映させる必要がある。

③ 投下資本収益率：埋蔵文化財包蔵地の場合，開発事業者が土木工事等の停止・禁止等による事業リスクを負担することから，これを投下資本収益率等に反映させる必要がある。

埋蔵文化財包蔵地と判明した場合の，開発法適用上の留意事項

　なお，埋蔵文化財の調査期間，調査費用等については，教育委員会等への聴聞，先例の鑑定評価書等を参考に詳細を把握すべきである。

以　上

解 説

　本問は，「基準」総論第3章の土地の個別的要因のうち，「埋蔵文化財の有無及びその状態」に着目し，(1)調査手続き上の留意点と，(2)「開発法」適用上の留意点をそれぞれ問うものである。

　小問(1)は，個別的要因の意義を述べたうえで，設問の「埋蔵文化財の有無及びその状態」がマンション適地の個別的要因である理由と，調査手続き上の留意事項について，「留意事項」総論第3章から引用して述べること。

　小問(2)は，「具体的な要因と手法との関係」を問うものである。まず，前半では，更地の意義・評価方法・マンション適地に係る開発法の意義を述べ，後半では，設問の「周知の埋蔵文化財包蔵地」に該当することと開発法との具体的な対応関係について説明するとよい。この対応関係については，開発法の手順のうち，特に①開発諸費用の査定と埋蔵文化財に係る試掘費用等との関係，②開発スケジュールの想定と試掘・発掘等に要する期間との関係，③投下資本収益率の査定と土木工事等の停止・禁止等に係る事業リスク等との関係に着目して説明するとよい。

　小問(1)で「留意事項」の知識が求められており，暗記が不十分な受験生は戸惑ったかもしれないが，土地価格に与える影響と，開発法への反映方法について的確に説明できれば，合格点は十分確保できる。

証券化対象不動産である中古の賃貸事務所ビル（貸家及びその敷地）の鑑定評価に関連して依頼者より提示を受けたエンジニアリング・レポートについて，次の問に答えなさい。

(1) エンジニアリング・レポートの活用に当たっての留意点を述べなさい。

(2) 鑑定評価に必要となる専門性の高い個別的要因に関する調査項目を8つ挙げ，この8つの項目に対応するエンジニアリング・レポートの作成時点が古い場合，鑑定評価に活用するに当たりどのような点に留意すべきかについて述べなさい。

解答例

小問(1)

エンジニアリング・レポート（以下，「ER」という）とは，建築物，設備等及び環境に関する専門的知識を有する者が行った証券化対象不動産の状況に関する調査報告書をいう。

〔ERの定義　「基準」各論第3章〕

通常，ERは①建物状況調査（建物概要，法令遵守状況，更新・改修履歴，再調達価格など），②建物環境調査（アスベスト等の有害物質など），③土壌汚染リスク評価，④地震リスク評価から構成される。

〔ERの基本的な調査項目〕

ERは，証券化事業実施の参考として，証券化関係者が建築や環境の専門家に作成を依頼するものである。その内容は対象不動産に係る個別的要因の一部であり，しかも専門性の高い事項（建物の耐震性を表すPML値の計算等）を多く含んでいる。

不動産証券化商品の投資家を保護するために不動産鑑定評価の果たす役割は大きく，また，証券化対象不動産の鑑定評価には極めて高度な説明責任が求められている。

したがって，証券化対象不動産の鑑定評価に当たっては，不動産鑑定士は，依頼者に対し，当該鑑定評価に際し必要なERの提出を求め，その内容を分析・判断した上で，鑑定評価に活用しなければならない。

〔ER活用の意義　「基準」各論第3章〕

ERの活用に当たっての留意点は以下のとおりである。

① ERの活用に当たっては，不動産鑑定士が主体的に責任を持っ
てその活用の有無について判断を行うものであることに留意する
必要がある。また，ERの内容の適切さや正確さ等の判断に当たっ
ては，必要に応じて，建築士等他の専門家の意見も踏まえつつ検
証するよう努めなければならない。

既存のERの活用で対応できる場合がある一方，ERが形式的に
項目を満たしていても，ERの作成時点が古く，価格時点との乖
離が大きい場合など，鑑定評価にとって不十分で不動産鑑定士の
調査が必要となる場合もある。

② 鑑定評価に必要な対象不動産の物的確認，法的確認等に当たっ
ては，「基準」の各表に掲げる内容が必要最小限度のものを定め
たものであり，必要に応じて項目・内容を追加し，確認しなけれ
ばならない。

③ できる限り依頼者からERの全部の提供を受けるとともに，ER
の作成者からの説明を直接受ける機会を求めることが必要である。

④ ERの作成は委託される場合が多いが，この場合には，ERの作
成者は調査の受託者を指すことに留意しなければならない。また，
この場合においては，ERの作成者を鑑定評価報告書に記載する
際，調査の委託者の名称も記載する必要がある。

ER活用に当
たっての留意
点
「留意事項」各
論第3章

小問(2)

ERに記載された内容が鑑定評価に活用する資料として不十分で
あると認められる場合には，ERに代わるものとして不動産鑑定士
が調査を行うなど鑑定評価を適切に行うため対応する必要がある。

ERの取り扱
い
「基準」各論第
3章

設問のようにERの作成時点が古い場合には，作成時点から価格
時点までの間に増改築，耐震補強工事等が実施され，個別的要因が
変動している可能性があるので，修繕履歴等を把握し，①ERを活
用するか，又は②不動産鑑定士の調査を実施する（不動産鑑定士が
他の専門家へ調査を依頼する場合を含む）か判断しなければならな
い。

鑑定評価に必要となる専門性の高い個別的要因に関する8つの調
査項目と，ER活用に当たって留意すべき点は以下のとおりである。

ERの作成時
点が古い場合
の留意点
「基準」各論第
3章（別表1）

1．公法上及び私法上の規制，制約等（法令遵守状況調査を含む。）

ER作成時点が古い場合，価格時点までの間に増改築工事等が行われている可能性があるため，建築確認済証，検査済証の有無，重大な法令違反の有無について改めて不動産鑑定士が調査を行う必要がある。

2．修繕計画

ER作成時点が古く，ERの修繕計画と対象不動産の証券化に係る運用方法として予定されている修繕計画とで相違がある場合には，当該運用方法に沿った修繕費等を不動産鑑定士が適切に判断する必要がある。

3．再調達価格

ER作成時点と価格時点との間隔が大きい場合，建築費水準の推移等を精査し，再調達価格が妥当な水準か否かについて慎重に検討する必要がある。

4．有害な物質（アスベスト等）に係る建物環境

5．土壌汚染

アスベスト，PCBや土壌汚染が存する場合，汚染物質に係る除去等の費用の発生や利用上の制約により，証券化対象不動産の価格形成に重大な負の影響を与える場合がある。特にER作成時点が古い場合，価格時点までの間にアスベスト含有建材の封じ込め・PCBの撤去等や，付近における有害物質使用特定施設の届出等がなされ，個別的要因が変動している可能性があるため，改めて関係者へのヒアリングや独自調査等を行い，当該要因について確認しなければならない。

6．地震リスク

7．耐震性

ER作成時点が古い場合，価格時点までの間に耐震補強工事が実施され，PML値等が変動している可能性があるため，改めて地震リスク分析を行い，投資適格性の判断及び地震保険付保の必要性についての検討や，耐震改修促進法に準拠した耐震診断の実施の確認を行わなければならない。

8．地下埋設物

公法上及び私法上の規制，制約等について

修繕計画について

再調達価格について

有害物質，土壌汚染等について
「留意事項」総論第3章

地震リスク，耐震性について

80

地下埋設物については，通常ER作成時点から価格時点までの間に状況が変化する可能性は低いが，ER作成時点が古い場合には内容の正確性について，地歴調査，ヒアリング等に基づき検証を行う。

地下埋設物について

ERについては，上記のごとく専門的事項を多く含むものであり，さらに不動産証券化市場の環境の変化に対応してその内容の改善・充実が図られていくことに鑑み，ERを作成する者との密接な連携を図りつつ，常に自らのERに関する知識・理解を深めるための研鑽に努めなければならない。

ERに関する知識・理解の重要性「基準」各論第3章

以　上

解　説

本問は，「基準」各論第3章「証券化対象不動産の価格に関する鑑定評価」のうち，「エンジニアリング・レポート（ER）」に着目した問題である。

小問(1)は，ERの定義と主な記載内容，証券化不動産評価におけるERの活用と留意点について，「基準」各論第3章及び「留意事項」各論第3章から引用して述べればよい。

小問(2)は，まず，証券化不動産評価における「専門性の高い個別的要因」に関する調査の意義について触れ，調査を要する8項目を「基準」から引用して列挙すること。次に，鑑定評価上の留意点については，かなり難度の高い論点だが，「ERの作成時点が古い＝価格時点までの間に増改築や耐震補強工事等の追加投資等がなされている可能性がある」ことを示し，項目ごとに留意すべき点について説明できればよい。

問題③　不動産の鑑定評価に当たって必要となる，対象不動産に係る市場の
　　　　特性の把握（以下この問において「市場分析」という。）について，
　　　　次の問に答えなさい。
　⑴　市場分析とはどのような分析であるかを説明し，いわゆるバブル経
　　　済の崩壊以降，不動産の市場環境の変化に伴って市場分析がより重要
　　　となったといわれているが，その理由について具体的に述べなさい。
　⑵　戸建住宅地域に所在する規模が大きい土地の鑑定評価において，対
　　　象不動産の最有効使用がマンション開発に係る素地又は戸建住宅開発
　　　に係る素地のいずれかと考えられる場合において，次の問に答えなさ
　　　い。
　　①　当該不動産の鑑定評価に当たっては，市場分析が特に重要になる
　　　　と考えられるが，その理由について具体的に述べなさい。
　　②　当該不動産の鑑定評価において，市場分析を踏まえた地域分析及
　　　　び個別分析を行った上で，対象不動産の最有効使用をどのように判
　　　　定すべきか，具体的に述べなさい。
　　③　その他鑑定評価の手順における判断において，市場分析を反映す
　　　　べき部分を列挙し，その内容を述べなさい。

解答例

小問⑴

1．市場分析の意義

　　一般に，市場参加者は，市場の需給動向に関する見通しを前提
　として取引の可否・取引価格等についての意思決定を行い，その
　決定基準は市場参加者の属性ごとに一定の傾向を見出すことがで
　きる。市場参加者は，不動産の利用形態や価格形成に主導的な役
　割を果たしていることから，市場分析により市場参加者の属性や
　行動を把握することを通じて，価格形成要因の把握・分析を的確
　に行うことができる。

　　地域分析における市場分析に当たっては，①同一需給圏におけ
　る市場参加者がどのような属性を有しており，②どのような観点

市場分析の必
要性

から不動産の利用形態を選択し，価格形成要因についての判断を行っているかを的確に把握することが重要である。あわせて③同一需給圏における市場の需給動向を的確に把握する必要がある。

地域分析における市場分析「基準」総論第6章

　個別分析における市場分析に当たっては，対象不動産に係る典型的な需要者がどのような個別的要因に着目して行動し，対象不動産と代替，競争等の関係にある不動産と比べた優劣及び競争力の程度をどのように評価しているかを的確に把握したうえで，最有効使用を判定しなければならない。

個別分析における市場分析「基準」総論第6章

2．市場分析が重要な理由

　バブル経済の時代，不動産取引市場は「不動産（土地）は必ず値上がりする」という，いわゆる「土地神話」に支えられ，不動産の価格形成は，「更地としての価格」に重きがおかれたものであった。そのため，当時の不動産取引は，近隣地域における価格水準との関連性を中心とする価格相場本位の取引が大半を占め，利用を前提とせず，値上がり益のみを目論む投機的取引も数多く見られた。

　しかし，このバブル経済の崩壊以降，不動産の市場環境は，単なる価格相場本位の取引から，個々の不動産の収益性を重視した実需中心の取引へと構造的に変化してきた。その結果，不動産の用途決定や価格形成に関しても，単に近隣地域との関係のみならず，より広域的な市場動向の影響を受ける形で行われる傾向が強まっている。

バブル崩壊以降，特に市場分析が重要となった理由

　したがって，バブル経済崩壊以降の不動産鑑定評価においては，対象不動産に係る地域要因や個別的要因を把握・分析するための前提として，その価格形成の主体である市場参加者の属性や意思決定基準等を明らかにすることが，より重要となっている。

小問(2)

1．設問①市場分析が特に重要な理由

　不動産の価格は，その不動産の最有効使用を前提として把握される価格を標準として形成されるものであるから，不動産の鑑定評価に当たっては，地域分析及び個別分析を通じて対象不動産についてその最有効使用を判定する必要がある。

最有効使用判定の必要性「基準」総論第6章

個別分析とは，対象不動産の個別的要因が対象不動産の利用形態と価格形成についてどのような影響力を持っているかを分析してその最有効使用を判定することをいう。

個別分析の意義
「基準」総論第6章

　　個々の不動産の最有効使用は，一般に近隣地域の地域の特性の制約下にあるので，個別分析に当たっては，特に地域分析によって判定した近隣地域に存する不動産の標準的使用との相互関係を明らかにし判定することが必要であるが，設問のような戸建住宅地域に存する大規模な開発用地等，対象不動産の位置，規模，環境等によっては，標準的使用の用途と異なる可能性が考えられるので，こうした場合には，それぞれの用途に対応した個別的要因の分析を行った上で最有効使用を判定しなければならない。

最有効使用判定上の留意点
「基準」総論第6章

　　設問の対象不動産の最有効使用については，「マンションの敷地として一体利用すること」と，「戸建住宅の敷地として分割利用すること」の2通りの可能性がある。そして，そのいずれに該当するかは，本件対象不動産に係る典型的な需要者である開発事業者の状況と，本件対象不動産において想定される分譲マンションや分譲住宅地等の需要者であるエンドユーザーの状況によって大きく左右されるため，最有効使用の判定に際しては，上記に係る「市場分析」が，特に大きな役割を果たすのである。

対象不動産の鑑定評価において市場分析が特に重要となる理由

2．設問②最有効使用の判定について

　　最有効使用の判定に当たっては，上記①で述べた2つのシナリオを前提に，それぞれ市場分析の結果を踏まえた地域分析及び個別分析を行う必要がある。そして，2つのシナリオを前提に開発法を適用し，高い価格が試算されたシナリオを最有効使用として判定することが妥当と考えられる。

　　開発法の適用方法は，上記2つのシナリオに応じて次の二つに区分される。

①　マンション等を建築して分譲することが最有効使用と認められるときは，価格時点において，当該更地に最有効使用の建物が建築されることを想定し，マンション等の販売総額を価格時点に割り戻した額から，建物建築費及び発注者が直接負担すべき通常の付帯費用を価格時点に割り戻した額を控除して試算価

格を求める。

② 戸建住宅地として区画割りして分譲することが最有効使用と認められるときは，価格時点において，当該更地を区画割りして，標準的な宅地とすることを想定し，細区分した宅地の販売総額を価格時点に割り戻した額から，土地の造成費及び発注者が直接負担すべき通常の付帯費用を価格時点に割り戻した額を控除して試算価格を求める。

　　ここで，開発法の適用に当たっては，市場分析によって明らかになったマンション及び戸建住宅に係る市場の特性（主な間取り・品等・価格帯・売れ行き等）を，建物や区画の想定のほか，販売価格・販売スケジュール・投下資本収益率の査定等にも適切に反映させる必要がある。

3．設問③市場分析の反映について

　　市場分析の結果は，鑑定評価の手法の適用，試算価格の調整等における各種の判断においても反映すべきである。

① 鑑定評価の手法と市場分析との関係

　　設問のような開発用地の鑑定評価においては，開発法のほか，取引事例比較法等の適用も考えられるが，取引事例比較法の適用に当たっては，まず，対象不動産と代替，競争等の関係の認められる開発用地に係る取引事例を，典型的な需要者である開発事業者の観点から選択しなければならない。また，販売価格に特に影響する，エンドユーザーが重視する快適性・利便性に係る地域要因（日照，都心との距離等）や，土地の有効利用度を左右する個別的要因（容積率，角地等）を中心に把握・分析し，取引事例との地域要因及び個別的要因の比較を行う必要がある。

② 試算価格の調整と市場分析との関係

　　試算価格の調整とは，鑑定評価の複数の手法により求められた各試算価格の再吟味及び各試算価格が有する説得力に係る判断を行い，鑑定評価における最終判断である鑑定評価額の決定に導く作業をいう。

　　この各試算価格が有する説得力に係る判断に当たっては，対

対象不動産の最有効使用の判定
「基準」「留意事項」各論第1章

市場分析結果の活用
「基準」総論第6章

手法の適用と市場分析

象不動産に係る市場分析の結果と各手法との適合性に留意しなければならない。

　つまり，各試算価格の説得力の優劣は，その試算価格が現実の市場の需給動向等を正確に反映しているか，市場参加者の行動原理をどの程度反映しているかによって決まることから，設問のような開発用地の場合，典型的な需要者である開発事業者の投資採算性の観点が最もよく反映されている試算価格を中心に重み付けを行って鑑定評価額を決定すべきである。

　したがって，開発法の適用に当たって必要な各種の想定が開発事業者の観点から適切になされている場合には，開発法による価格を重視して鑑定評価額を決定することも十分あり得る。

以　上

試算価格の調整と市場分析「基準」総論第8章

解　説

　本問は，「基準」総論第 6 章のうち，「市場分析」に着目した問題である。

小問(1)

　まず前半で，地域分析及び個別分析における「市場分析の意義」について，「基準」の引用を中心に確実に述べること。後半は，「鑑定理論」とはいえないような論点であり，多くの受験生が戸惑ったと思われるが，近年の不動産の市場環境について，単なる価格相場本位の取引から，個々の不動産の収益性を重視した実需中心の取引へと構造的に変化し，より広域的な市場動向の影響を受け，価格が形成される傾向が強まっている点を説明できればよい。バブル期の不動産市場については，「投機的取引」「土地転がし」「右肩上がり」「土地神話」といった文言で簡潔に説明できれば十分であろう。

小問(2)

　題意の把握が難しく，どこまで論点を掘り下げるかによって分量が大きく異なるが，全体のバランスを考え，簡潔にまとめるのが無難である。

　①については，「個別分析」や「最有効使用判定上の留意点」について，「基準」を適宜引用して説明してから，設問のように最有効使用の選択肢が複数あり，その判断が難しい場合等には，市場分析の結果が特に大きな役割を果たすことを述べること。②については，具体的な最有効使用の判定方法（2 つのシナリオを前提とした市場分析と開発法適用）について説明するとよい。特に開発法に係る「基準」「留意事項」は配点が高いと思われるので，正確に引用するようにしてほしい。③については，「手法の適用」と「試算価格の調整」について，それぞれ市場分析との関連性を説明すること。

住宅地における「単価と総額との関連の適否」について，次の問に答えなさい。

(1) 試算価格の再吟味の段階で，なぜこの適否が必要なのか述べなさい。

(2) 公法規制で敷地面積の最低限度が150㎡となっている景観良好な住宅地域内に存する地積が280㎡のＡ土地と320㎡のＢ土地の鑑定評価に当たって，市場動向及び最有効使用の観点からこの適否について場合分けして述べなさい。ただし，当該地域の地価水準は200千円/㎡，標準的画地は160㎡となっている。

解答例

小問(1)

　試算価格の調整とは，鑑定評価の複数の手法により求められた各試算価格の再吟味及び各試算価格が有する説得力に係る判断を行い，鑑定評価における最終判断である鑑定評価額の決定に導く作業をいう。

　試算価格の調整に当たっては，対象不動産の価格形成を論理的かつ実証的に説明できるようにすることが重要である。このため，鑑定評価の手順の各段階について，客観的，批判的に再吟味し，その結果を踏まえた各試算価格が有する説得力の違いを適切に反映することによりこれを行うものとする。

　試算価格の再吟味とは，鑑定評価の手順の各段階について，見直し，間違いがないか，整合性がとれているかを客観的，批判的に検証し，その結果を試算価格にフィードバックする作業を繰り返すことにより試算価格の精度と信頼性を向上させる作業をいう。

　この各試算価格の再吟味に当たっては，「単価と総額との関連の適否」について留意すべきである。

　不動産の鑑定評価は，対象不動産全体の経済価値，すなわち「総額」を判定することであるが，一方で，「単価」は対象不動産に係る価格形成要因のすべてを単位面積当たりの価値として凝縮し，表現したものであり，比較の手段として特に有用である。

> 試算価格の調整の意義
> 「基準」総論第8章

> 試算価格の再吟味の意義

> 再吟味における留意事項である指摘

> 単価と総額の意義

　設問のような住宅地の場合，規模に応じて市場参加者はエンドユー
ザーと開発業者のいずれかが考えられるが，通常，標準的な画地に
比べ規模が大きい（小さい）場合は総額が大きく（小さく）なるた
め市場性が減退（増進）して単価は低く（高く）なる傾向がある。
ただし，都心部の高度利用が可能なマンション適地で，かつ需給関
係が逼迫している時期等にあっては，規模が大きくても稀少性の面
からむしろ単価が高くなる場合があり，一方で，単独での有効利用
が困難なほど小規模の場合には，隣地併合又は投機目的のための取
得でない限り，市場性が減退して単価も一層低くなる場合がある。

単価と総額との
の関連の適否
が必要な理由

　このように，規模の大小により市場性が異なり，総額，単価とも
に影響を受けるので，価格形成要因の分析，鑑定評価方式の適用の
各段階で両者の関連が十分に考慮されているかどうかを，市場参加
者の観点から再吟味する必要がある。

まとめ

小問(2)

① 市場動向の観点

　標準的画地が160㎡（総額32百万円）であるのに対し，A土地
は280㎡，B土地は320㎡であり，いずれも標準的画地に対して規
模が大きく総額が嵩むため，一般的には市場での取引可能な買い
手が資金力のある個人又は法人等に限定されることによる減価が
発生しているものと考えられる。ただし，当該地域において規模
の大きな土地の供給が少なく，かつ需要が多い場合には，減価の
程度は小さくなり，増価となることも考えられる。

市場性の観点
による単価と
総額との関連
の適否

② 最有効使用の観点

　各画地の規模を考慮すると，標準的画地の最有効使用は戸建住
宅敷地としての使用と考えられるのに対し，A土地の最有効使用
は戸建住宅敷地，共同住宅敷地としての使用が考えられる。また，
B土地の最有効使用は戸建住宅敷地，共同住宅敷地のほか，150
㎡以上の２画地に分割の上，戸建住宅の敷地としての使用も考え
られる。

　A土地，B土地とも戸建住宅の敷地としての使用が最有効使用
の場合，一般的には標準的画地に比べて①のとおり減価の発生が
考えられる。

最有効使用の
観点による単
価と総額との
関連の適否

Ａ土地，Ｂ土地とも共同住宅の敷地としての使用が最有効使用の場合も同様に，一般的には標準的画地に比べて①のとおり減価の発生が考えられるが，規模が大きければより大きな建物の設計等が可能となり，開発にかかる相対的な費用の割合が減少してくること等から，減価の程度は小さくなり，増価となることも考えられる。

　Ｂ土地について，分割の上，戸建住宅の敷地としての使用が最有効使用の場合も同様に，一般的には標準的画地に比べて①のとおり減価の発生が考えられるが，市場参加者が開発業者であり，有効宅地面積の減少や，業者の開発利潤や借入金利の発生，開発リスク等によっては減価の程度が異なることに留意する必要がある。

以　上

解　説

　本問は,「基準」各論第8章「鑑定評価の手順」のうち,「試算価格の調整」における留意点のひとつである「単価と総額との関連の適否」に着目した問題である。

　小問(1)は,試算価格の調整の意義を「基準」に即して述べ,試算価格の再吟味に当たって「単価と総額との関連の適否」に留意することの意義について説明すること。総額が大きい（小さい）＝単価が小さい（大きい）という基本形を示した上で,例外についても言及するとよい。規模の大小は,その土地の市場性を左右し,結果,総額だけでなく単価にも影響を及ぼすことから,最有効使用の判定や各手法の適用に当たっては,両者の関連性が十分反映されているか,市場参加者の観点から再吟味しなければならないという点を明確に示してほしい。

　小問(2)は,設問の2つの土地の最有効使用として,一般的に,A土地・B土地ともに「戸建住宅敷地」か「共同住宅敷地」が考えられるが,B土地は,さらに「2画地に分割の上,戸建住宅敷地」の可能性もあるので,それぞれの場合について想定される市場参加者の観点から「単価と総額」の関連について述べること。

平成23年度

> 問題①　条件設定について，次の問に答えなさい。
>
> (1)　条件設定が必要となる理由について述べなさい。
>
> (2)　条件設定の妥当性を判断する観点のうち，「実現性」とはどのようなことかを説明しなさい。
>
> (3)　条件設定の妥当性を判断する観点には「鑑定評価書の利用者の利益を害するおそれがないか。」という観点がありますが，この場合の「鑑定評価書の利用者」とはどのような者であるかを説明しなさい。また，「鑑定評価書の利用者の利益を害する。」とはどのようなことかを説明しなさい。
>
> (4)　「不特定多数の個人の利益を害する。」と考えられる条件設定と依頼目的の組み合わせ例を2つ挙げ，この2つの組み合わせ例において，それぞれの条件設定が妥当でない理由を説明しなさい（なお，条件については2例とも異なる内容とすること）。
>
> (5)　鑑定評価の条件を設定した場合，鑑定評価報告書にどのような事項を記載しなければならないか述べなさい。　　　　　　（一部改題）

解答例

小問(1)

　条件の設定は，依頼目的に応じて対象不動産の内容を確定し（対象確定条件），設定する地域要因若しくは個別的要因についての想定上の条件を明確にし，又は不動産鑑定士の通常の調査では事実の確認が困難な特定の価格形成要因について調査の範囲を明確にするもの（調査範囲等条件）である。

条件設定の意義
「留意事項」総論第5章

　対象確定条件は，現実の状態（現況）を所与とするのみならず，依頼目的に応じて多面的・多元的に捉えうる不動産についてその前提条件を示すもので，①現況を所与とする鑑定評価，②独立鑑定評価，③部分鑑定評価，④併合・分割鑑定評価，⑤未竣工建物等鑑定評価が挙げられる。

対象確定条件の意義
「基準」総論第5章

　また，対象不動産について，依頼目的に応じ対象不動産に係る価

格形成要因のうち地域要因又は個別的要因について想定上の条件を設定する場合がある。

さらに，不動産鑑定士の通常の調査の範囲では，対象不動産の価格への影響の程度を判断するための事実の確認が困難な特定の価格形成要因が存する場合，当該価格形成要因について調査範囲等条件を設定することができる。

鑑定評価に際しては，現実の用途及び権利の態様並びに地域要因及び個別的要因を所与として不動産の価格を求めることのみでは多様な不動産取引の実態に即応することができず，社会的な需要に応ずることができない場合があるので，条件設定の必要性が生じてくる。

条件設定は，鑑定評価の妥当する範囲及び鑑定評価を行った不動産鑑定士の責任の範囲を示すという意義を持つものである。

小問(2)

対象不動産について，依頼目的に応じ対象不動産に係る価格形成要因のうち地域要因又は個別的要因について想定上の条件を設定する場合には，設定する想定上の条件が鑑定評価書の利用者の利益を害するおそれがないかどうかの観点に加え，特に実現性及び合法性の観点から妥当なものでなければならない。

このうち「実現性」とは，設定された想定上の条件を実現するための行為を行う者の事業 遂行能力等を勘案した上で当該条件が実現する確実性が認められることをいう。

なお，都市計画法上の用途地域委や指定容積率の変更等，地域要因についての想定上の条件を設定する場合には，その実現に係る権能を持つ公的機関の担当部局から当該条件が実現する確実性について直接確認すべきことに留意すべきである。一般に，地域要因について想定上の条件を設定することが妥当と認められる場合は，計画及び諸規制の変更，改廃に権能を持つ公的機関の設定する事項に主として限られる。

また，個別的要因についての想定上の条件を付加する場合において，その実現性の確認に当たっては，所有者等対象不動産の現況を変更する権限を持つ者に対して，現況の変更を行う意思や着手の確

要因想定条件の意義
「基準」総論第5章
調査範囲等条件の意義
「基準」総論第5章

条件設定の必要性
「留意事項」総論第5章

要因想定条件の設定要件
「基準」総論第5章

実現性の定義
「留意事項」総論第5章

地域要因について想定条件を設定する場合の留意点
「留意事項」総論第5章

個別的要因について想定条件を設定する場合の留意点

認を行うとともに，変更を行う資力があるか否かも勘案しなければ
ならない。

小問(3)

「鑑定評価書の利用者」とは，依頼者及び提出先等（鑑定評価額
が依頼者以外の者へ開示される場合における当該開示の相手方を含
む）のほか，法令等に基づく不動産鑑定士による鑑定評価を踏まえ
販売される金融商品の購入者等をいう。

鑑定評価書の
利用者の定義
「留意事項」総
論第5章

「鑑定評価書の利用者の利益を害する」とは，対象確定条件につ
いては，現実の利用状況と異なる対象確定条件を設定した場合に，
現実の利用状況との相違が対象不動産の価格に与える影響の程度等
について，鑑定評価書の利用者が自ら判断することが困難であると
判断される場合をいう。また，地域要因又は個別的要因についての
想定上の条件については，当該想定上の条件を設定した価格形成要
因が対象不動産の価格に与える影響の程度等について，鑑定評価書
の利用者が自ら判断をすることが困難であると判断される場合をい
う。

鑑定評価書の
利用者の利益
を害する場合
「留意事項」総
論第5章

なお，証券化対象不動産の鑑定評価及び会社法上の現物出資の目
的となる不動産の鑑定評価等，鑑定評価が鑑定評価書の利用者の利
益に重大な影響を及ぼす可能性がある場合には，原則として，鑑定
評価の対象とする不動産の現実の利用状況と異なる対象確定条件，
地域要因又は個別的要因についての想定上の条件及び調査範囲等条
件の設定をしてはならない。

証券化評価等
における条件
設定の制限
「基準」総論第
5章

小問(4)

鑑定評価の条件は，依頼内容に応じて設定するもので，不動産鑑
定士は不動産鑑定業者の受付という行為を通じてこれを間接的に確
認することとなる。しかし，同一不動産であっても設定された条件
の如何によっては鑑定評価額に差異が生ずるものであるから，不動
産鑑定士は直接，依頼内容の確認を行うべきである。

条件設定と依
頼内容との関
連
「留意事項」総
論第5章

「不特定多数の個人の利益を害する」と考えられる条件設定と依
頼目的の組み合わせ例は以下のとおり。

① 証券化対象不動産の鑑定評価において，「土壌汚染が除去され
たものとして」とする想定上の条件を設定すること。

証券化評価においては，投資家保護の要請が強く，特に高度な説明性が要求される。土壌汚染が存する場合には，当該汚染の除去，当該汚染の拡散の防止その他の措置に要する費用の発生や土地利用上の制約により，価格形成に重大な影響を与えることがある。このため，証券化評価では，原則として，土壌汚染について想定上の条件を設定することは許されず，ＥＲのフェーズⅠ調査（資料等の調査）又は不動産鑑定士の独自調査が必要後なる。

② 地価公示における標準地の鑑定評価において，「独立鑑定評価」以外の対象確定条件を設定すること。

地価公示は，公益的観点から全国的に適正な土地価格水準を調査・公表することを目的としており，地価公示標準地の鑑定評価においては，標準地が「更地」であることを前提とした価格を求める必要がある。一方，標準地上には，通常，既に建物が存しており，標準地は現実には「建付地」であることが一般的である。この場合において，対象確定条件を「部分鑑定評価」とし，標準地上の建物を前提とした評価を行った場合，建付増減価の発生等により評価額が適正な土地価格水準と乖離することとなる。地価公示標準地の評価の場合，「独立鑑定評価」によりあくまで「更地」の最有効使用を前提とする価格を求めることが制度上要請されている。

以上のように，依頼目的に照らして，条件設定が妥当ではないと認められる場合には，依頼者に説明の上，妥当な条件に改定しなければならない。条件の改定が受け入れられない場合等においては，鑑定評価の依頼そのものを謝絶することも必要である。

小問(5)

鑑定評価報告書の内容は，不動産鑑定業者が依頼者に交付する鑑定評価書の実質的な内容となるものである。したがって，鑑定評価報告書は，鑑定評価書を通じて依頼者のみならず第三者に対しても影響を及ぼすものであり，さらには不動産の適正な価格の形成の基礎となるものであるから，その作成に当たっては，誤解の生ずる余地を与えないよう留意する必要があり，鑑定評価額決定の過程を容易に理解し得る内容としなければならない。

右注記: 具体例①「留意事項」総論第3章 / 具体例② / 条件設定が妥当性を欠く場合の対処「基準」総論第5章 / 鑑定評価報告書の意義「基準」総論第9章

鑑定評価の条件は，鑑定評価報告書の必須記載事項であり，当該項においては，対象確定条件，依頼目的に応じ設定された地域要因若しくは個別的要因についての想定上の条件又は調査範囲等条件についてそれらの条件の内容及び評価における取扱いが妥当なものであると判断した根拠を明らかにするとともに，必要があると認められるときは，当該条件が設定されない場合の価格等の参考事項を記載すべきである。

　鑑定評価の条件を記載することによって，鑑定評価の依頼目的及び条件と鑑定評価額との関係が明確になり，鑑定評価の説明性の向上に役立つこととなる。

鑑定評価の条件に係る記載「基準」総論第9章

解　説

　本問は，「基準」総論第5章の「鑑定評価の条件」に着目した問題である。

　小問(1)は，条件設定の必要性とその意義について，「留意事項」に即して述べればよい。

　小問(2)は，条件を設定する際の妥当性の判断基準のうち「実現性」の意味と留意点について，「留意事項」に即して述べればよい。

　小問(3)は，「鑑定評価書の利用者」の意味について，小問(2)と同様，「留意事項」に即して述べること。「利益を害する」ことの説明についても，「留意事項」に即して簡潔に述べればよい。

　小問(4)は，難問である。多くの受験生が，「証券化評価（各論第3章）において土壌汚染等に係る想定条件を設定してはならない」という論点を思い浮かべたはずだが，これを1例として，あと1例をどうするかが悩ましいところである。「条件設定と依頼目的の組み合わせ例を2つ」という問題文を考慮すると，解答例のように，証券化評価とは別の観点で，不特定多数の個人の意思決定に関わる鑑定評価の依頼例を挙げるべきだが，証券化評価という目的は同じで，異なる条件の設定例を挙げる（地下埋設物や有害物質，設備の毀損等に係る想定条件）ことも一応正解であろう。また，一般的要因，地域要因，個別的要因に係る想定条件をそれぞれ挙げるという解答も考えられる。

—— MEMO ——

問題② 下記の不動産に係る自用の建物及びその敷地の鑑定評価について，次の問に答えなさい。

【対象不動産の概要】

土地：面積20,000㎡

建物：鉄骨造平家建て，工場，延べ床面積15,000㎡，築後5年

なお建物は，天井高が約7m，間仕切りや特殊設備等がないため，汎用性は高く，倉庫等への転用は比較的容易である。

【近隣地域の概要】

近隣地域は旧来から製造工場等が集積する地域であったが，企業の生産拠点の海外移転等を背景に，ここ数年工場の新規進出は認められない。

一方で，近隣地域が都心部への接近性に優れることから，工場跡地における分譲マンションの建築が認められるほか，幹線道路，高速道路のインターチェンジ及び空港等の輸送施設との接近性が良好なことから，倉庫への転用を目的とした工場の取引も認められる。

【最有効使用の判定】

土地：中層共同住宅地

建物及びその敷地：用途変更を前提とする倉庫利用

(1) 不動産の鑑定評価に当たって，必要な不動産の価格に関する諸原則及びその活用意義についてそれぞれ簡潔に述べなさい（個別の諸原則に係る説明は不要とする。）。

(2) 土地の最有効使用の判定に当たって，不動産の価格に関する諸原則のうち「代替の原則」，「競争の原則」，「需要と供給の原則」，「変動の原則」，「予測の原則」を，どのように考慮すべきか述べなさい。またこれを踏まえ対象不動産における土地の最有効使用をどのように判定したか述べなさい。

(3) 建物及びその敷地の最有効使用の判定に当たって，不動産の価格に関する諸原則のうち「均衡の原則」，「適合の原則」，「寄与の原則」を，どのように考慮すべきか述べなさい。またこれを踏まえ対象不動産における建物及びその敷地の最有効使用をどのように判定したか述べなさい。

解答例

小問(1)

　不動産の価格は，不動産の効用及び相対的稀少性並びに不動産に対する有効需要に影響を与える諸要因の相互作用によって形成されるが，その形成の過程を考察するとき，そこに基本的な法則性を認めることができる。不動産の鑑定評価は，その不動産の価格の形成過程を追究し，分析することを本質とするものであるから，不動産の経済価値に関する適切な最終判断に到達するためには，鑑定評価に必要な指針としてこれらの法則性を認識し，かつ，これらを具体的に現した不動産の価格に関する諸原則を活用すべきである。

　これらの原則は，一般の経済法則に基礎を置くものであるが，鑑定評価の立場からこれを認識し，表現したものである。

　なお，これらの原則は，孤立しているものではなく，直接的又は間接的に相互に関連しているものであることに留意しなければならない。

　不動産鑑定士は，鑑定評価を行うに当たっては，これらの法則性を基礎とした価格諸原則を十分に理解するとともに，鑑定評価の手順の各段階，特に，価格形成要因の作用の分析（地域分析及び個別分析）や鑑定評価の各手法の適用において，判断の拠り所とすべきである。

　不動産の価格に関する諸原則を列挙すると次のとおりである。

　①需要と供給の原則　②変動の原則　③代替の原則　④最有効使用の原則　⑤均衡の原則　⑥収益逓増及び逓減の原則　⑦収益配分の原則　⑧寄与の原則　⑨適合の原則　⑩競争の原則　⑪予測の原則

小問(2)

　不動産の価格は，その不動産の効用が最高度に発揮される可能性に最も富む使用（最有効使用）を前提として把握される価格を標準として形成されるものである（最有効使用の原則）から，不動産の鑑定評価に当たっては，対象不動産の最有効使用を判定する必要がある。個別分析とは，対象不動産の個別的要因が対象不動産の利用

――――――

価格諸原則の意義
「基準」総論第4章

活用意義について

各原則の名称

個別分析の意義
「基準」総論第4章，第6章

形態と価格形成についてどのような影響力を持っているかを分析してその最有効使用を判定することをいう。

　土地の最有効使用の判定に当たっては，「代替の原則」「競争の原則」「需要と供給の原則」「変動の原則」「予測の原則」を，それぞれ下記の通り考慮する。

① 　代替の原則：代替性を有する二以上の財が存在する場合には，これらの財の価格は，相互に影響を及ぼして定まる。不動産の価格も代替可能な他の不動産又は財の価格と相互に関連して形成される。不動産は他の不動産と異なり，用途の多様性という特性を有しているので，同一の不動産について，異なった使用方法を前提とする需要が競合することとなる。土地の最有効使用の判定に当たっては，代替可能な他の用途の効用を総合的に比較する必要がある。

代替の原則と最有効使用判定との関係「基準」総論第4章

② 　競争の原則：一般に，超過利潤は競争を惹起し，競争は超過利潤を減少させ，終局的にはこれを消滅させる傾向を持つ。不動産についても，その利用による超過利潤を求めて，不動産相互間及び他の財との間において競争関係が認められ，したがって，不動産の価格は，このような競争の過程において形成される。不動産の価格は代替可能な他の不動産又は財との競争によって決定されるものであるから，不動産を利用することによる利潤と他の財の利潤を比較検討したうえで最有効使用を判定する。

競争の原則と最有効使用判定との関係「基準」総論第4章

③ 　需要と供給の原則：一般に財の価格は，その財の需要と供給との相互関係によって定まるとともに，その価格は，また，その財の需要と供給とに影響を及ぼす。不動産の価格もまたその需要と供給との相互関係によって定まるのであるが，不動産は他の財と異なる自然的特性及び人文的特性を有するために，その需要と供給及び価格の形成には，これらの特性の反映が認められる。不動産，特に土地は他の財と比べて相対的に供給が限定され，価格の変動に対して弾力性が小さく，一方，需要の方は，不動産の人文的特性である，用途の多様性により，価格が低下すれば多種の用途を前提とする需要を喚起し，需要は増大し，価格が上昇すれば低次の用途を前提とする需要は撤退する

需要と供給の原則と最有効使用判定との関係「基準」総論第4章

 こととなり，需要全体としては減少する。したがって，最有効
使用の判定に当たっては市場における土地の需給動向を十分に
考慮する必要がある。

④　変動の原則：一般に財の価格は，その価格を形成する要因の
変化に伴って変動する。不動産の価格も多数の価格形成要因の
相互因果関係の組合せの流れである変動の過程において形成さ
れるものである。したがって，不動産の鑑定評価に当たっては，
価格形成要因が常に変動の過程にあることを認識して，各要因
間の相互因果関係を動的に把握すべきである。特に，不動産の
最有効使用を判定するためには，この変動の過程を分析するこ
とが必要である。不動産の価格は多数の価格形成要因の相互作
用によって形成されるが，価格形成要因自体も常に変動する傾
向を有していることから，最有効使用の判定に当たってはこの
変動の過程を十分に考慮する必要がある。

変動の原則と
最有効使用判
定との関係
「基準」総論第
4章

⑤　予測の原則：財の価格は，その財の将来の収益性等について
の予測を反映して定まる。不動産の価格も，価格形成要因の変
動についての市場参加者による予測によって左右される。不動
産の価格は，価格形成要因の変化についての予測によって左右
されるものであるから，最有効使用の判定に当たっては，価格
形成要因がどのように変化するのかについて的確に予測しなけ
ればならない。なお，予測にはおのずと限界があることを踏ま
えなければならない。

予測の原則と
最有効使用判
定との関係
「基準」総論第
4章

　近隣地域は製造工場等が集積する地域であり，土地の最有効使用
としては，倉庫利用も考えられる。しかしながら，ここ数年工場の
新規進出は認められておらず，一方で近隣地域において分譲マンショ
ンの建築が認められており，都心部への接近性にも優れている。し
たがって，近隣地域は将来的に住宅地域へ移行しマンション用地と
しての需要が増大することが予測できる。以上により，土地の最有
効使用を中層共同住宅地と判定した。

土地の最有効
の使用の判定

小問(3)

　建物及びその敷地の最有効使用の判定に当たっては，次の事項に
留意すべきである。

ａ．現実の建物の用途等が更地としての最有効使用に一致していない場合には，更地としての最有効使用を実現するために要する費用等を勘案する必要があるため，建物及びその敷地と更地の最有効使用の内容が必ずしも一致するものではないこと。ｂ．現実の建物の用途等を継続する場合の経済価値と建物の取壊しや用途変更等を行う場合のそれらに要する費用等を適切に勘案した経済価値を十分比較考量すること。

建物及びその敷地の最有効使用の判定上の留意点「基準」総論第6章

建物及びその敷地の最有効使用の判定に当たっては，「均衡の原則」「適合の原則」「寄与の原則」をそれぞれ下記の通り考慮する。

① 均衡の原則：不動産の収益性又は快適性が最高度に発揮されるためには，その構成要素の組合せが均衡を得ていることが必要である。したがって，不動産の最有効使用を判定するためには，この均衡を得ているかどうかを分析することが必要である。建物及びその敷地の最有効使用の判定に当たっては，建物がその敷地の個別的要因に最も適応して建てられているかどうかを考慮する必要がある。

均衡の原則と最有効使用判定との関係「基準」総論第4章

② 適合の原則：不動産の収益性又は快適性が最高度に発揮されるためには，当該不動産がその環境に適合していることが必要である。したがって，不動産の最有効使用を判定するためには，当該不動産が環境に適合しているかどうかを分析することが必要である。建物及びその敷地の最有効使用の判定に当たっては，その不動産の属する地域の特性に適合しているかどうかを考慮する必要がある。

適合の原則と最有効使用判定との関係「基準」総論第4章

③ 寄与の原則：不動産のある部分がその不動産全体の収益獲得に寄与する度合いは，その不動産全体の価格に影響を及ぼす。この原則は，不動産の最有効使用の判定に当たっての不動産の追加投資の適否の判定等に有用である。建物及びその敷地の最有効使用の判定に当たっては，不動産のある部分に対する投資とその不動産の全体の収益との関連を考慮する必要がある。

寄与の原則と最有効使用判定との関係「基準」総論第4章

近隣地域は分譲マンションの建築が認められる地域であり，建物及びその敷地の最有効使用としては，現況の建物を取り壊すことも考えられる。しかしながら，建物は築後5年と比較的新しく，また，

輸送施設との接近性が良好なことから，倉庫への転用を目的とした
工場の取引も認められており，倉庫等への転用も比較的容易である。
したがって，倉庫等への転用が，建物と敷地との均衡を得ており，
周辺環境とも適合しており，追加投資額との観点からも最有効使用
であると判断した。

建物及びその
敷地の最有効
使用の判定

解　説

　本問は，「基準」総論第4章と第6章から，「最有効使用の判定における価格諸
原則の活用」について問うものである。

　小問(1)は，基本的に「基準」総論第4章の前文を引用すればよい。

　小問(2)は，最有効使用の原則の定義，個別分析の定義，設問の5原則と土地の
最有効使用の判定との関連を述べてから，設問の対象地の最有効使用の判定に当
たってどのように5原則を活用すべきかを具体的に述べること。設問の概要を踏
まえると，①対象地の最有効使用は，マンションだけでなく，工場敷地や倉庫敷
地としての使用も可能性として考えられ（代替の原則），②それぞれの用途を前
提とした需要の多寡や競争の程度を分析する（需要と供給の原則，競争の原則）
とともに，③地域環境の将来動向（マンション開発が加速するか等）についても
予測（変動の原則，予測の原則）のうえ，必要に応じてそれぞれの用途を前提と
した価格を試算のうえ，最有効使用の判定に至っている点を説明するとよい。

　小問(3)も，基本的な構成は小問(2)と同様である。まず，建物及びその敷地の最
有効使用の判定の意義，設問の3原則と建物及びその敷地の最有効使用の判定と
の関連を述べてから，設問の対象不動産の最有効使用の判定に当たってどのよう
に3原則を活用すべきかを具体的に述べること。設問の概要を踏まえると，対象
不動産の最有効使用は，工場としての現況継続のほか，倉庫への用途変更，建物
取壊しのいずれも可能性として考えられるが，①建物は比較的新しく，工場，倉
庫用途として敷地との規模の対応関係は問題ないこと（均衡の原則），②近年で
は，工場の新規進出はみられず，マンション開発や倉庫転用が認められているこ
と（適合の原則），③対象建物について倉庫への用途変更は技術的，費用的にみ
て比較的容易であること（寄与の原則）を踏まえ，最有効使用の判定に至ってい
る点を説明するとよい。

問題③　A市から依頼を受けた下記の状況にある宅地見込地の鑑定評価について，次の問に答えなさい。

【対象不動産の概要】

　街　路　条　件：無道路地（ただし，幅員6mの舗装市道まで50mの位置にある。）

　画　地　条　件：地積5,000㎡，南向き緩傾斜地

　現　　　　況：山林（雑木林）

　公法上の規制：市街化区域，第一種低層住居専用地域（建ぺい率50％，容積率100％），宅地造成工事規制区域

　市街化の進行の程度：近隣で中規模開発住宅団地（戸建て住宅）が造成中である。また，幅員12mの都市計画道路（A市施行）が5年後に開通予定であり，対象の土地は当該道路に接面することになる。

　そ　の　他　条　件：5年後には対象不動産の近隣で区役所支所及び商業施設がオープンする予定である。上下水道等も整備予定である。ただし，昨今の財政事情悪化により道路開通時期は延期等になることも想定される。

(1)　宅地見込地の定義について述べなさい。

(2)　対象不動産の鑑定評価を行う場合，評価手法について述べなさい。また，各評価手法適用上の留意事項についても説明しなさい。

(3)　対象不動産の鑑定評価を行う場合，総合的勘案事項について述べなさい。（上記その他条件を十分勘案すること）。

(4)　5年後の道路開通状況が不透明な場合に対象不動産をどのように評価すべきか説明しなさい。

解答例

小問(1)

　不動産の種別とは，不動産の用途に関して区分される不動産の分類をいい，類型（有形的利用及び権利関係の態様に応じて区分される不動産の分類）とともに，不動産の経済価値を本質的に決定づけるものである。

　宅地見込地とは，土地の種別のひとつであり，農地地域，林地地域等の宅地地域以外の種別の地域から宅地地域（居住，商業活動，工業生産活動等の用に供される建物，構築物等の敷地の用に供されることが，自然的，社会的，経済的及び行政的観点からみて合理的と判断される地域）へと転換しつつある地域のうちにある土地をいう。

　不動産の属する地域は固定的なものではなく，価格形成要因の変動に伴い常に拡大縮小，集中拡散，発展衰退等の変化の過程にあるものであり，宅地見込地はこのような社会的，経済的環境の変化に伴う地域の転換という過渡期にある地域内の土地ととらえられる。

小問(2)

　宅地見込地の熟成度とは，当該土地の属する地域の「宅地地域への転換の程度」のことであり，具体的には，自然的，社会的，経済的及び行政的要因等の影響により，宅地開発事業に着手できる合理的状況が整うまでの期間及び蓋然性を意味する。

　本問における対象不動産の現況は無道路地で，建物建築が困難なこと（建築基準法第43条）等から，価格時点現在においては開発の合理性を見出せないが，5年後には都市計画道路の開通による前記建築基準法上の接道要件の確保，区役所支所及び商業施設のオープン，上下水道等の整備等によって，開発事業に着手できる合理的状況が整うものと予測できることから，対象不動産については一定の熟成度が認められる。

　このような宅地見込地の鑑定評価額は，取引事例比較法による比準価格及び当該宅地見込地について，価格時点において，転換後・造成後の更地を想定し，その価格から通常の造成費相当額及び発注

種別の意義
「基準」総論第
2章

宅地見込地の
定義
「基準」総論第
2章

宅地見込地の
特徴
「基準」総論第
1章

熟成度の意義

対象不動産の
熟成度

者が直接負担すべき通常の付帯費用を控除し，その額を当該宅地見込地の熟成度に応じて適正に修正して得た価格（以下「熟成度修正を行う方法による価格」という。）を関連づけて決定するものとする。

宅地見込地の鑑定評価「基準」各論第1章

「比準価格」の試算に当たって留意すべき事項としては，①対象不動産と同程度の熟成度を有する取引事例を選択することや，②地域要因及び個別的要因の比較において，周囲における開発動向，地勢・地盤等による造成の難易，造成後における宅地としての有効利用度等を適切に反映させること等が挙げられる。

「熟成度修正を行う方法による価格」の試算に当たって留意すべき事項としては，①各種公法規制及び開発指導要綱等に準拠した開発計画の策定を行うことや，②宅地開発事業に着手するまでの待機期間とその間に必要とされる借入金利や事業リスク等を適切に考慮して熟成度修正を行うこと等が挙げられる。

各手法適用上の留意点

小問(3)

宅地見込地の価格は，上記(2)の熟成度によって大きく影響を受けることから，宅地見込地の鑑定評価に当たっては，特に都市の外延的発展を促進する要因の近隣地域に及ぼす影響度及び次に掲げる事項を総合的に勘案するものとする。

① 当該宅地見込地の宅地化を助長し，又は阻害している行政上の措置又は規制

　対象不動産は都市計画法の市街化区域に指定されており，宅地化はある程度助長されているものの，宅地造成等規制法の宅地造成工事規制区域に指定されていることから，一定以上の高さの切土，盛土を伴う造成工事には都道府県知事等の許可を得る必要がある。

② 付近における公共施設及び公益的施設の整備の動向

　5年後には近隣で区役所支所がオープンする予定であり，また，上下水道等も整備予定であるため，宅地化に必要なインフラは整いつつあるが，上記のとおり，建築基準法の接道要件の問題があり，接道が確保できなければ対象不動産を宅地見込地として評価することはできない。都市計画道路については開通

時期延期の可能性もあるため，その動向に留意する必要がある。

③　付近における住宅，店舗，工場等の建設の動向

　　近隣で中規模開発住宅団地が造成中であるほか，５年後には商業施設がオープンする予定であり，利便性の向上が見込まれるだけでなく，当該施設の従業員のための住宅需要が生じる可能性もあることから，造成工事の進捗状況や商業施設の種類，規模，商圏等に留意する必要がある。

④　造成の難易及びその必要の程度並びに造成後における宅地としての有効利用度

　　対象不動産は，南向き緩傾斜地であるため，造成工事は比較的容易にできると思料するが，地質，地盤，形状等も十分考慮のうえ，必要とする造成費やその工事期間，宅地としての有効面積等を的確に把握し，開発事業の採算性を詳細に検討する必要がある。

> 総合的勘案事項
> 「基準」各論第1章

小問(4)

　本問の都市計画道路が開通しない場合，対象不動産を開発するに当たっては，建築基準法上の接道要件を確保するため，50m離れた６m市道まで通路用地を買収すること等が必要となり，開発に係る費用と事業リスクが大きく増加し，現実的に開発は困難なものになると思われる。また，開発後における宅地としての効用も，都市計画道路の開通の有無により大きく差が出てくる可能性が高い。

> 対象不動産の状況

　このことから，本問のように５年後の都市計画道路の開通状況が不透明な場合，対象不動産の宅地見込地としての熟成度は低いものと判断され，その鑑定評価額は，取引事例比較法による比準価格を標準とし，転換前の土地の種別に基づく価格に宅地となる期待性を加味して得た価格を比較考量して決定するものとする。

> 熟成度の低い宅地見込地の鑑定評価
> 「基準」各論第1章

以　上

　本問は，「基準」各論第1章のうち，宅地見込地の鑑定評価に着目した問題である。

　宅地見込地の鑑定評価において重要な「熟成度」の意味と，当該熟成度に応じた評価方法をきちんと理解できているかがポイントとなる。

　小問(1)は，宅地見込地の定義と特徴を確実に解答すること。

　小問(2)は，本問の対象不動産について一定の熟成度が認められることを説明してから，熟成度の高い宅地見込地の鑑定評価方法を「基準」に即して述べるとよい。各手法適用上の留意事項については，取引事例比較法は①事例の選択と②要因比較，熟成度修正を行う方法は①開発計画の策定と②熟成度修正について簡潔に述べれば十分であろう。

　小問(3)は，「基準」に記載されている総合的勘案事項を列挙のうえ，各事項を本問の対象不動産に当てはめて留意点等を具体的に述べるとよい。

　小問(4)は，都市計画道路の開通が不透明な場合，宅地見込地としての熟成度が相当低くなる点を示し，熟成度の低い宅地見込地の鑑定評価方法を「基準」に即して述べること。小問(4)の場合，対象不動産の種別が「林地」となる可能性がある点を付記してもよいが，問題文の冒頭に「宅地見込地」とあるので，あまり強調しない方がよいであろう。

— MEMO —

問題④ 対象不動産の確認について，次の問に答えなさい。

　(1)　対象不動産に係る権利の態様の確認が重要である理由について説明しなさい。

　(2)　建物の遵法性の確認項目にはどのようなものがあり，具体的にどのような確認作業を行うべきかについて説明しなさい。また，遵法性の確認はなぜ重要であるかについて説明しなさい。

　(3)　抵当権設定を依頼目的とする鑑定評価において，対象不動産の確認の結果，①建物が違反建築物であると判明した場合及び②未登記建物が存することが判明した場合に，それぞれどのように対応すべきか理由を付して説明しなさい。

解答例

小問(1)

　対象不動産の確認とは，「基本的事項の確定」により確定された対象不動産が現実にその通り存在するか確認する作業をいう。

　依頼の受付に続く基本的事項の確定においては，依頼者の提示した対象確定条件により観念的に対象不動産の範囲等が確定されているにすぎない。対象不動産を最終的に確定するためには，不動産鑑定士が直接現地に赴き，対象不動産について，現実にそのとおり存在していることを確認する必要がある。

　対象不動産の確認は，対象不動産の物的確認及び権利の態様の確認に分けられ，実地調査，聴聞，公的資料の確認等により，的確に行う必要がある。

　①　対象不動産の物的確認

　　　対象不動産の物的確認に当たっては，土地についてはその所在，地番，数量等を，建物についてはこれらのほか家屋番号，建物の構造，用途等をそれぞれ実地に確認することを通じて，確定された対象不動産の存否及びその内容を，確認資料を用いて照合しなければならない。

　②　権利の態様の確認

（右欄注記）
対象不動産の確認の意義

対象不動産の確認の方法「基準」総論第8章

対象不動産の物的確認「基準」総論第8章

権利の態様の確認に当たっては，物的に確認された対象不動産について，当該不動産に係るすべての権利関係を明瞭に確認することにより，確定された鑑定評価の対象となる権利の存否及びその内容を，確認資料を用いて照合しなければならない。

対象不動産の権利の態様の確認
「基準」総論第８章

不動産の価格は，その不動産に関する所有権，賃借権等の権利の対価であるが，不動産は，用途の多様性（競合・転換・併存の可能性）及び併合及び分割の可能性等を有しているので，一つの不動産が複数の権利に分割され（例えば借地権と底地）て利用されることがあり，また，それらの価格は相互に影響を及ぼし合って形成される。

したがって，鑑定評価の対象が所有権であるか所有権以外の権利であるかを問わず，対象不動産に係るすべての権利関係を明瞭にし，鑑定評価の対象とされた権利の存否及びその内容を確認する必要がある。

権利の態様の確認の重要性
「基準」総論第１章

対象不動産の確認は，適正な鑑定評価の前提となるもので，実地調査の上，閲覧，聴聞等を通じて的確に行うべきであり，いかなる場合においてもこの作業を省略してはならない。

対象不動産の確認を行った結果が依頼者から設定された対象確定条件と相違する場合には，再度依頼者に説明の上，対象確定条件の改定を求める等適切な措置を講じなければならない。改定に応じない場合には，依頼を断る必要がある。

対象不動産の確認の留意点
旧「運用通知」

小問(2)

建物の遵法性の確認に当たっては，①書類調査と②現地調査を行う必要がある。

① 書類調査

書類調査に当たっては，建築確認通知書又は確認済証，検査済証，竣工図書及び定期検査報告書等の有無及びその内容を確認する。通常，建物は竣工時に都市計画法や建築基準法等に対する遵法性の検査を受け，合法であることが確認されると，検査済証が交付されるため，検査済証の有無を確認することにより建築時点での遵法性を確認することができる。

書類調査

② 現地調査

現地調査に当たっては，対象建物の立入り可能な箇所の目視調査を実施することにより，確認申請図や竣工図書等の資料と現実の状態とを照合する。具体的には，無届で駐車場を改修して店舗としていないか等建築基準法等に適合した状態となっているかを確認する。

現地調査

　建物の遵法性は個別的要因の一つであり，遵法性に欠ける建物は，社会倫理に反するだけでなく，建築基準法第9条第1項により除却，使用禁止等の是正措置を命ぜられる可能性がある。また，構造上，防災上の危険性や流通の制約，担保価値の減退，是正費用の発生等が考えられるため，不動産価格に大きなマイナスの影響を与える。したがって，遵法性の調査は不動産の鑑定評価に当たって重要な事項となっているため，上記①②の調査が必要である。

遵法性の確認が重要な理由

小問(3)

①　建物が違反建築物であると判明した場合

　抵当権設定を依頼目的とする鑑定評価は，金融機関等の融資の可否及びその額を決定する際の参考とされるため，建物が違反建築物である場合には，小問(2)の通りマイナスの影響を反映する必要がある。具体的には，違反の内容，是正方法及び難易度を調査し，合法的な状態に戻すことを想定した是正後の価格から是正するための改修費用を控除することにより求める。

建物が違法建築であると判明した場合

②　未登記建物が存する場合

　未登記建物は，建物の所有権を第三者に対抗することができず，後日他人名義の登記がなされると，自分が所有者であることを主張できなくなるおそれがある。そのため，未登記建物が存する場合には，建物の構造，規模，用途，数量，配置の状態等の物的事項のほか，所有者及び所有権を制約する権利の有無を調査し，建物登記を行った上で鑑定評価の対象とする。なお，未登記建物を評価対象外とする場合には，建物所有者の如何により建付地又は底地として評価することが考えられる。

未登記建物が存する場合

以　上

解　説

　本問は,「基準」総論第 8 章のうち,「対象不動産の確認」に着目した問題である。

　小問(1)は,基本問題である。対象不動産の確認の意義を述べてから,確認の方法,権利の態様の確認の必要性について述べればよい。権利の態様の確認の必要性については,「基準」総論第 1 章を引用すると厚みのある解答となってよい。

　小問(2)は,難度が高く,多くの受験生が解答に窮したものと思われる。公益社団法人ロングライフビル推進協会（ＢＥＬＣＡ）のエンジニアリング・レポート作成に係るガイドラインからの出題のようだが,解答例のような解答を作成することは至難の業であろう。焦らずに,建築確認の有無,違法増改築の有無等について,役所や現地にて確認する必要があるという点を示しておけば十分である。

　小問(3)も,難度が高い。違反建築物については,違反の内容を明確にし,当該違反を是正することを前提とした評価を行う必要があること,未登記建築物については,物的事項と権利の態様に関する事項を明確にし,基本的には登記を行ってから評価を行う必要があることを述べればよい。

問題① 鑑定評価を行うに当たって，次の問に答えなさい。
(1) 鑑定評価上の不明事項に係る取り扱いについて説明し，具体例を3つ挙げなさい。
(2) 鑑定評価を行うことができないケースを説明し，それぞれのケースについて具体例を2つずつ挙げなさい。

解答例

小問(1)

　鑑定評価上の不明事項とは，例えば，評価対象地に土壌汚染が存することが判明しているが，汚染状況や除去費用等の当該要因の具体的内容が不明であるような場合を指す。この場合の取り扱いは以下のとおりである。

① 原則

　このように，価格形成要因について，専門職業家としての注意を尽くしてもなお対象不動産の価格形成に重大な影響を与える要因が十分に判明しない場合には，原則として他の専門家が行った調査結果等を活用することが必要である。

　土壌汚染が存することが判明した不動産については，原則として汚染の分布状況，除去等に要する費用等を他の専門家が行った調査結果等を活用して把握し鑑定評価を行うものとする。

　なお，他の専門家の調査結果の活用に当たっては，不動産鑑定士が主体的に責任を持ってその活用の有無について判断を行うものであることに留意する必要がある。

② 想定条件設定又は調査範囲等条件設定

　ただし，依頼目的や依頼者の事情による制約がある場合には，依頼者の同意を得て，a．想定上の条件を設定して鑑定評価を行うこと若しくはb．調査範囲等条件を設定して鑑定評価を行うことができる。例えば，土壌汚染が存する不動産について，依頼者の同意を得て，a．「汚染の除去等の措置がなされるものとして」

【欄外右側注記】

不明事項の具体例

原則的取り扱い
「基準」総論第8章
「留意事項」各論第1章，第3章

例外的取り扱い①
「基準」総論第8章，第5章
「留意事項」各論第1章

という想定条件を設定して鑑定評価を行う場合や，ｂ．「土壌汚染を考慮外として」という調査範囲等条件を設定して鑑定評価を行う場合等である。

この場合，当該条件が鑑定評価書の利用者の利益を害するおそれがないかどうかの観点や，実現性及び合法性の観点から妥当なものでなければならない。

③　客観的推定

また，ある要因について対象不動産と比較可能な類似の事例が存在し，かつ当該要因が存することによる減価の程度等を客観的に予測することにより鑑定評価額への反映が可能であると認められる場合には，自己の調査分析能力の範囲内で当該要因に係る価格形成上の影響の程度を推定して鑑定評価を行うことができる。例えば，土壌汚染が存する不動産について，土壌汚染が存することによる価格形成上の影響の程度を推定して鑑定評価を行う場合等である。

なお，土壌汚染以外の具体例としてはア：評価対象地に地下埋設物が存することが判明しているが，除去費用等の当該要因の具体的内容が不明であるような場合，イ：評価対象建物にアスベスト等の有害な物質が使用されていることが判明しているが，処置費用等の当該要因の具体的内容が不明であるような場合が挙げられる。

鑑定評価報告書の作成に当たって，上記のように，対象不動産の確認，資料の検討及び価格形成要因の分析等，鑑定評価の手順の各段階において，鑑定評価における資料収集の限界，資料の不備等によって明らかにすることができない事項が存する場合の評価上の取扱いを記載しなければならない。その際，不動産鑑定士が自ら行った調査の範囲及び内容を明確にするとともに，他の専門家が行った調査結果等を活用した場合においては，当該専門家が調査した範囲及び内容を明確にしなければならない。

小問(2)

鑑定評価を行うことができないケースとしては，①公平な鑑定評価を害する恐れのある場合，②依頼内容により鑑定評価を行うことができない場合，が挙げられる。

例外的取り扱い②
「基準」総論第8章
「留意事項」総論第8章，各論第1章

その他の不明事項の具体例

鑑定評価報告書の記載事項「基準」総論第9章

鑑定評価を行うことができないケースの具体例

① 公平な鑑定評価を害する恐れのある場合

不動産鑑定士は，不動産の鑑定評価を担当する者として，十分に能力のある専門家としての地位を不動産の鑑定評価に関する法律によって認められ，付与されるものである。したがって，不動産鑑定士は，不動産の鑑定評価の社会的公共的意義を理解し，その責務を自覚し，的確かつ誠実な鑑定評価活動の実践をもって，社会一般の信頼と期待に報いなければならない。

そのためには，まず，不動産鑑定士は，同法に規定されているとおり，良心に従い，誠実に不動産の鑑定評価を行い，専門職業家としての社会的信用を傷つけるような行為をしてはならず，自己の能力の限度を超えていると思われる不動産の鑑定評価を引き受け，又は縁故若しくは特別の利害関係を有する場合等，公平な鑑定評価を害する恐れのあるときは，原則として不動産の鑑定評価を引き受けてはならない。

具体的には，ア：明らかに依頼内容が自己の能力の限界を超えている場合，イ：依頼者が身内である等により，恣意的な鑑定評価額を出してしまう可能性がある場合，が挙げられる。

② 依頼内容により鑑定評価を行うことができない場合

具体的には以下の2点が挙げられる。

ア：基本的事項の確定に関連して鑑定評価を行うことができない場合

不動産の鑑定評価に当たっては，基本的事項として，対象不動産，価格時点及び価格又は賃料の種類を確定しなければならない。価格時点の確定において，対象不動産の確認等が不可能であり，かつ，鑑定評価に必要な要因資料及び事例資料の収集が不可能であるにも関わらず，過去時点の評価を行うことを依頼された場合や，鑑定評価上妥当性を欠くにも関わらず，将来の価格時点を設定することを依頼された場合には鑑定評価を行うことができない。また，現在時点の評価であっても，例えば法令等による社会的要請を背景としていないにも関わらず，早期売却を目的とした価格を求める場合等，価格の種類のいずれにも該当しない場合にも鑑定評価を行うことができない。

不動産鑑定士の責務
「基準」総論第1章

公平な鑑定評価を害するケースの具体例

基本的事項の確定に関連して鑑定評価を行うことができないケースの具体例
「基準」総論第5章

イ：条件設定に関連して鑑定評価を行うことができない場合

依頼者側の時間的又は資金的な理由からの調査の制約により価格形成に重大な影響を与える要因が明らかでない場合には，小問(1)のように，想定上の条件を付加した上での鑑定評価や客観的な推定を行った上での鑑定評価を行うことを検討することとなるが，これもできない場合は鑑定評価を行うことができない。

具体的には，所有者や対象不動産の購入者等が対象不動産の現況を変更する場合に，変更を行う意思や資力の観点から実現可能性が低い場合，不動産を証券化する場合の情報開示としての鑑定評価や抵当証券発行の際の鑑定評価において，依頼者側となる対象不動産の所有者等に有利となるような想定上の条件を付加することにより不動産投資信託や抵当証券等，金融商品の投資家に対してその判断を誤らせる場合等が挙げられる。

以　上

条件設定に関連して鑑定評価を行うことができないケースの具体例

解　説

本問は，「鑑定評価上の不明事項に係る取り扱い」と，「鑑定評価を行うことの適否」に着目した問題である。小問(1)は，「基準」総論第8章の典型論点である。一方，小問(2)については，出題者の意図が掴みにくく，答案構成に迷いが生ずることから，難度はやや高い。

小問(1)は，詳細把握の困難な要因について，①原則的な取り扱い（他の専門家の調査結果を活用）と②例外的な取り扱い（想定上の条件設定か，推定による評価への反映）を「基準」「留意事項」からの引用を中心に述べること。この3つの取り扱いに当てはめる具体例については，解答例のように「土壌汚染地」を挙げるのが無難だが，「地下埋設物」や「建物に係る有害物質」等を挙げてもよい。

小問(2)は，前述のとおり，題意をどのように把握するかで解答方針が分かれる。小問(1)の「不明事項」との関連性を重視するのであれば，「条件設定が妥当性を欠くケース」と「推定が妥当性を欠くケース」の2点を述べるだけでよいが，本問の場合，問題文の冒頭に「鑑定評価を行うに当たって」という文言があることから，もっと鑑定評価全体を意識した解答を心がけるべきであろう。

問題② 大工場地の鑑定評価について，次の問に答えなさい。
　(1)　工業地域特有の地域要因を 5 つ挙げ，具体的に説明しなさい。
　(2)　対象不動産は丘陵地を開発造成した工場地であるが，その面積のうち 2 割は傾斜地となっており，建物敷地利用は困難である。対象不動産を鑑定評価するに当たって，傾斜地部分をどのように評価に反映させるべきか説明しなさい。

解答例

小問(1)

　不動産の価格は，一般に，不動産の効用及び相対的稀少性並びに不動産に対する有効需要の三者の相関結合によって生ずる不動産の経済価値を，貨幣額をもって表示したものである。

　不動産の価格を形成する要因（以下「価格形成要因」という。）とは，この三者に影響を与える要因をいい，一般的要因，地域要因及び個別的要因に分けられる。

　不動産の価格は，多数の要因の相互作用の結果として形成されるものであるが，要因それ自体も常に変動する傾向を持っている。したがって，不動産の鑑定評価を行うに当たっては，価格形成要因を市場参加者の観点から明確に把握し，かつ，その推移及び動向並びに諸要因間の相互関係を十分に分析して，前記三者に及ぼすその影響を判定することが必要である。

　地域要因とは，一般的要因の相関結合によって規模，構成の内容，機能等にわたる各地域の特性を形成し，その地域に属する不動産の価格の形成に全般的な影響を与える要因をいう。

　地域の種別ごとに，不動産の価格を決定する市場参加者が期待する効用が異なるため，地域の種別ごとに重視すべき地域要因は異なる。工業地域とは，工業生産活動の用に供される建物，構築物等の敷地の用に供されることが，自然的，社会的，経済的及び行政的観点からみて合理的と判断される地域であり，当該地域においては，製造業や流通業務等を行う事業法人が典型的な需要者となることか

価格形成要因の意義
「基準」総論第3章

地域要因の定義
「基準」総論第3章

工業地域の市場参加者と地域要因との関係
「基準」総論第2章，「留意事項」総論第6章

118

ら，生産の効率性及び費用の経済性に関する要因が重視される。

なお，工業地域はさらに大工場地域，中小工場地域に細分され，設問の大工場地域においては，港湾，高速交通網等の利便性を指向する傾向が強く，製品の消費地への距離等よりも原材料，製品等の大規模な移動を可能にする高度の輸送機関等に係る要因が重視される傾向があることに留意する必要がある。

工業地域特有の地域要因としては，以下の5つが挙げられる。

① 幹線道路，鉄道，港湾，空港等の輸送施設の整備の状況

高速道路インターチェンジが至近に存する場合や，大規模輸送を可能にする港湾，空港施設等へのアクセスが容易である場合には，輸送コストが削減され，費用の経済性に優ることから，価格にプラスの影響を与える。一方，周辺幹線道路の整備が遅れており，渋滞が慢性化しているような場合には減価要因となる。

② 労働力確保の難易

特に大工場地域の場合，鉄道路線やバス便等の従業員の通勤等のための交通機関が整備されているか否か，通勤圏に多数の従業員の居住が可能な住宅地域が存するか否か等の労働力確保の難易が重視される傾向があり，確保が難しい場合には大きなマイナス要因となる。

③ 動力資源及び用排水に関する費用

電力供給の制約がある場合，その度合いによっては，生産の効率性に大きな影響が生じる場合があり，価格にマイナスの影響を与えることから，主たる動力資源やその構成割合等に留意する必要がある。また，産業排水に対応したインフラ整備がなされていない場合には，個別浄化槽の設置が必要となる，自治体の徴収金が発生する等，費用の経済性の観点から減価要因となることがある。

④ 水質の汚濁，大気の汚染等の公害の発生の危険性

公害の発生により，地域における工業生産活動自体に影響が及ぶことが考えられ，大きなマイナス要因となる可能性があることから，公害の発生の有無について詳細な調査が必要である。

⑤ 行政上の助成及び規制の程度

地域地区の指定等により，立地可能な業種が制限され，地域に

工業地域特有の地域要因の具体例，価格との関係「基準」総論第3章

おける価格水準にも影響している場合があることから，公法規制の程度やその内容にも留意が必要である。

小問(2)

設問の「傾斜地」は土地の個別的要因に該当する。

個別的要因とは，不動産に個別性を生じさせ，その価格を個別的に形成する要因をいう。

一般に，個別の不動産の価格は，地域の価格水準という大枠の下で個別的に形成される。すなわち，個別的要因とは，土地の価格に関していえば，地域の標準と比較して個別的な差異を生じさせる要因ということができる。

個別的要因の
意義等
「基準」総論第
3章

なお，個別的要因についても，対象不動産の価格形成を主導する市場参加者の観点から把握，分析する必要があり，大工場地の場合には，①地勢，地質，地盤等，②間口，奥行，地積，形状等，③高低，角地その他の接面街路との関係等の個別的要因について，地域要因と同じく典型的な需要者である事業法人が重視する生産の効率性及び費用の経済性の観点から，対象不動産の価格に与える影響を検討することが重要である。

大工場地の個
別的要因
「基準」総論第
3章

傾斜地は，建築面積や延べ面積算定上の敷地面積には算入可能であるが，有効利用の観点から減価要因となる可能性が高い個別的要因であり，傾斜角度や地盤の強弱等に応じて，設問のように建物敷地として利用が困難な傾斜地と，基礎の補強や造成工事等によって利用可能な傾斜地に分けられ，減価の程度は前者の方が大きい。また，前者の場合，傾斜地部分の面積が多い場合や，敷地の中央に傾斜地があり，平坦な宅地を分断している場合等建物の配置が困難な場合には，仮に造成等によって利用可能であっても造成工事費が嵩むことから減価の程度は大きい。

ただし，大工場地の場合，住宅地や商業地の場合と比べて使用建ぺい率が低く，敷地内に空地が生じる設計となることが一般的であるため，傾斜地部分の有効利用が困難であっても，建物の配置の工夫等により，減価の程度は小さくなることが多い。一方，傾斜地部分が間口付近にあり，実際に使用可能な間口が著しく狭小な場合や，傾斜地部分によって搬入口の位置，規模等が大きく制限される場合

傾斜地と大工
場地の価格と
の関係

等には，原材料，製品等の輸送効率の観点から大きな減価要因となる場合もあることから，傾斜地部分の位置，面積（割合）等を十分に調査し，対象不動産の最有効使用に基づく設計自由度，利用形態等の観点から減価の程度を詳細に検討することが重要である。

個別的要因の分析結果は，鑑定評価の手法の適用において反映すべきであり，大工場地の鑑定評価に当たっては，上記分析結果を適用する各手法に適切に反映しなければならない。

例えば，取引事例比較法においては，傾斜地が存することによる有効利用の阻害の程度を個別的要因の比較にあたって適切に反映する必要があり，土地残余法においては，最有効使用建物の想定にあたって，傾斜地部分の位置，面積，傾斜度等を考慮した建築計画を策定することが必要である。

以　上

傾斜地の分析結果の手法への反映
「基準」総論第6章

解　説

本問は，「基準」総論第3章の価格形成要因のうち，小問(1)では工業地域特有の地域要因に，小問(2)では具体的な個別的要因である「傾斜地」に着目した問題である。各小問とも「基準」「留意事項」だけで解答を固めることはできず，難度はやや高い。

小問(1)は，まず上位概念として「価格形成要因の意義」「地域要因の定義」「工業地域の定義」等を確実に述べ，主たる市場参加者である事業法人が「生産の効率性」「費用の経済性」に関する要因を重視する点を説明すること。地域要因の具体例についても，この観点から妥当性を欠かない要因を挙げ，説明できれば，「基準」に記載されていないものであってもよい。

小問(2)は，傾斜地が土地価格に与える一般的影響（減価）について述べてから，本問のような大工場地内の傾斜地が土地価格に与える影響について，傾斜地の位置，傾斜度等を挙げて具体的に説明する必要がある。大工場地の場合，建物敷地利用が困難であっても，住宅地や商業地よりも減価の程度は低くなる傾向がある点を述べるとよい。評価手法への反映については，あまり膨らませずに，解答例程度にまとめておくのが無難である。

鑑定評価報告書の作成に当たって，次の問に答えなさい。

 (1) 鑑定評価報告書への記載項目の１つに「関与不動産鑑定士及び関与不動産鑑定業者に係る利害関係等」とあるが，これらの記載が求められるようになった背景について説明しなさい。

 (2) 関与不動産鑑定士及び支援業務等を行う不動産鑑定士について，役割を分類・説明の上，鑑定評価報告書への記載事項について説明しなさい。

（一部改題）

解答例

小問(1)

　鑑定評価報告書は，不動産の鑑定評価の成果を記載した文書であり，不動産鑑定士が自己の専門的学識と経験に基づいた判断と意見を表明し，その責任を明らかにすることを目的とするものである。

　鑑定評価報告書は，鑑定評価の基本的事項及び鑑定評価額を表し，鑑定評価額を決定した理由を説明し，その不動産の鑑定評価に関与した不動産鑑定士の責任の所在を示すことを主旨とするものであるから，鑑定評価報告書の作成に当たっては，まずその鑑定評価の過程において採用したすべての資料を整理し，価格形成要因に関する判断，鑑定評価方式の適用に係る判断等に関する事項を明確にして，これに基づいて作成すべきである。

　鑑定評価報告書の内容は，不動産鑑定業者が依頼者に交付する鑑定評価書の実質的な内容となるものである。したがって，鑑定評価報告書は，鑑定評価書を通じて依頼者のみならず第三者に対しても影響を及ぼすものであり，さらには不動産の適正な価格の形成の基礎となるものであるから，その作成に当たっては，誤解の生ずる余地を与えないよう留意するとともに，特に鑑定評価額の決定の理由については，依頼者その他第三者に対して十分に説明し得るものとするように努めなければならない。

　具体的には，依頼者が鑑定評価の内容を正確に理解できるよう，鑑定評価がどのような前提の下で行われたか，どのような過程を経て最終

> 鑑定評価報告書の意義
> 「基準」総論第9章

> 鑑定評価報告書の作成指針
> 「基準」総論第9章

の鑑定評価額が決定されたのかを明確に分かり易く説明する必要がある。

　以上のことから，鑑定評価報告書には，少なくとも次の12項について記載しなければならない。1　鑑定評価額及び価格又は賃料の種類，2　鑑定評価の条件，3　対象不動産の所在，地番，地目，家屋番号，構造，用途，数量等及び対象不動産に係る権利の種類，4　対象不動産の確認に関する事項，5　鑑定評価の依頼目的及び依頼目的に対応した条件と価格又は賃料の種類との関連6　価格時点及び鑑定評価を行った年月日，7　鑑定評価額の決定の理由の要旨，8　鑑定評価上の不明事項に係る取扱い及び調査の範囲，9　関与不動産鑑定士又は関与不動産鑑定業者に係る利害関係等，10　関与不動産鑑定士の氏名，11　依頼者及び提出先等の氏名又は名称，12　鑑定評価額の公表の有無について確認した内容。

鑑定評価報告書の必須記載事項「基準」総論第9章

　鑑定評価報告書の記載事項のひとつとして，従前「その不動産の鑑定評価に関与した不動産鑑定士の対象不動産に関する利害関係又は対象不動産に関し利害関係を有する者との縁故若しくは特別の利害関係の有無及びその内容」とされていたものが，平成21年8月の不動産鑑定評価基準の改正により，上記のとおり，「関与不動産鑑定士又は関与不動産鑑定業者に係る利害関係等」とされた。

具体的な記載内容は以下の通りである。

① 　関与不動産鑑定士又は関与不動産鑑定業者の対象不動産に関する利害関係等

　　　関与不動産鑑定士又は関与不動産鑑定業者について，対象不動産に関する利害関係又は対象不動産に関し利害関係を有する者との縁故若しくは特別の利害関係の有無及びその内容を明らかにしなければならない。

② 　依頼者と関与不動産鑑定士又は関与不動産鑑定業者との関係

　　　依頼者と関与不動産鑑定士又は関与不動産鑑定業者との間の特別の資本的関係，人的関係及び取引関係の有無並びにその内容を明らかにしなければならない。

③ 　提出先等と関与不動産鑑定士又は関与不動産鑑定業者との関係

　　　前記②に準ずる。ただし，提出先等が未定の場合又は明らかとならない場合における当該提出先等については，その旨を明らか

関与不動産鑑定士又は関与不動産鑑定業者に係る利害関係等の記載内容「基準」総論第9章

にすれば足りる。

　すなわち，「関与不動産鑑定士」（当該不動産の鑑定評価に関与した不動産鑑定士の全員をいい，当該不動産の鑑定評価に関する業務の全部又は一部を再委託した場合の当該再委託先である不動産鑑定業者において当該不動産の鑑定評価に関与した不動産鑑定士を含むものとする）のみならず「関与不動産鑑定業者」（当該不動産の鑑定評価に関与不動産鑑定士を従事させている不動産鑑定業者のすべてをいう。）についても記載事項とされたものであり，またこの「関与不動産鑑定士又は関与不動産鑑定業者に係る利害関係等」は，鑑定評価の基本的事項の確定に関連する「依頼者の意思の確認」の際の確認事項としても追加されている。

関与不動産鑑定士及び関与不動産鑑定業者の定義等「留意事項」総論第8章

　これらの記載が求められるようになった背景は，近年，不動産の証券化に係る鑑定評価や財務諸表のための価格調査等，依頼者の鑑定評価に係るニーズが多様化していること等から，不動産鑑定評価に対する公正性・独立性・透明性がより厳格に求められるようになったことにあると解される。

記載が求められるようになった背景

小問(2)

① 関与不動産鑑定士について

　関与不動産鑑定士とは，上記の通り，当該不動産の鑑定評価に関与した不動産鑑定士の全員をいい，実務上，以下のように分類される。

　ア．総括不動産鑑定士

　　統括不動産鑑定士は，依頼者に提出する全ての鑑定評価書について関与する複数の不動産鑑定士を指揮するとともに鑑定評価の結果を検証することが主たる業務であり，対外的には一次的かつ総括的な説明責任を有する。

　イ．総括不動産鑑定士以外の関与不動産鑑定士

　　総括不動産鑑定士以外の関与不動産鑑定士は，鑑定評価の核となる主たる部分（鑑定評価の基本的事項の確定，対象不動産の確認，価格形成要因の分析，鑑定評価方式の適用，鑑定評価額の決定，鑑定評価報告書の作成等の一連の手順）の全部又は一部の業務を担当し，当該業務の内容について「判断・調整・

関与不動産鑑定士の分類と報告書への記載事項

決定」を行う。

　上記の関与不動産鑑定士は，鑑定評価報告書に氏名を記載しなければならず，また，鑑定評価書にもその資格を表示して署名押印しなければならない。

② 支援業務等を行う不動産鑑定士について

　支援業務等を行う不動産鑑定士は，関与不動産鑑定士の指揮監督の下，鑑定評価の結果に重要な影響を与えない程度の業務を担当し，受託審査，鑑定評価報告書の審査，鑑定評価業務の一部支援，計算ミスや誤字脱字程度のチェック等を行う。これらは，いわゆる支援業務であり，「鑑定評価への関与」とまではいえないことから，これらを行う不動産鑑定士については，現在の不動産鑑定評価基準の規定では，鑑定評価報告書への氏名の記載は必須とされていない。また，鑑定評価書への署名押印も不要である。

　ただし，鑑定評価書への署名押印は不要であるものの，記名表記は必要とされており，この趣旨に鑑みると，鑑定評価報告書にも氏名を記載すべきという解釈もできる。

以　上

支援業務等を行う不動産鑑定士の説明と報告書への記載事項

解　説

　平成21年の基準改正点を題材とするものである。

　小問(1)については，鑑定評価報告書の意義に触れてから，「関与不動産鑑定士及び関与不動産鑑定業者に係る利害関係等」に関する具体的な記載内容を「基準」に即して述べること。平成21年の基準改正によって当該事項の記載が求められるようになった背景については，一般論としての正論が展開できていれば必要最低限の点数は確保できる。

　小問(2)については，公益社団法人日本不動産鑑定士協会連合会が発行した『不動産鑑定士の役割分担等及び不動産鑑定業者の業務提携に関する業務指針』を題材にした問題である。この内容は，『要説』でも抜粋程度にとどまるものであり，また記載内容・関与不動産鑑定士の分類した際の名称も両者で統一が取れているとは言い難い。解答例は気にせず，「関与」「支援」といった言葉のイメージで大まかな区分けができていれば十分である。

隣接地の所有者が併合を目的として対象不動産を取得するに際し，「当該併合により増分価値が発生し，かつ対象不動産取得後の残地に減価が発生した場合」の更地の鑑定評価について，次の問に答えなさい。

(1) 求める価格の種類についてその理由を付して説明しなさい。

(2) 鑑定評価方式の適用から鑑定評価額の決定までの具体的な手順について説明しなさい。

(3) 増分価値の配分方法のうち，単価と面積の両方を反映した方法として一般的に採用されている2つの方法を挙げ，それぞれの内容と配分方法適用上の留意点について説明しなさい。

解答例

小問(1)

不動産の鑑定評価によって求める価格は，基本的には正常価格であるが，鑑定評価の依頼目的に対応した条件により限定価格，特定価格又は特殊価格を求める場合があるので，依頼目的に対応した条件を踏まえて価格の種類を適切に判断し，明確にすべきである。

本問の場合，求める価格の種類は限定価格である。

限定価格とは，市場性を有する不動産について，不動産と取得する他の不動産との併合又は不動産の一部を取得する際の分割等に基づき正常価格と同一の市場概念の下において形成されるであろう市場価値と乖離することにより，市場が相対的に限定される場合における取得部分の当該市場限定に基づく市場価値を適正に表示する価格をいう。

限定価格を求める場合を例示すれば，次のとおりである。

(1) 借地権者が底地の併合を目的とする売買に関連する場合

(2) 隣接不動産の併合を目的とする売買に関連する場合

(3) 経済合理性に反する不動産の分割を前提とする売買に関連する場合

隣接地の所有者が，対象不動産を併合することにより街路条件や

価格の種類
「基準」総論第5章

限定価格の定義
「基準」総論第5章

限定価格を求める具体例
「基準」総論第5章

画地条件等が良くなる場合には，併合前の各画地の正常価格（市場性を有する不動産について，現実の社会経済情勢の下で合理的と考えられる条件を満たす市場で形成されるであろう市場価値を表示する適正な価格）の合計を併合後の画地の正常価格が上回り，本問のように増分価値が発生する場合がある。このような場合，隣接地の所有者は対象不動産を正常価格よりも高い価格で購入しても経済合理性が成り立つことになり，市場が相対的に限定されるため，求める価格は限定価格となる。

併合により限定価格となる理由
「基準」総論第5章

　また，対象不動産の所有者が，対象不動産を分割することにより残地の街路条件や画地条件等が悪くなる場合には，分割前の画地の正常価格が分割後の各画地の正常価格の合計を上回り，本問のように減分価値が発生する場合がある。このような場合，対象不動産の所有者は対象不動産を正常価格よりも高い価格で売却しなければ経済合理性が成り立たないため，市場が相対的に限定され，求める価格は限定価格となる。

分割により限定価格となる理由

小問(2)

① 併合する側としての購入限度額の査定

　まず，対象不動産，隣接地，併合後の一体地の正常価格をそれぞれ求める。各画地は更地（建物等の定着物がなく，かつ，使用収益を制約する権利の付着していない宅地）であることから，各画地の正常価格は，更地並びに配分法が適用できる場合における建物及びその敷地の取引事例に基づく比準価格並びに土地残余法による収益価格を関連づけて求め，再調達原価が把握できる場合には，積算価格をも関連づけて求める。また，当該更地の面積が近隣地域の標準的な土地の面積に比べて大きい場合等においては，開発法による価格を比較考量して求める。

併合される側としての購入限度額の査定
「基準」各論第1章

　次に，併合後の一体地の正常価格から各画地の正常価格を控除して増分価値を求め，対象不動産の正常価格に当該増分価値を全額加算して，対象不動産の併合する側としての購入限度額を査定する。

② 分割される側としての売却限度額の査定

　まず，分割前の一体地，対象不動産，残地の正常価格をそれぞ

れ求める。

　次に，分割前の一体地の正常価格から各画地の正常価格を控除して減分価値を求め，対象不動産の正常価格に当該減分価値を全額加算して，対象不動産の分割される側としての売却限度額を求める。

③　増価と減価が生じる場合の限定価格の決定

　以上より，分割される側としては売却限度額以上で売却すれば損をせず，併合する側としては，購入限度額以下で購入すれば損をしない。したがって，購入限度額が売却限度額を上回る場合には，売却限度額を下限として，①で求めた増分価値に小問(3)より求めた配分率を乗じて得た額を対象不動産の正常価格に加算して対象不動産の鑑定評価額を決定する。また，売却限度額が購入限度額を上回る場合には，売買当事者間で経済合理性が成立しないため，限定価格として求められないと考えられる。

小問(3)

　増分価値の配分方法としては，単価比，面積比，総額比，買入限度額比による方法等があり，単価と面積の両方を反映した方法としては総額比，買入限度額比による方法が挙げられる。

　総額比による方法とは，併合前の画地の総額に応じて併合に伴う増分価値を配分する方法であり，併合前の画地の総額が併合後の画地に対する貢献度であるとする考え方に基づいている。この方法は，規模が小さい画地の場合には相対的な総額は小さくなり，結果として当該画地への配分額は小さくなる傾向があることに留意する。

　買入限度額比による方法とは，併合前の各画地が隣接地を購入するに当たって損をしない購入限度額に応じて増分価値を配分する方法であり，併合後の状態を前提として，相互画地の買入限度額をもって貢献度とみなす方法である。この方法は，併合される画地の総額が小さいほど，当該画地の配分率が大きくなる特徴を有するため，増分価値が大となる併合の場合は，総額の小さい画地への配分額が相対的に大きくなる傾向があることに留意する。

以　上

128

解　説

　本問は，「基準」総論第5章の価格の種類のうち，限定価格に着目した問題である。隣接不動産の併合による増分価値と経済合理性に反する分割が同時に生じるケースであり，難易度は高い。

　小問(1)は，まず上位概念として価格の種類について述べ，当該鑑定評価で求める価格の種類は限定価格である旨の指摘，限定価格の定義及び例示と限定価格となる理由について述べる。限定価格となる理由は併合する側及び分割される側の視点で，具体例を交えながら記述するとよい。

　小問(2)は，まず，併合する側としての購入限度額，及び分割される側としての売却限度額をそれぞれ査定する。購入限度額が売却限度額を上回る場合には売却限度額を下回らないような配分率を求め，増分価値に配分率を乗じた配分額を対象不動産の正常価格に加算して対象不動産の限定価格を求める旨記述する。また，対象不動産は更地であることから更地価格を求める鑑定評価手法についても記述すること。

　小問(3)は，一般的な配分率を挙げ，単価と面積の両方を反映した方法として一般的に採用されている2つの方法である総額比及び買入限度額比による方法を挙げ，それぞれの定義と配分方法適用上の留意点について述べる。総額比による方法は対象不動産の面積が過小な場合は総額が小さくなり，結果として配分額は小さくなるのに対し，買入限度額比による方法は，総額比による方法と比べて，併合される画地の総額が小さいほど，当該画地の配分率が大きくなる特徴がある旨を記述すること。

平成25年度

> 問題① 建物及びその敷地の最有効使用の判定に当たって，次の問に答えな
> さい。
> (1) 更地としての最有効使用に加え，建物及びその敷地の最有効使用を
> 　判定する際の留意点について述べなさい。
> (2) 更地としての最有効使用と建物及びその敷地の最有効使用の判定結
> 　果が異なる可能性がある事例について3つ例示し，具体的に説明しな
> 　さい。

解答例

小問(1)

　不動産の価格は，その不動産の最有効使用を前提として把握され
る価格を標準として形成されるものであるから，不動産の鑑定評価
に当たっては，対象不動産の最有効使用を判定する必要がある。

　個別分析とは，対象不動産の個別的要因が対象不動産の利用形態
と価格形成についてどのような影響力を持っているかを分析してそ
の最有効使用を判定することをいう。

　建物及びその敷地の場合，既に建物が存することにより特定の用
途に供されており，その制約下にあるため，その最有効使用の判定
に当たっては，現実の建物の用途等が経済的にみて合理的であるか
否かに主として着目して，用途の変更等の要否を検討する必要があ
る。

　すなわち，「更地」の最有効使用の判定とは，当該宅地の効用を
最高度に発揮する特定の用途を判定することを指すのに対し，「建
物及びその敷地」の最有効使用の判定とは，更地としての最有効使
用と現実の建物の用途等との合致の有無，乖離の程度を把握し，そ
の結果を踏まえて，①現状利用の継続②暫時現状利用の継続③建物
の用途変更等④建物の取壊しのうち，最も合理的なものを選択する
ことをいう。

　不動産の最有効使用の判定に当たっては，次の事項に留意すべき

（右欄注記）
最有効使用判
定の必要性
「基準」総論第
6章

個別分析の意
義
「基準」総論第
6章

建物及びその
敷地の最有効
使用判定の意
義

である。

(1)　良識と通常の使用能力を持つ人が採用するであろうと考えられる使用方法であること。

(2)　使用収益が将来相当の期間にわたって持続し得る使用方法であること。

(3)　効用を十分に発揮し得る時点が予測し得ない将来でないこと。

(4)　個々の不動産の最有効使用は，一般に近隣地域の地域の特性の制約下にあるので，個別分析に当たっては，特に近隣地域に存する不動産の標準的使用との相互関係を明らかにし判定することが必要であるが，対象不動産の位置，規模，環境等によっては，標準的使用の用途と異なる用途の可能性が考えられるので，こうした場合には，それぞれの用途に対応した個別的要因の分析を行った上で最有効使用を判定すること。

(5)　価格形成要因は常に変動の過程にあることを踏まえ，特に価格形成に影響を与える地域要因の変動が客観的に予測される場合には，当該変動に伴い対象不動産の使用方法が変化する可能性があることを勘案して最有効使用を判定すること。

最有効使用判定上の留意事項
「基準」総論第6章

特に，建物及びその敷地の最有効使用の判定に当たっては，次の事項に留意すべきである。

(6)　現実の建物の用途等が更地としての最有効使用に一致していない場合には，更地としての最有効使用を実現するために要する費用等を勘案する必要があるため，建物及びその敷地と更地の最有効使用の内容が必ずしも一致するものではないこと。

(7)　現実の建物の用途等を継続する場合の経済価値と建物の取壊しや用途変更等を行う場合のそれらに要する費用等を適切に勘案した経済価値を十分比較考量すること。

　この場合において，特に以下の点に留意すべきである。

①　物理的，法的にみた当該建物の取壊し，用途変更等の実現可能性

②　建物の取壊し，用途変更等を行った後における対象不動産の競争力の程度等を踏まえた収益の変動予測の不確実性及び取壊し，用途変更に要する期間中の逸失利益の程度

建物及びその敷地の最有効使用判定上の留意事項
「基準」総論第6章
「留意事項」総論第6章

　更地としての最有効使用と建物及びその敷地の最有効使用の判定
結果が異なる可能性がある事例の具体例としては，次の3つが挙げ
られる。

(1)　更地としての最有効使用は共同住宅であるが，現況の建物は店
　舗用賃貸ビルの場合

　　貸家及びその敷地の場合，建物所有者の一方的な要求で借家人
　に立退きを強いることはできないため，最有効使用判定に当たっ
　て，用途転換等や取り壊しを選択する場合は，立退きに要する費
　用や期間，実現性等を十分に勘案する必要がある。しかし，現実
　には立ち退き交渉には多大な費用や期間を要するのが一般的であ
　るため，「現状利用の継続」が最有効使用と判定されることが多
　い。

具体例①（借家人退去の困難性）

(2)　更地としての最有効使用は10階建てのオフィスビルであるが現
　況の建物は8階建てのオフィスビルの場合

　　この場合，増築等を行うことも考えられるが，高層ビルでの増
　築は技術的に実現可能性が低く，さらに費用対効果の観点からも
　合理的と判断されないことが多いことから，「現状利用の継続」
　が最有効使用と判定されることが多い。

具体例②（増改築等の困難性）

(3)　更地としての最有効使用はオフィスビルであるが現況の建物は
　オフィス街の集客力の高いビジネスホテルの場合

　　通常，最有効使用は，現実の社会経済情勢の下で客観的にみて，
　良識と通常の使用能力を持つ人による合理的かつ合法的な最高最
　善の使用方法に基づく使用方法として判定される。しかるに，リ
　スク等の観点から，特別な経営手段等を必要とするホテルを更地
　としての最有効使用と判定されることは考えにくいのが一般的で
　ある。しかし，現況オフィス街の集客力の高いホテルであるなら
　ば，投資採算性が高いことから，ホテル事業の展開を検討してい
　る法人や投資家等が当該不動産の取得をすることが十分に考えら
　れるため，「現状利用の継続」が最有効使用と判定されることが
　多い。

具体例③（現実市場での特殊用途）「基準」総論第4章

以　上

解　説

　本問は，「基準」総論第6章から「最有効使用の判定（個別分析）」に着目した問題である。

　小問(1)は，まず，上位概念として最有効使用の原則に触れ，個別分析の定義，最有効使用の判定内容と論じていく。最有効使用の判定内容については，「基準」で明確に規定されていないが，「更地」の場合と「建物及びその敷地」の場合とに分けて，きちんと述べること。次に，最有効使用判定上の留意点については，「基準」「留意事項」に規定されているので，確実に引用すること。

　小問(2)は，現況の建物が更地としての最有効使用に合致していないが，「費用対効果」等の観点から「現況の建物使用を継続すること」が最有効使用として判定され得る建物及びその敷地の例を3つ挙げる必要がある。解答例では，「借家人退去の困難性」「増改築等の困難性」「現実市場での特殊用途」といった，それぞれ異なる観点で具体例を挙げているが，勿論，矛盾点さえなければ，解答例以外の具体例を挙げてもよい。

正常価格と特定価格の成立条件について，次の問に答えなさい。
    (1) 正常価格について，現実の社会経済情勢の下で合理的と考えられる
    次の条件について，具体的に説明しなさい。
        ① 「買主が通常の資金調達能力を有していること」について
        ② 「対象不動産が相当の期間市場に公開されていること」について
    (2) 法令等による社会的要請を背景とする評価目的の下で，対象不動産
    の最有効使用を前提としない評価として特定価格を求めるケースにつ
    いて，具体例を2つ挙げて説明しなさい。

解答例

小問(1)

　不動産の鑑定評価によって求める価格は，基本的には正常価格で
あるが，鑑定評価の依頼目的に対応した条件により限定価格，特定
価格又は特殊価格を求める場合があるので，依頼目的に対応した条
件を踏まえて価格の種類を適切に判断し，明確にすべきである。な
お，評価目的に応じ，特定価格として求めなければならない場合が
あることに留意しなければならない。

価格の種類
「基準」総論第
5章

　正常価格とは，市場性を有する不動産について，現実の社会経済
情勢の下で合理的と考えられる条件を満たす市場で形成されるであ
ろう市場価値を表示する適正な価格をいう。

正常価格の定
義
「基準」総論第
5章

　この場合において，現実の社会経済情勢の下で合理的と考えられ
る条件を満たす市場とは，以下の条件を満たす市場をいう。

1．市場参加者が自由意思に基づいて市場に参加し，参入，退出が
　自由であること。なお，ここでいう市場参加者は，自己の利益を
　最大化するため次のような要件を満たすとともに，慎重かつ賢明
　に予測し，行動するものとする。

(1) 売り急ぎ，買い進み等をもたらす特別な動機のないこと。

(2) 対象不動産及び対象不動産が属する市場について取引を成立
　させるために必要となる通常の知識や情報を得ていること。

(3) 取引を成立させるために通常必要と認められる労力，費用を

正常価格の前
提条件
「基準」総論第
5章

　費やしていること。

(4)　対象不動産の最有効使用を前提とした価値判断を行うこと。

(5)　買主が通常の資金調達能力を有していること。

2．取引形態が，市場参加者が制約されたり，売り急ぎ，買い進み
等を誘引したりするような特別なものではないこと。

3．対象不動産が相当の期間市場に公開されていること。

　　これらのうち，①「買主が通常の資金調達能力を有しているこ
と」②「対象不動産が相当の期間市場に公開されていること」に
ついては，以下の点に留意すべきである。

　　通常の資金調達能力とは，買主が対象不動産の取得に当たって，
市場における標準的な借入条件（借入比率，金利，借入期間等）
の下での借り入れと自己資金とによって資金調達を行うことがで
きる能力をいう。実際の取引においては，市場における標準的な
条件と比べて有利な資金調達条件を得ることができる買い手によ
る取引もあるが，有利な資金調達は，買い進みを誘引するので，
取引事例の選択に当たって留意すべきであり，必要に応じて事情
補正を行うべきである。

「資金調達能力」について「留意事項」総論第5章

　　相当の期間とは，対象不動産の取得に際し必要となる情報が公
開され，需要者層に十分浸透するまでの期間をいう。なお，相当
の期間とは，価格時点における不動産市場の需給動向，対象不動
産の種類，性格等によって異なることに留意すべきである。また，
公開されていることとは，価格時点において既に市場で公開され
ていた状況を想定することをいう（価格時点以降売買成立時まで
公開されることではないことに留意すべきである）。正常価格は，
価格時点において形成されるであろう価格であり，この時点が成
約時点であると考えられるので，公開期間は価格時点の前にすで
に経過していることを前提とすることとなる。当該期間は，対象
不動産の種類（戸建住宅，商業ビル等）によって異なることに留
意する。

「相当の期間」について「留意事項」総論第5章

小問(2)

　特定価格とは，市場性を有する不動産について，法令等による社
会的要請を背景とする鑑定評価目的の下で，正常価格の前提となる

特定価格の定義「基準」総論第5章

諸条件を満たさないことにより正常価格と同一の市場概念の下において形成されるであろう市場価値と乖離することとなる場合における不動産の経済価値を適正に表示する価格をいう。

特定価格の特徴
「留意事項」総論第5章

特定価格は，正常価格同様，市場性を有する不動産についての価格であるが，法令等（法律，政令，内閣府令，省令等）による社会的要請を受け，市場価格の前提となる「合理的と考えられる条件」を満たさない場合の価格概念である。

特定価格を求める場合を例示すれば，次のとおりである。

(1)　各論第3章第1節に規定する証券化対象不動産に係る鑑定評価目的の下で，投資家に示すための投資採算価値を表す価格を求める場合

(2)　民事再生法に基づく鑑定評価目的の下で，早期売却を前提とした価格を求める場合

(3)　会社更生法又は民事再生法に基づく鑑定評価目的の下で，事業の継続を前提とした価格を求める場合

特定価格を求める具体例
「基準」総論第5章

これらのうち，対象不動産の最有効使用を前提としない評価として特定価格を求めるケースは，(1)(3)である。

(1)について，この場合は，投資法人，投資信託又は特定目的会社等（以下，投資法人等という。）の投資対象となる資産（以下，投資対象資産という。）としての不動産の取得時又は保有期間中の価格として投資家に開示することを目的に，投資家保護の観点から対象不動産の収益力を適切に反映する収益価格に基づいた投資採算価値を求める必要がある。

特定価格となる理由
「留意事項」総論第5章

投資対象資産としての不動産の取得時又は保有期間中の価格を求める鑑定評価については，上記鑑定評価目的の下で，資産流動化計画等により投資家に開示される対象不動産の運用方法を所与とするが，その運用方法による使用が対象不動産の最有効使用と異なることとなる場合には特定価格として求めなければならない。なお，投資法人等が投資対象資産を譲渡するときに依頼される鑑定評価で求める価格は正常価格として求めることに留意する必要がある。

鑑定評価の方法は，基本的に収益還元法のうちDCF法により求めた試算価格を標準とし，直接還元法による検証を行って求めた収

益価格に基づき，比準価格及び積算価格による検証を行い鑑定評価
額を決定する。

(3)について，この場合は，会社更生法又は民事再生法に基づく鑑
定評価目的の下で，現状の事業が継続されるものとして当該事業の
拘束下にあることを前提とする価格を求めるものである。

鑑定評価に際しては，現状の事業の継続により獲得した収益をもっ
て債務の弁済等を図ることが上記法令の趣旨であり，上記鑑定評価
目的の下で，対象不動産の利用現況を所与とすることにより，前提
とする使用が対象不動産の最有効使用と異なることとなる場合には
特定価格として求めなければならない。

鑑定評価の方法は，原則として事業経営に基づく純収益のうち不
動産に帰属する純収益に基づく収益価格を標準とし，比準価格を比
較考量の上，積算価格による検証を行って鑑定評価額を決定する。

鑑定評価報告書の作成に当たっては，鑑定評価の依頼目的に対応
した条件により，当該価格を求めるべきと判断した理由を記載しな
ければならない。特に，特定価格を求めた場合には法令等による社
会的要請の根拠を明らかにしなければならない。

また，正常価格を求めることができる不動産について，依頼目的
に対応した条件により特定価格を求めた場合は，かっこ書きで正常
価格である旨を付記してそれらの額を併記しなければならない。

以　上

鑑定評価方法
「基準」各論第
1章

特定価格とな
る理由
「留意事項」総
論第5章

鑑定評価方法
「基準」各論第
1章

鑑定評価報告
書作成上の留
意点
「基準」総論第
9章

　本問は,「基準」総論第5章の「価格の種類」のうち,「正常価格」と「特定価格」に着目した問題である。

　小問(1)は,まず,上位概念として価格の種類に触れ,正常価格の定義と正常価格の前提条件について,「基準」「留意事項」に即して確実に述べること。設問の2つの条件についての説明も,「留意事項」に規定されている内容を挙げれば十分であり,1つめの「資金調達能力」は,借入金と自己資金の併用について,2つめの「相当の期間」は,価格時点において既に経過していることについて,それぞれ述べること。

　小問(2)は,特定価格の定義と具体例を「基準」に即して確実に述べてから,設問の「対象不動産の最有効使用を前提としない」ケースとして「資産流動化法又は投信法に基づき投資採算価値を表す価格を求める場合」と「会社更生法又は民事再生法に基づき事業の継続を前提とした価格を求める場合」が該当する点を指摘すること。次に,それぞれのケースの説明として,「必ずしも対象不動産の最有効使用を前提としない理由」と「鑑定評価の方法」を「基準」及び「留意事項」に即して説明すること。

——— MEMO ———

現在，自社利用中の大型オフィスビル一棟について，リースバックを前提とする売却交渉が進展している。かかる物件について，売買の参考に供するための鑑定評価の依頼を購入希望者である投資法人から受託した。この場合における，鑑定評価の基本的事項に関して留意すべき点を述べなさい。

解答例

(1) 基本的事項確定の必要性

　　不動産の鑑定評価とは，特定の不動産について，特定の時点における，（特定の市場条件における）特定の種類の価格又は賃料を求めるものであるから，これらを特定するために基本的事項を確定する必要がある。したがって，不動産の鑑定評価を行うに当たっては，基本的事項として①対象不動産 ②価格時点及び③価格又は賃料の種類を確定しなければならない。

　　　　　　　　　　　　　　　　　　　基本的事項の
　　　　　　　　　　　　　　　　　　　確定の必要性
　　　　　　　　　　　　　　　　　　　「基準」総論第
　　　　　　　　　　　　　　　　　　　5章

(2) 対象不動産の確定について

　　対象不動産の確定とは，鑑定評価の対象を明確に他の不動産と区別し，特定することであり，それは不動産鑑定士が鑑定評価の依頼目的及び条件に照応する対象不動産と当該不動産の現実の利用状況とを照合して確認するという実践行為を経て最終的に確定する作業をいう。

　　　　　　　　　　　　　　　　　　　対象不動産の
　　　　　　　　　　　　　　　　　　　確定の意義
　　　　　　　　　　　　　　　　　　　「基準」総論第
　　　　　　　　　　　　　　　　　　　5章

　　対象不動産の確定に当たって必要となる鑑定評価の条件を対象確定条件といい，鑑定評価の対象とする不動産の所在，範囲等の物的事項及び所有権，賃借権等の対象不動産の権利の態様に関する事項を確定するために必要な条件をいう。対象確定条件を設定するに当たっては，対象不動産に係る諸事項についての調査及び確認を行った上で，依頼目的に照らして，鑑定評価書の利用者の利益を害するおそれがないかどうかの観点から当該条件設定の妥当性を確認しなければならない。

　　　　　　　　　　　　　　　　　　　対象確定条件
　　　　　　　　　　　　　　　　　　　の意義
　　　　　　　　　　　　　　　　　　　「基準」総論第
　　　　　　　　　　　　　　　　　　　5章

　　対象不動産は自社利用中の大型オフィスビル一棟であり，現状所与で鑑定評価を行った場合の対象不動産の類型は「自用の建物

及びその敷地」であるが，リースバック契約を前提とした場合には「貸家及びその敷地」である。①依頼目的が投資法人による証券化対象不動産の取得であり，依頼者はリースバック契約により得られる収益を前提に意思決定を行うこと②リースバック契約が成立しなければ売買されない可能性が高いこと③現所有者と新所有者との賃貸借契約であり，契約の実現可能性が高いと考えられることから，リースバック契約を前提とした「貸家及びその敷地」として鑑定評価を行うことが妥当であり，鑑定評価書の利用者の利益保護の点からも問題ないと考えられる。

設問の対象不動産の確定に当たって留意すべき事項

(3)　価格時点の確定について

　　不動産の価格は，多数の価格形成要因の相互作用によって形成されるものであるが，要因それ自体も時の経過により変動するものであるから，不動産の価格はその判定の基準となった日においてのみ妥当するものである。

　　したがって，鑑定評価を行うに当たっては，不動産の価格の判定の基準日を確定する必要があり，この日を価格時点という。価格時点は，鑑定評価を行った年月日を基準として現在の場合（現在時点），過去の場合（過去時点）及び将来の場合（将来時点）に分けられる。

価格時点の確定の意義「基準」総論第5章

　　対象不動産は現在時点ではリースバック契約を締結していないと考えられることから，①価格時点（現在時点）においてリースバック契約が締結されているものとして鑑定評価を行うこと，②鑑定評価を行った年月日以降の，実際にリースバック契約が締結される時点を価格時点（将来時点）として鑑定評価を行うことが考えられる。①については，前記(2)①～③の通り依頼目的や実現性等に照らして妥当であると考えられる。②については，対象不動産の確定等すべて想定し，又は予測することになり，不確実にならざるを得ないので，鑑定評価を行った日以降，1週間以内にリースバック契約が締結される場合等を除いて将来時点の鑑定評価は行うべきではないと考えられる。

設問の価格時点の確定に当たって留意すべき事項「留意事項」総論第5章

(4)　価格の種類の確定について

　　不動産の鑑定評価によって求める価格は，基本的には正常価格

であるが，鑑定評価の依頼目的に対応した条件により限定価格，特定価格又は特殊価格を求める場合があるので，依頼目的に対応した条件を踏まえて価格の種類を適切に判断し，明確にすべきである。なお，評価目的に応じ，特定価格として求めなければならない場合があることに留意しなければならない。

価格の種類の確定の意義「基準」総論第5章

本件は，依頼目的が投資法人による証券化対象不動産の取得であることから求める価格の種類は特定価格又は正常価格となる。

特定価格とは，市場性を有する不動産について，法令等による社会的要請を背景とする鑑定評価目的の下で，正常価格の前提となる諸条件を満たさないことにより正常価格と同一の市場概念の下において形成されるであろう市場価値と乖離することとなる場合における不動産の経済価値を適正に表示する価格をいう。

特定価格の定義等「基準」総論第5章

本件鑑定評価に当たっては，投資法人の投資対象となる資産（以下「投資対象資産」という。）としての 不動産の取得時の価格として投資家に開示することを目的に，投資家保護の観点から対象不動産の収益力を適切に反映する収益価格に基づいた投資採算価値を求める必要がある。

投資対象資産としての不動産の取得時の価格を求める鑑定評価については，上記鑑定評価目的の下で，資産流動化計画等により投資家に開示される対象不動産の運用方法を所与とするが，その運用方法による使用が対象不動産の最有効使用と異なることとなる場合には特定価格として求めなければならない。

特定価格となる場合とその理由「留意事項」総論第5章

なお，当該運用方法による使用が対象不動産の最有効使用と一致している場合，通常，正常価格との乖離は生じないことから，正常価格として求める。

正常価格となる場合

以　上

解　説

　本問は，リースバックを前提とした売買（証券化）の目的である不動産の鑑定評価における「基本的事項の確定」に着目した問題である。

　解答に当たっては，上位概念として，基本的事項の確定の意義を述べてから，各事項について特に留意すべき事項を，設問のケースに当てはめて説明していくとよい。

　まず，対象不動産の確定については，現況の対象不動産は「自用の建物及びその敷地」だが，依頼目的から「貸家及びその敷地（賃借人は現所有者）」であるものと想定して確定すべき点を指摘すること。その際，実現性や関係当事者・第三者の利益保護の観点から妥当か否か検討する必要がある点について言及するとよい。

　次に，価格時点の確定については，依頼目的を考慮すると，売買予定時，すなわち「将来時点」を設定する可能性もあるが，「留意事項」に規定されているとおり，将来時点の鑑定評価は原則として行うべきではないことを踏まえ，売却交渉の進展状況，売買の実現可能性等に応じて「現在時点」を設定すべきである点を指摘すること。

　価格の種類の確定については，投資法人からの依頼であることから，運用方法に応じて特定価格又は正常価格に該当する点を指摘し，特定価格となる理由と正常価格となるケース等について述べること。

問題④　商業用の区分所有建物及びその敷地（専有部分が賃貸されている場合）の鑑定評価について，次の問に答えなさい。
　⑴　居住用マンションの鑑定評価との違いについて述べなさい。
　⑵　収益価格が積算価格よりも大幅に上回って試算された。試算価格の再吟味に当たっての留意点について述べなさい。

解答例

小問⑴

1．区分所有建物及びその敷地の定義と分類

　　区分所有建物及びその敷地とは，建物の区分所有等に関する法律第2条第3項に規定する専有部分並びに当該専有部分に係る同条第4項に規定する共用部分の共有持分及び同条第6項に規定する敷地利用権をいう。

　　区分所有建物及びその敷地は，専有部分が自用であるか賃貸に供されているか，敷地利用権が所有権か借地権か等によって更に細分される。

　　区分所有建物及びその敷地は，分譲マンション等，居住用途のものが一般的であるが，設問のような商業用のものも考えられる。具体例としては，①いわゆる下駄履きマンションの店舗区画や，②商業施設やオフィス階を併設した大規模マンションのオフィス区画，③縦割りの区分所有である共同事業ビル等が挙げられる。本問では，居住用マンションとして最も典型的な自用のファミリータイプマンションと上記①の店舗区画を対比して解答する。

2．鑑定評価における相違点

　　不動産の鑑定評価に当たっては，価格形成要因を市場参加者の観点から把握し，分析する必要がある。

　　上記の居住用マンションに係る主たる市場参加者（需要者）は，自己の居住を図るエンドユーザーが中心となり，このような需要者は，特に快適性や利便性を左右する要因に着目して取引の意思決定を行う。したがって，価格形成要因の分析に当たって重視す

区分所有建物及びその敷地の定義
「基準」総論第2章

区分所有建物及びその敷地の分類

設問の区分所有建物及びその敷地の具体例

144

べき要因としては，

- 地域要因として，交通施設の状態，商業施設・公共施設等の配置の状態，街並みの状態，自然的環境の良否等
- 個別的要因（一棟建物及びその敷地）として，建築の年次，施工の質と量，玄関，集会室等の施設の状態，耐震性，耐火性等建物の性能，維持管理の状態等
- 個別的要因（専有部分）として，階層及び位置，日照，眺望及び景観の良否，室内の仕上げ及び維持管理の状態（特にリフォームの有無），専有面積及び間取りの状態等

が挙げられる。

また，設問のような居住用マンションの鑑定評価額は，積算価格，比準価格及び収益価格を関連づけて決定するが，主たる需要者の意思決定は，代替性を有するマンションの取引価格水準との比較検討等，市場性を中心に行われるのが一般的であることから，比準価格にウエイトを置いた試算価格の調整が妥当する場合が多い。

これに対し，商業用の区分所有建物及びその敷地（貸家）に係る主たる需要者は，収益物件の取得を図る投資家が中心となり，このような需要者は，特に収益性を左右する要因に着目して取引の意思決定を行う。したがって，価格形成要因の分析に当たって重視すべき要因としては，

- 地域要因として，商業施設又は業務施設の種類，規模，集積度等の状態，商業背後地及び顧客の質と量，繁華性の程度及び盛衰の動向等
- 個別的要因（一棟建物及びその敷地）として，設計，設備等の機能性，建物の用途及び利用の状態，居住者，店舗等の構成の状態等
- 個別的要因（専有部分）として，賃貸経営管理の良否に関する現況の借主の状況及び賃貸借契約の内容（賃料，共益費，一時金，契約期間，特約の有無等），管理費及び修繕積立金の額等

が挙げられる。

また，主たる需要者である投資家の意思決定は，通常，収益性

（居住用マンションの需要者が重視する価格形成要因「基準」総論第3章）

（居住用マンションの鑑定評価方法「基準」各論第1章）

（商業用区分所有建物（貸家）の需要者が重視する価格形成要因「基準」総論第3章）

を中心に行われることから，鑑定評価額は，実際実質賃料に基づく純収益等の現在価値の総和を求めることにより得た収益価格を標準とし，積算価格及び比準価格を比較考量して決定する。

商業用区分所有建物（貸家）の鑑定評価方法
「基準」各論第1章

小問(2)

1．試算価格の調整と再吟味の意義

　　試算価格の調整とは，鑑定評価の複数の手法により求められた各試算価格又は試算賃料の再吟味及び各試算価格が有する説得力に係る判断を行い，鑑定評価における最終判断である鑑定評価額の決定に導く作業をいう。

試算価格の調整の定義等
「基準」総論第8章

　　試算価格の調整に当たっては，対象不動産の価格形成を論理的かつ実証的に説明できるようにすることが重要である。このため，鑑定評価の手順の各段階について，客観的，批判的に再吟味し，その結果を踏まえた各試算価格が有する説得力の違いを適切に反映することによりこれを行うものとする。

　　価格の三面性（費用性，市場性，収益性）に対応する鑑定評価手法を適切に適用して求めた試算価格は理論的には一致するはずであるが，現実の鑑定評価においては，資料収集の制約や試算の過程に各種の判断が介在するため，実際に試算した試算価格は一致しないことが多い。そこで，試算価格の調整が必要となる。

試算価格の調整の必要性

　　試算価格の再吟味とは，試算の各段階に誤りや不整合な部分がないかどうかを客観的，批判的に見直し，その結果を踏まえて試算価格の再計算を繰り返して，各試算価格の精度，信頼性を向上させることをいう。

試算価格の再吟味の意義

この場合において，　特に次の事項に留意すべきである。

① 　資料の選択，検討及び活用の適否

② 　不動産の価格に関する諸原則の当該案件に即応した活用の適否

③ 　一般的要因の分析並びに地域分析及び個別分析の適否

④ 　各手法の適用において行った各種補正，修正等に係る判断の適否

⑤ 　各手法に共通する価格形成要因に係る判断の整合性

⑥ 　単価と総額との関連の適否

再吟味に当たって留意すべき事項
「基準」総論第8章

２．設問の場合の試算価格の再吟味における留意点

　　設問においては，収益価格が積算価格よりも大幅に上回って試算されたことから，特に上記④⑤に留意し，以下の点について再吟味を行うべきである。

導入

(1)　積算価格の試算過程について

　　設問における積算価格は，通常，更地価格に建物再調達原価を加算して再調達原価を査定し，これに減価修正を行って求めた一棟の建物及びその敷地の積算価格に，当該一棟の建物の各階層別及び同一階層内の位置別の効用比により求めた配分率を乗ずることにより試算する。

　　設問のような複合不動産の場合，建物の規模・品等・用途等により，いわゆる建付増価が生じていることがあるため，一棟の建物及びその敷地の積算価格を試算する過程においてこれを再検証する必要がある。

　　また，住居階と店舗階の階層別効用格差の査定の如何によって，求められる配分率は大きく左右されることから，効用比を査定する過程についても慎重に再検証する必要がある。

　　さらに，専有部分に係る現況の賃貸経営管理状況が優れている場合，超過収益が発生していることから，当該超過収益に基づく増価分を個別格差修正等によって対象不動産の積算価格に十分反映できているか否かについても再検証する必要がある。

積算価格の再吟味に当たって留意すべき事項「基準」各論第１章

(2)　収益価格の試算過程について

　　設問における収益価格は，通常，実際実質賃料を基に試算するが，好況時に契約が締結され，賃料改定がないまま現在に至る等，周辺相場からの乖離が生じている可能性がある。よって，周辺の賃料相場等も勘案の上，現況賃料が割高な設定になっている場合においては，純収益の標準化もしくは還元利回りにおける賃料下落リスクの反映等も検討すべきである。

　　また，本解答の前提となっているような区分所有の貸家については，シングルテナントであることから，テナント退去時のキャッシュ・フローへのインパクトが大きく，しかも空室時においても管理費・修繕積立金を負担し続ける必要がある。これ

収益価格の再吟味に当たって留意すべき事項

らのリスクが還元利回りに適正に織り込まれているか否かも検証が必要である。

　さらに，地域性にもよるが，区分所有の商業用物件は，区分所有の居住用物件と比較して売買市場における需要者が限定され，また改装等における自由度も限定されることから，取引市場における流動性が低位となりがちである。かかる要因が還元利回りに適正に織り込まれているか否かも再検証する必要がある。

以　上

解　説

　本問は，商業用の区分所有建物及びその敷地（専有部分が賃貸されている場合）の鑑定評価に関する問題で，特に，「一般的な居住用マンションの鑑定評価との違い」と，「試算価格が乖離した場合の再吟味における留意点」について問うものである。

　小問(1)は，区分所有建物及びその敷地の定義と補足説明を切り口に，商業用の区分所有建物及びその敷地の具体例を挙げ，専有部分が賃貸されていることから，通常，賃料収入に基づく収益物件として投資家によって取引される点を指摘すること。さらに，自己で居住することを前提とする居住用マンションとの市場参加者の相違を示した上で，価格形成要因の分析に当たって重視する要因の違い，試算価格の調整上の違いについてそれぞれ説明するとよい。

　小問(2)は，試算価格の調整の意義とその必要性や，調整に当たって留意すべき事項を「基準」に即して確実に述べてから，設問の場合に試算価格の再吟味に当たって特に留意すべき点を述べること。本問の場合，「基準」の列挙事項のうち，特に「各手法の適用において行った各種補正，修正等に係る判断の適否」と「各手法に共通する価格形成要因に係る判断の整合性」に着目し，収益価格が積算価格よりも大幅に上回って試算され得る具体例を挙げながら説明するとよい。対象不動産の超過収益力が積算価格に十分に反映されなかった場合や，将来の減収リスクが収益価格に十分に反映されなかった場合等，具体例はいくつか考えられるが，手法の特徴を十分意識した解答を展開してほしい。

MEMO

平成26年度

> 問題① 一般的要因について，次の問に答えなさい。
> (1) 鑑定評価において，なぜ一般的要因を考慮しなければならないか述べなさい。
> (2) 経済的要因を3つ挙げて，鑑定評価額に与える影響について，それぞれ述べなさい。

解答例

小問(1)

1．一般的要因の意義

　　不動産の価格を形成する要因（価格形成要因）とは，不動産の効用及び相対的稀少性並びに不動産に対する有効需要の三者に影響を与える要因をいう。不動産の価格は，多数の要因の相互作用の結果として形成されるものであるので，不動産の鑑定評価を行うに当たっては，価格形成要因を市場参加者の観点から明確に把握し，分析しなければならない。

　　価格形成要因は，一般的要因，地域要因及び個別的要因に分けられる。

　　一般的要因とは，一般経済社会における不動産のあり方及びその価格の水準に影響を与える要因をいい，自然的要因，社会的要因，経済的要因及び行政的要因に大別される。なお，社会的，経済的及び行政的要因は不動産に働きかける外部的要因として理解されるものであり，これらの働きかけを受ける客体としての不動産（土地）そのものについて，自然的要因が考えられるのである。

　　一般的要因は，地域ごとに異なる影響を与えるという「地域的偏向性」を有しており，不動産の価格は，このような一般的要因の相関結合により生ずる地域要因及び個別的要因を反映して形成される。

2．一般的要因の把握・分析の必要性

　　対象不動産の地域分析及び個別分析を行うに当たっては，まず

［右側注釈］
価格形成要因の意義
「基準」総論第3章

一般的要因の意義
「基準」各論第3章

一般的要因の地域的偏向性

それらの基礎となる一般的要因がどのような具体的な影響力を持っているかを的確に把握しておくことが必要となる。

　不動産の価格は，その不動産の最有効使用を前提として把握される価格を標準として形成されるものであるから，価格形成要因の分析に当たっては，地域要因及び個別要因を分析することを通じて，近隣地域の標準的使用や対象不動産の最有効使用を判定しなければならないが，これらの判定に当たっては，その前提として，マクロ的な要因である一般的要因の分析を踏まえる必要がある。具体的には，地域分析や個別分析の前提として，人口の状態，貯蓄・消費・投資等の水準，金融の状態，税制の状態などの一般的要因の分析に基づいて，不動産の用途ごとの有効需要等を的確に把握することが必要である。

　また，価格形成要因のうち一般的要因は，不動産の価格形成全般に影響を与えるものであり，鑑定評価手法の適用における各手順において常に考慮されるべきものである。例えば，原価法における再調達原価の査定に当たっては，建設物価や労務費の水準等を，取引事例比較法における時点修正率の査定に当たっては，国民所得の動向等を，収益還元法における還元利回りや割引率の査定に当たっては，金融市場の運用利回りの水準等を，それぞれ適切に反映する必要がある。

　さらに，一般的要因は価格判定の妥当性を検討するために活用しなければならない。最終的に鑑定評価額を決定するための作業である試算価格又は試算賃料の再吟味に当たっては，鑑定評価の手順の各段階に誤りや不整合な部分がないかどうかを客観的，批判的に見直し，その結果を踏まえて試算価格の再計算等を繰り返して，試算価格の精度を向上させる作業を行うこととなるが，この場合にも一般的要因の分析並びに地域分析及び個別分析の適否等に留意する必要がある。

　このように，一般的要因の分析は鑑定評価にとって重要な意義を有するものである。

地域分析・個別分析における一般的要因の必要性
「基準」総論第6章

鑑定評価手法の適用における一般的要因の必要性

試算価格の調整における一般的要因の必要性

151

　一般に財の価格は，その財の需要と供給との相互関係によって定まるとともに，その価格は，また，その財の需要と供給とに影響を及ぼす。

需要と供給の原則
「基準」総論第4章

　不動産についても他の一般の諸財と同様，需要と供給との有機的な関連をもって経済構造に組み込まれている。つまり，「経済的要因」とは，経済構造や経済情勢に影響を与え，直接的又は間接的に不動産の価格に影響を及ぼす要因をいう。

経済的要因の意義

　経済的要因の具体例としては，①貯蓄，消費，投資及び国際収支の状態，②税負担の状態，③国際化の状態，等が挙げられる。

経済的要因の具体例

　①貯蓄，消費，投資及び国際収支の状態については，例えば，消費の増加は，各種店舗用地等の需要増を通じて鑑定評価額を上昇させる可能性がある。また，不動産投資環境が良好であることは，投資用不動産の需要増を通じて鑑定評価額を上昇させる可能性がある。

貯蓄，消費，投資及び国際収支の状態の鑑定評価額への影響

　②税負担の状態については，例えば，住宅地において，所得税法の特例である「住宅借入金等を有する場合の特別税額控除（いわゆるローン控除）」や「消費税率の上昇（の決定）」は，住宅購入資金等に影響を及ぼし，住宅用地やマンションの駆け込み需要増を通じて鑑定評価額を上昇させる可能性がある。反対に特別税額控除の廃止後や，消費税率上昇後は駆け込み需要による反動等から不動産需要を減少させ，鑑定評価額を下落させる可能性がある。

税負担の状態の鑑定評価額への影響

　③国際化の状態については，例えば，わが国の金融，資本市場等の強大化等に伴う国際化の進展は，都心のオフィスビルや昼夜営業の小売店舗等の用地の需要増を通じて鑑定評価額を上昇させる可能性がある。

国際化の状態の鑑定評価額への影響

以　上

解　説

　本問は，総論第 3 章「価格形成要因」のうち，「一般的要因」に着目した問題である。

　小問(1)は，まず，「基準」総論第 3 章の前文である価格形成要因の意義を切り口に，一般的要因の定義，特徴（地域的偏向性等）を述べる。次に，鑑定評価において一般的要因を考慮する必要性については，①地域分析・個別分析の前提として一般的要因の分析が必要であること，②各手法の適用過程において，一般的要因の分析結果の反映が必要であること，③各試算価格の再吟味に当たって，一般的要因の分析の適否についての検討が必要であること等を，「基準」総論第 6 章，第 7 章，第 8 章から適宜引用して述べるとよい。

　小問(2)は，「基準」が掲げる一般的要因の 4 つの区分のうち，経済的要因の具体例を 3 つ挙げ，鑑定評価額に与える影響についてそれぞれ説明する。自らの文章で説明する必要があるものの，事前に具体例を用意していた受験生であれば，十分正論を展開できたであろう。問題文の「鑑定評価額に与える影響」という文言をあまり深読みせず，素直に「価格との関係」として解答すればよい。解答例では割愛したが，各具体例と評価手法との対応関係等に言及してもよい。

問題② 戸建住宅地域内に存する法人所有の社宅（自用の建物及びその敷地）の売却に係る鑑定評価について、建物及びその敷地の最有効使用の判定を行うに当たり、実務上、検討すべき具体的内容とその留意点を答えなさい。

【前提条件】

　対象不動産は、ファミリータイプの住戸30戸で構成される一棟の建物（築15年の鉄筋コンクリート造３階建共同住宅）とその敷地（地積3,000㎡）であり、現在、すべて空室となっている。価格形成要因の分析の結果、更地としての最有効使用は、地積が150㎡程度の戸建住宅の敷地として分割利用することと判定した。

解答例

1．建物及びその敷地の最有効使用判定の意義

　不動産の価格は、その不動産の最有効使用を前提として把握される価格を標準として形成される（最有効使用の原則）ものであるから、不動産の鑑定評価に当たっては、対象不動産の最有効使用を判定する必要がある。

> 最有効使用判定の必要性
> 「基準」総論第6章

　個別分析とは、対象不動産の個別的要因が対象不動産の利用形態と価格形成についてどのような影響力を持っているかを分析してその最有効使用を判定することをいう。

> 個別分析の定義
> 「基準」各論第6章

　建物及びその敷地の最有効使用の判定とは、その敷地部分の更地としての最有効使用を踏まえ、現状の建物利用の継続の適否を判定することであり、より具体的には、「現状の建物利用の継続」、「建物の用途変更・構造改造等」、「建物の取壊し」、の３つのシナリオのうち、いずれが最も合理的かを判定することを意味する。

> 建物及びその敷地の最有効使用判定の意義

2．建物及びその敷地の最有効使用判定上の留意点

　建物及びその敷地の最有効使用の判定に当たっては、次の事項に留意すべきである。

(1)　現実の建物の用途等が更地としての最有効使用に一致していない場合には、更地としての最有効使用を実現するために要す

> 建物及びその敷地の最有効使用判定上の留意点
> 「基準」総論第7章
> 「留意事項」総論第7章

る費用等を勘案する必要があるため，建物及びその敷地と更地の最有効使用の内容が必ずしも一致するものではないこと。

(2) 現実の建物の用途等を継続する場合の経済価値と建物の取壊しや用途変更等を行う場合のそれらに要する費用等を適切に勘案した経済価値を十分比較考量すること。

この場合において，特に以下の点に留意すべきである。

① 物理的，法的にみた当該建物の取壊し，用途変更等の実現可能性

② 建物の取壊し，用途変更後における対象不動産の競争力の程度等を踏まえた収益の変動予測の不確実性及び取壊し，用途変更に要する期間中の逸失利益の程度

3．設問の案件において具体的に検討すべき事項

設問の対象不動産の最有効使用としては，上記1．の3つのシナリオいずれも該当する可能性があり，具体的には(1)「法人社宅のまま現況利用を継続すること」，(2)「一般的な共同住宅にリニューアル（改造）すること」，(3)「現況建物を取り壊して更地化すること」，が考えられるが，各シナリオごとに想定される典型的な市場参加者（需要者）が異なるので，市場分析により，主たる市場参加者の属性や行動基準，当該市場参加者の観点から見た対象不動産の市場競争力等を分析の上，上記2．の最有効使用判定上の留意点を踏まえ，3つのシナリオに基づく価格を試算し，結論が最も高く求められるものを最有効使用と判定すべきである。

> 設問において考えられる最有効使用のシナリオ

(1) 「法人社宅のまま現況利用を継続すること」を前提とする価格

この場合，典型的な需要者は対象不動産を現況のまま社宅として利用することを前提として購入する法人と考えられることから，当該需要者が重視する従業員の通勤，生活上の利便性を念頭に，①原価法による積算価格，②取引事例比較法による比準価格及び③収益還元法による収益価格を関連づけて，当該シナリオに基づく価格を試算する。

①原価法における減価修正に当たって，耐用年数に基づく方法を適用する場合には，築15年という経過年数のみならず経済

> 現況継続を前提とした価格の求め方，手法適用上の留意点
> 「基準」各論第1章

的残存耐用年数に重点をおいて判断すべきであり，その際，物理的要因のみならず，機能的要因（設備の不足等），経済的要因（付近の環境との不適合）も十分に考慮し，残存耐用年数の短縮や観察減価の計上を検討すべきである。

　②取引事例比較法における事例の選択に当たっては，類似する社宅の取引事例を採用する必要があるが，その稀少性から，事例収集の対象は同一需給圏内の代替競争不動産が中心となると考えられる。また，地域要因，個別的要因の比較に当たっては，社宅としての利便性等を念頭に格差修正率を判定しなければならない。

　③収益還元法の適用に当たっては，現在すべて空室であることから，新規に賃貸を想定することとなるが，社宅の場合，間取り，設備等が一般的な共同住宅と比較して劣り，社員食堂等の賃貸の対象とならない共用部分を有することも多く，個別の住戸の賃貸を想定する方法のほか，社宅として法人契約で一棟貸しすることを想定する方法も考えられる。

(2)　「一般的な共同住宅にリニューアル（改造）すること」を前提とする価格

　この場合，典型的な需要者は対象不動産を一般的な賃貸共同住宅等に用途変更・構造改造等を行い，賃料収入の獲得を企図する投資家と考えられることから，当該需要者が重視する収益性を念頭に，用途変更後の経済価値の上昇の程度，必要とされる改造費等を考慮して，当該シナリオに基づく価格を試算する。

　具体的には，用途変更後の賃貸共同住宅の状態を所与として，上記(1)と同様の３手法を適用，調整の上，用途変更後の価格を求め，改造費等を控除して試算する。

　①原価法における再調達原価の査定に当たっては，当初建築部分だけでなく改造等で追加した部分も加味する必要がある。また，減価修正に当たっては，改造，修繕等による物理的な耐用年数の延長のほか，賃貸に適した間取り，設備に改装することによる機能的陳腐化の解消や市場性の向上等を考慮する。

　②取引事例比較法に当たっては，用途変更後の賃貸共同住宅

用途変更を前提とした価格の求め方、手法適用上の留意点
「基準」各論第1章

を前提として類似する事例を選択し，要因比較を行う必要がある。

　③収益還元法の適用に当たっては，個別住戸の賃貸が前提となるため，改造により無駄な共用部分を削減し賃貸面積が拡大できるか，地域の賃貸需要と適合し，収益効率（賃料単価）の高い間取り，面積の住戸（ワンルーム，２人入居向け等）に改装できるか否か等を詳細に検討し，用途変更，改装による賃料収入や投資選考度の向上を適切に反映しなければならない。

(3)　「現況建物を取り壊して更地化すること」」を前提とする価格

　この場合，典型的な需要者は現況建物を取り壊して戸建住宅用地として区画割り，分譲することを企図する開発事業者と考えられることから，当該需要者が重視する投資採算性を念頭に，建物の解体による発生材料の価格から取壊し，除去，運搬等に必要な経費を控除した額を，当該敷地の最有効使用に基づく価格に加減して，当該シナリオに基づく価格を試算する。

　敷地の最有効使用に基づく価格（更地価格）の査定に当たっては，①開発法及び②取引事例比較法を適用することとなる。なお，戸建住宅地域（既成市街地）に存し再調達原価（素地価格）の把握は困難であることから原価法は適用せず，賃貸共同住宅は敷地の最有効使用と合致しないことから土地残余法も適用しないのが通常である。

　開発法の適用に当たっては，対象地を区画割りして分譲することを想定するが，その際には，販売価格に直接的に影響する快適性，利便性のほか，有効宅地率（道路潰地の有無，各区画の形状等）等を検討し，販売総額が最大となる区画割りを想定することが必要である。また，形状，高低差，道路状況等を考慮して造成費用を査定する。

　取引事例比較法における事例の選択に当たっては，同程度の規模の戸建住宅開発素地の取引事例を採用する必要があり，上記(1)と同様，同一需給圏内の代替競争不動産の事例が中心となると考えられる。地域要因，個別的要因の比較に当たっては，上記開発法との整合を図る必要があり，開発事業者が重視する

建物取り壊しを前提とした価格の求め方，手法適用上の留意点
「基準」各論第１章

要因に着目して格差修正率を判定すべきである。

このようにして求めた更地価格から取壊し費用等を控除し，発生材料価格が認められる場合にはこれを加算して，当該シナリオによる価格を試算する。

以　上

解　説

　総論第6章「地域分析及び個別分析」のうち，「複合不動産の最有効使用判定」に着目した具体的な事案問題である。

　まず，小問化されていない問題のため，論述内容が明確になるよう，解答項目を分け，それぞれ見出しを付けるとよい。解答例では「1．建物及びその敷地の最有効使用判定の意義」「2．建物及びその敷地の最有効使用判定上の留意点」「3．設問の案件において具体的に検討すべき事項」としているが，勿論，多少異なっていても構わない。

　まず，「1．建物及びその敷地の最有効使用判定の意義」については，上位概念として最有効使用の原則に触れてから，個別分析の定義，更地の最有効使用の判定内容，建物及びその敷地の最有効使用の判定内容について，順に述べること。

　「2．建物及びその敷地の最有効使用判定上の留意点」については，建物及びその敷地固有の最有効使用判定上の留意点について「基準」「留意事項」に即して述べること。

　「3．設問の案件において具体的に検討すべき事項」については，設問の事案について考えられ得る最有効使用のシナリオを3つ（①法人社宅のまま現況継続，②一般的な共同住宅にリニューアル（改造），③現況建物を取壊して更地化）示し，その具体的な判定に当たっては，それぞれの使用を前提とした需要の有無を市場分析によって確認するとともに，それぞれの使用を前提とした価格査定が必要となる点を述べ，それぞれの価格査定上の留意点を説明すること。現況継続の場合は，法人の社宅という仕様から特に考慮すべき減価要因等を挙げ，リニューアルの場合は，具体的なリニューアルの内容やそれに伴う増価要因等を具体的に挙げるとよい。また，建物取壊しの場合は，戸建住宅開発素地としての価格査定上の留意点を中心に述べること。受験生にとっては最も腕の見せ所となる論点なので，設問の事案に即した具体的な論述を展開してほしい。

---- MEMO ----

問題③ 対象不動産が，貸家及びその敷地に係る中層共同住宅の場合における建物の再調達原価について，次の問に答えなさい。

(1) 建物の再調達原価を求めるための2つの方法について，それぞれの長所と短所について述べなさい。

(2) 対象不動産は，平成23年に建築され，価格時点（平成26年8月1日）では，対象不動産と類似する中層共同住宅の建築費は，平成23年より大幅に上昇している。

① 建物の再調達原価を求める際の留意点を述べなさい。

② 試算価格の調整における積算価格の再吟味に際して，建物の再調達原価について再吟味すべき内容について述べなさい。

解答例

小問(1)

　貸家及びその敷地とは，建物所有者とその敷地の所有者とが同一人であるが，建物が賃貸借に供されている場合における当該建物及びその敷地をいう。

　貸家及びその敷地の鑑定評価額は，実際実質賃料（売主が既に受領した一時金のうち売買等に当たって買主に承継されない部分がある場合には，当該部分の運用益及び償却額を含まないものとする。）に基づく純収益等の現在価値の総和を求めることにより得た収益還元法による収益価格を標準とし，原価法による積算価格及び取引事例比較法による比準価格を比較考量して決定するものとする。

　原価法は，主として不動産価格の費用性に着目して，価格時点における対象不動産の再調達原価を求め，この再調達原価について減価修正を行って対象不動産の試算価格（積算価格）を求める手法である。

　再調達原価とは，対象不動産を価格時点において再調達することを想定した場合において必要とされる適正な原価の総額をいう。

　建物の再調達原価は，建設請負により，請負者が発注者に対して直ちに使用可能な状態で引き渡す通常の場合を想定し，発注者が請

右欄注記：

貸家及びその敷地の定義
「基準」総論第2章

貸家及びその敷地の鑑定評価額の求め方
「基準」各論第1章

原価法の定義
「基準」総論第7章

再調達原価の定義
「基準」総論第7章

建物の再調達原価の構成要素
「基準」総論第7章

負者に対して支払う標準的な建設費に発注者が直接負担すべき通常
の付帯費用を加算して求めるものとする。

再調達原価を求める方法には，①直接法及び②間接法があり，収
集した建設事例等の資料としての信頼度に応じていずれかを適用す
るものとし，また，必要に応じて併用する。

① 直接法は，対象不動産について直接的に再調達原価を求める方
法である。

直接法は，対象不動産について，使用資材の種別，品等及び数
量並びに所要労働の種別，時間等を調査し，対象不動産の存する
地域の価格時点における単価を基礎とした直接工事費を積算し，
これに間接工事費及び請負者の適正な利益を含む一般管理費等を
加えて標準的な建設費を求め，さらに発注者が直接負担すべき通
常の付帯費用を加算して再調達原価を求める。

この方法は，設計図書や請負工事契約書の内訳明細書，標準建
築費の単価表が把握できる場合に有効な方法であるが，使用資材
の単価の判定等，建築に関する専門的な知識が必要である。

また，建設に要した直接工事費，間接工事費，請負者の適正な
利益を含む一般管理費等及び発注者が直接負担した付帯費用の額
並びにこれらの明細（種別，品等，数量，時間，単価等）が判明
している場合には，これらの明細を分析して適切に補正し，かつ，
必要に応じて時点修正を行って再調達原価を求めることができる。

この方法は，実際に建築に要した建築費及び内訳が把握できる
場合に有効な方法であるが，建築時点が古い場合には時点修正率
の査定が困難である。

② 間接法は，近隣地域若しくは同一需給圏内の類似地域等に存す
る対象不動産と類似の不動産又は同一需給圏内の代替競争不動産
から間接的に対象不動産の再調達原価を求める方法である。

間接法は，当該類似の不動産等について，素地の価格やその実
際の造成又は建設に要した直接工事費，間接工事費，請負者の適
正な利益を含む一般管理費等及び発注者が直接負担した付帯費用
の額並びにこれらの明細（種別，品等，数量，時間，単価等）を
明確に把握できる場合に，これらの明細を分析して適切に補正し，

再調達原価を
求める方法
「基準」総論第
7章

直接法の定義・
特徴
「基準」総論第
7章

間接法の定義・
特徴
「基準」総論第
7章

必要に応じて時点修正を行い，かつ，地域要因の比較及び個別的要因の比較を行って，対象不動産の再調達原価を求める。

この方法は，対象不動産と規模，用途，構造，性格等が類似する事例を多数収集できる場合に有効な方法であるが，地域による労働単価や輸送コストの差，品等格差を判定する必要があり，事例が少ない場合等には精度が劣る。

小問(2)

① 建物の再調達原価を求める際の留意点

対象建物は築後3年の建物であるが，建築費が大幅に上昇しているため，価格時点に近い時点の標準建築費単価や建設事例を採用することに留意する。また，時点修正率の査定に当たって標準建築費指数を採用する場合，当該指数は元請業者の原価指数の性格を有しており，諸経費や利潤に対する考慮が欠けているため，発注者が実際に支払う契約金額と乖離している場合があることに留意する。

建物の再調達原価を求める際の留意点

② 試算価格の調整で再吟味すべき内容

試算価格の調整とは，鑑定評価の複数の手法により求められた各試算価格の再吟味及び各試算価格が有する説得力に係る判断を行い，鑑定評価における最終判断である鑑定評価額の決定に導く作業をいう。

試算価格の調整の定義「基準」総論第8章

試算価格の再吟味とは，鑑定評価の手順の各段階に誤りや不整合な部分がないかどうかを客観的・批判的に見直し，試算価格の精度と信頼性を向上させる作業のことをいう。

建物の再調達原価における再吟味に当たっては，適用方法の妥当性，採用単価や採用事例の選択，事情補正の有無，必要性，補正率，時点修正率，品等格差等の各種判断が適切であったか否かについて検証する。特に本問の場合，近年の建築費の上昇を建物再調達原価に十分反映できていない可能性があるので，事例の選択や時点修正率の査定に誤りがなかったかどうかを再検証する必要がある。

試算価格の調整で再吟味すべき内容

以　上

解　説

　総論第7章の「原価法」のうち，「建物の再調達原価」に着目した問題である。

　小問(1)は，まず，設問の前提事項として貸家及びその敷地の定義，鑑定評価方法等を述べてから，原価法の定義，再調達原価の定義，建物の再調達原価の内容を「基準」に即して述べること。次に，直接法と間接法の定義と適用方法を「基準」に即して述べ，両者の長所と短所について簡潔に説明する。あまり難しく考えず，演習問題の解答でも述べるような「直接法は，対象不動産の個別性を反映しやすい」「間接法は，（近時の事例を複数用いることで）市場の水準を反映しやすい」という点を意識するとよい。

　小問(2)は，やや書きにくい論点だが，①の再調達原価を求める際の留意点としては，建築費が大幅に上昇していることから，できるだけ価格時点に近い時点の建築費単価や建設事例等を採用すべき点を，②の試算価格の調整で再吟味すべき内容としては，当該建築費の上昇傾向を直接法・間接法双方で適切に反映できているかについて検証すべき点を，簡潔に述べれば十分である。

宅地見込地の鑑定評価に関し，次の問に答えなさい。

　(1)　依頼者から「宅地見込地として」対象不動産を鑑定評価してほしい
　　　という要請があった場合の留意点について述べなさい。

　(2)　宅地見込地の鑑定評価の手法を示し，「熟成度に応じて適正に修正す
　　　る」方法について説明しなさい。

　(3)　市街化区域に存する地積が3,000㎡の農地（田）を対象に鑑定評価を
　　　行う場合において，宅地見込地と判定するか否かの判断基準について
　　　述べなさい。

　(4)　近年の我が国の人口動態を踏まえ，「都市の外延的発展を促進する要
　　　因の近隣地域に及ぼす影響度」の観点から宅地見込地の鑑定評価を行
　　　う際の留意点を述べなさい。

解答例

小問(1)

　不動産の種別とは，不動産の用途に関して区分される不動産の分
類をいい，類型（有形的利用及び権利関係の態様に応じて区分され
る不動産の分類）とともに，不動産の経済価値を本質的に決定づけ
るものである。

種別の意義
「基準」総論第
2章

　宅地見込地とは，土地の種別のひとつであり，農地地域，林地地
域等の宅地地域以外の種別の地域から宅地地域（居住，商業活動，
工業生産活動等の用に供される建物，構築物等の敷地の用に供され
ることが，自然的，社会的，経済的及び行政的観点からみて合理的
と判断される地域）へと転換しつつある地域のうちにある土地をい
う。

宅地見込地の
定義
「基準」総論第
2章

　不動産の属する地域は固定的なものではなく，価格形成要因の変
動に伴い常に拡大縮小，集中拡散，発展衰退等の変化の過程にある
ものであり，宅地見込地はこのような社会的，経済的環境の変化に
伴う地域の転換という過渡期にある地域内の土地ととらえられる。

宅地見込地の
特徴
「基準」総論第
1章

　宅地見込地か否かの判断は，すなわち地域及び土地の種別の判断
であるが，不動産の価格を形成する諸要因の作用は，当該不動産及

びその属する地域の種別に応じて異なるものである。よって，不動産の種別の的確な判断は，的確な鑑定評価の大前提となるものであり，これは，「当該用途に供されることが，自然的，社会的，経済的及び行政的観点から見て合理的」という基準によって，巨視的かつ客観的に行われるべきものである。特に，宅地見込地の場合，これを農地又は林地とするか宅地見込地とするかによって，鑑定評価額が大きく異なることから，慎重な判断が必要である。

種別の判定基準

以上より，種別の判断は，鑑定評価の主体（不動産鑑定士）の主体的な判断によってなされなければないものであり，この判断を安易に依頼者指示や条件設定に委ねてはならない。

種別の判定主体

設問のような要請があった場合には，依頼者に十分説明のうえ，職業専門家として毅然とした対応を取る事が必要である。

依頼者から要請があった場合の対応

小問(2)

宅地見込地の鑑定評価額は，比準価格及び当該宅地見込地について，価格時点において，転換後・造成後の更地を想定し，その価格から通常の造成費相当額及び発注者が直接負担すべき通常の付帯費用を控除し，その額を当該宅地見込地の熟成度に応じて適正に修正して得た価格を関連づけて決定するものとする。

また，熟成度の低い宅地見込地を鑑定評価する場合には，比準価格を標準とし，転換前の土地の種別に基づく価格に宅地となる期待性を加味して得た価格を比較考量して決定するものとする。

宅地見込地の評価方法「基準」各論第1章

宅地見込地の「熟成度」とは，当該土地の属する地域の「宅地地域への転換の程度」のことであり，具体的には，自然的，社会的，経済的及び行政的要因等の影響により，宅地開発事業に着手できる合理的状況が整うまでの期間（待機期間）及び蓋然性を意味する。

熟成度の意義

「熟成度に応じて適正に修正する」方法とは，対象地において最有効使用の開発事業を実施する事を想定し，将来見込まれる販売収入の現在価値から，開発に係る諸経費の現在価値を控除して求めた土地価格に，宅地開発事業に着手するまでの待機期間とその蓋然性，必要とされる借入金利等を考慮して減額修正（熟成度修正）を行って，対象地の試算価格を求める方法である。

熟成度に応じて適正に修正する方法の意義

更地評価における「開発法」に類似した方法であるが，価格時点

において直ちに開発事業に着手することを基本とする「開発法」とは異なり，待機期間を考慮した熟成度修正が行われる点が特徴的である。

小問(3)

宅地見込地か否かの判断に当たっては，特に都市の外延的発展を促進する要因の近隣地域に及ぼす影響度及び次に掲げる事項を総合的に勘案するものとする。

① 当該宅地見込地の宅地化を助長し，又は阻害している行政上の措置又は規制

　対象不動産は都市計画法の市街化区域に指定されており，宅地転用に当たっては農地法第4条に基づき，農業委員会に転用の届出を行う必要がある。また，生産緑地に指定されている場合においては，解除要件（指定後30年の経過等）を満たさなければ宅地転用はなしえない。

② 付近における公共施設及び公益的施設の整備の動向

　対象不動産の前面道路及び近隣において，上下水道，道路等のインフラが未整備で引き込みが不可能な場合には宅地転用はなしえない。

③ 付近における住宅，店舗，工場等の建設の動向

　対象地は市街化区域内の土地であるが，必ずしも現実に市街化が進行しているとは限らず，また，立地条件，地勢，周辺の土地利用状況等より，新たな宅地の需要が認められない場合には宅地転用はなしえない。

④ 造成の難易及びその必要の程度

　農地の場合，地勢が平坦で容易に造成できることが多いが，田の場合，地盤が多量の水分を含み，腐植土が地中に存する等，地盤強度が軟弱で，地盤改良工事を行わないと宅地利用できない場合もある。

⑤ 造成後における宅地としての有効利用度

　開発道路の引き込みによる潰地が過大となる場合等には，宅地転用が合理性を欠く。

以上により，「法的及び物理的，技術的に宅地転用がなしえるか」

設問の対象不動産を宅地見込地と判定するか否かの判断
「基準」各論第1章

166

「開発後の宅地需要が認められるか」の観点から，設問の対象不動産を宅地見込地と判定するか否か，慎重に検討すべきである。

小問(4)

　我が国の人口は既に減少期に入っており，従前は人口減少にも関わらず増加していた世帯数についても減少に転じた都道府県が出てきている。また，人口の増減については，都心部に人口が集中する一方で，地方部においては人口減少が著しいという実態もみられる。

　このような人口動態を鑑みれば，そもそも住宅需要も低減傾向にあることは論理必然であり，空き家率の上昇も近年クローズアップされている。そしてこれらの傾向は，特に宅地見込地等の存する地方部のエリアにおいて特に顕著となる傾向を有している。

　都心部の人口の集中に伴う宅地化の膨張圧力は，設問の「都市の外延的発展を促進する要因」のひとつといえるが，このような要因の作用の程度は，対象地を宅地見込地と判定するための判断基準のひとつとして勘案する必要があり，さらに，宅地見込地と判定した場合には，熟成度の高低の判定や，取引事例比較法における要因格差の判定，熟成度に応じて適正に修正する方法における割引期間や事業リスクの査定等においても，上記の人口動態等を踏まえ，慎重な判断を行う必要がある点に留意すべきである。

以　上

人口動態の概観

宅地見込地の鑑定評価と人口動態との関係

　本問は，「基準」各論第1章から，「宅地見込地」に着目した問題である。

　小問(1)は，宅地見込地の定義等を述べてから，宅地見込地か否かの判定は，種別の判断に係るもので，不動産鑑定士によって主体的になされるものであり，依頼者指示や条件設定に委ねてはならない点をきちんと述べること。

　小問(2)は，宅地見込地の鑑定評価方法を「基準」に即して述べ，熟成度に応じて適正に修正する方法の特徴を説明する。解答例のように「開発法」との違いを意識するとよい。

　小問(3)は，「基準」の総合的勘案事項を挙げて，それに即した形で解答を展開するのが無難であるが，設問の具体的物件についても言及する必要がある。「市街化区域」「3,000㎡の農地（田）」といったキーワードに着目して，宅地見込地と判断し得るか否かについてできる限り具体的に説明すること。

　小問(4)は，「我が国の人口動態」というマクロ的な論点に言及しなければならないため，難易度は高いが，「全体的な人口減少傾向」「都心部への人口集中と地方部の空洞化」等，差し障りのない一般論を述べ，これらが宅地見込地であるか否かの判断だけでなく，各手法の適用に当たっても考慮すべきであるという点を述べれば十分である。

─── MEMO ───

◇ 平成27年度

> 問題① 不動産の価格に関する諸原則について，次の各問に答えなさい。
>
> (1) 不動産の価格に関する諸原則をすべて挙げなさい（ただし，以下に問う「収益逓増及び逓減の原則」を除く。）。
>
> (2) 収益逓増及び逓減の原則に関し，次の各問に答えなさい。
>
> ① 収益逓増及び逓減の原則とは，どのようなものかを説明しなさい。また，どのような場合に収益逓増の原則が作用していると言え，収益逓減の原則が作用していると言えるかを説明しなさい。
>
> ② 追加投資の効率はどの局面で最大となると考えられるか。また，それはどのような状態にあることを意味するかを説明しなさい。
>
> ③ 不動産鑑定士は，この原則を活用して何を行うべきかを説明しなさい。
>
> (3) 不動産市場において，実際に収益逓減の原則が作用していると捉えられる具体的な例を2つ述べなさい。

解答例

小問(1)

　不動産の価格は，不動産の効用及び相対的稀少性並びに不動産に対する有効需要に影響を与える諸要因の相互作用によって形成されるが，その形成の過程を考察するとき，そこに基本的な法則性を認めることができる。不動産の鑑定評価は，その不動産の価格の形成過程を追究し，分析することを本質とするものであるから，不動産の経済価値に関する適切な最終判断に到達するためには，鑑定評価に必要な指針としてこれらの法則性を認識し，かつ，これらを具体的に現した不動産の価格に関する諸原則を活用すべきである。

　不動産の価格に関する諸原則のうち，設問の収益逓増及び逓減の原則を除く原則は，①需要と供給の原則，②変動の原則，③代替の原則，④最有効使用の原則，⑤均衡の原則，⑥収益配分の原則，⑦寄与の原則，⑧適合の原則，⑨競争の原則，⑩予測の原則である。

　これらの原則は，一般の経済法則に基礎を置くものであるが，鑑

価格諸原則の意義，具体例「基準」総論第4章

170

定評価の立場からこれを認識し，表現したものである。

　なお，これらの原則は，孤立しているものではなく，直接的又は間接的に相互に関連しているものであることに留意しなければならない。

小問(2)

①について

　ある単位投資額を継続的に増加させると，これに伴って総収益は増加する。しかし，増加させる単位投資額に対応する収益は，ある点までは増加するが，その後は減少する。この原則は，不動産に対する追加投資の場合についても同様である（収益逓増及び逓減の原則）。

　不動産に対して，土地の造成，建物の新築又は増改築等といった追加投資を行う場合，追加した単位投資額に対応する収益が次第に増加するときには収益逓増の原則が，その収益が次第に減少するときには収益逓減の原則が作用しているといえる。

②について

　収益逓増及び逓減の原則が作用する場合，不動産に対する追加投資の効率は，追加した単位投資額に対する収益が逓増から逓減に転換する局面において最大となると考えられ，それはすなわち，当該不動産が最有効使用の状態にあることを意味する。

　不動産の価格は，その不動産の効用が最高度に発揮される可能性に最も富む使用（最有効使用）を前提として把握される価格を標準として形成される。この場合の最有効使用は，現実の社会経済情勢の下で客観的に見て，良識と通常の使用能力を持つ人による合理的かつ合法的な最高最善の使用方法に基づくものである（最有効使用の原則）。

③について

　不動産鑑定士は，収益逓増及び逓減の原則を活用して個別分析を行い，最有効使用の判定を的確に行うべきである。

　個別分析とは，対象不動産の個別的要因が対象不動産の利用形態と価格形成についてどのような影響力を持っているかを分析してその最有効使用を判定することをいい，ａ．更地の最有効使用の判定

サイドノート（右欄）:
収益逓増及び逓減の原則の定義「基準」総論第4章

収益逓増及び逓減の原則が作用しているケース

追加投資の効率が最大となるケース

最有効使用の原則の定義「基準」総論第4章

個別分析の定義等「基準」総論第6章

と，ｂ．建物及びその敷地の最有効使用の判定に大別される。

ａ．更地の最有効使用の判定について

　　更地の最有効使用の判定とは，当該宅地の効用が最高度に発揮される具体的用途を判定することをいい，通常は，どのような用途，規模等の建物の敷地に供することが最も合理的かを判定する。その際，収益逓増及び逓減の原則を活用し，例えば建物の高層化や大規模化，堅固構造化等に対して見込まれる賃料等の収入の増加と，建築費等の費用の増加を比較考量し，投資効率が最大となる構造，階層，規模等の建物を最有効使用とすべきである。

更地の最有効使用の判定における収益逓増及び逓減の原則の活用

ｂ．建物及びその敷地の最有効使用の判定について

　　建物及びその敷地の最有効使用の判定とは，更地としての最有効使用を踏まえ，現況の建物利用を継続すべきか否かを判定することをいい，より具体的には，（ａ）現況利用の継続，（ｂ）用途変更，構造改造等，（ｃ）建物を取壊して更地化すること，のうちいずれが最も合理的かを判定することをいう。その際，特に（ｂ）用途変更，構造改造等が最有効使用と判断される場合には，建物の増築や構造変更，設備の追加等によって見込まれる賃料等の収入の増加と，建築費や工事期間中の逸失利益等の費用の増加を比較考量し，投資効率が最大となる工事内容を適切に把握し，これに基づいて最有効使用を判定すべきである。

建物及びその敷地の最有効使用の判定における収益逓増及び逓減の原則の活用

小問(3)

不動産についての現実の使用方法は，必ずしも最有効使用に基づいているものではなく，不合理な又は個人的な事情による使用方法のために，当該不動産が十分な効用を発揮していない場合があることに留意すべきである。

　　設問の「収益逓減の原則が作用している場合」は上記「不合理な使用方法」に該当し，その具体例として以下の２つが挙げられる。

不動産についての現実の使用方法「基準」総論第４章

①　人口が減少し，住宅需要が減退している地域において，過大な規模のマンションが建築，分譲された場合。

　　このような場合，一定の規模（住戸数）を超えると売れ行きが鈍化し，売れ残り住戸が発生し完売できないことや販売期間が長期化すること等が見込まれる。適切な分譲規模に対して過大な部

具体例①

分が増えれば増えるほど売れ残り住戸が増加し，収入の増加を費用の増加が上回るため，収益が逓減すると考えられる。したがって，更地の最有効使用の判定に当たっては，必ずしも敷地の許容容積率を全て充足する建物が最有効使用とはならないことに留意すべきである。

② 賃貸オフィスビルのリニューアルにおいて，テナントの需要を超えた過剰な内装，設備等が付加された場合。

　賃貸オフィスビルのリニューアルにおいて，ＯＡフロアの増設等，内装の改装や設備の追加等を適切に行った場合，業務効率性，利便性が向上し，賃料が上昇するのが通常である。しかし，過度に豪華な仕上の内装とする等，テナントが求めていない過剰な工事を行っても，当該追加投資部分は賃料に転嫁できず，収入の増加を費用の増加が上回るため，収益が逓減すると考えられる。したがって，建物及びその敷地の最有効使用の判定に当たっては，現実の建物の用途等を継続する場合の経済価値と建物の取壊しや用途変更等を行う場合のそれらに要する費用等を適切に勘案した経済価値を十分比較考量することが必要であり，老朽化したビル等でも必ずしも用途変更，構造改造等が最有効使用とはならず，現況利用の継続が最有効使用となる場合があることに留意すべきである。

具体例②
「基準」総論第
　6章

以　上

173

　本問は，「基準」総論第4章から「収益逓増及び逓減の原則」に着目した問題である。

　小問(1)は，「基準」総論第4章冒頭の文章を引用すれば十分であるが，収益逓増及び逓減の原則以外の原則を全て挙げるよう指示されているので，各原則の名称を列挙すること。

　小問(2)は，①については収益逓増及び逓減の原則の定義のほか，追加した単位投資額に対する収益の増加，減少に応じて収益逓増の状況なのか逓減の状況なのかが分かれる旨を簡潔に述べること。②については，追加した単位投資額に対する収益が逓増から逓減に転じる局面で追加投資の効率が最大となり，最有効使用の状態となること，及び最有効使用の内容等の説明を「基準」も引用しながら説明すること。③については，最有効使用の判定（個別分析）において当該原則が活用される，という結論だけでなく，より細かく「更地の最有効使用」と「建物及びその敷地の最有効使用」に分けて記述できれば理想的である。

　小問(3)は，土地や建物及びその敷地等に対する追加投資（建物の建築，設備の追加等）において収益効率が悪化するケースを，受験生なりに何とか考えて書いてほしい。当該論点の具体例を日頃から押さえている受験生は皆無と思われ，ほとんどの受験生がその場で考えることになるが，解答例のように適宜「基準」を引用しつつ，極力簡潔にまとめるべきである。

── MEMO ──

問題②　大規模住宅団地（※）内に存する不動産について鑑定評価を行う場合における，次の各問に答えなさい。

　　（※）約30年前に造成・分譲が開始された住宅団地で，合計で約1,000戸の戸建住宅が区画整然と建ち並んでいる。最寄り駅から団地の中心まで徒歩で約15分の距離にある。

　(1)　対象不動産が新築後25年を経過した木造2階建ての戸建住宅（自用の建物及びその敷地）である場合において，現状の状態を所与として鑑定評価を行う際の，複合不動産としての個別分析について説明しなさい。

　(2)　対象不動産が規模3,000㎡の土地（団地内に唯一残された空地）である場合において，価格形成要因を分析した結果，最有効使用は，戸建住宅の敷地として分割利用することと判定した。団地内は，戸建住宅が連たんしており，用途的地域として捉えた場合の標準的使用は画地規模が180㎡程度の戸建住宅の敷地である。この場合に，対象不動産の存する同一需給圏の範囲の設定方法及び取引事例選択の際の留意点について述べなさい。

　(3)　鑑定評価の手順において，近隣地域の地域要因とその周辺の他の地域の地域要因との比較検討が有用となる場面を2つ挙げ，それぞれについて説明しなさい。

解答例

小問(1)

　　不動産の価格は，その不動産の最有効使用を前提として把握される価格を標準として形成されるものであるから，価格形成要因の分析に当たっては，一般的要因を分析するとともに，地域分析及び個別分析を通じて対象不動産についてその最有効使用を判定しなければならない。

　　個別分析とは，対象不動産の個別的要因が対象不動産の利用形態と価格形成についてどのような影響力を持っているかを分析してその最有効使用を判定することをいう。

最有効使用判定の必要性と方法
「基準」総論第6章，第8章

個別分析の定義
「基準」総論第6章

176

更地の最有効使用の判定とは，当該土地の効用を最高度に発揮する具体的な用途（通常は，特定の建物の敷地としての使用）を判定することを指す。一方，現状の状態を所与とする建物及びその敷地の最有効使用の判定とは，当該敷地の更地としての最有効使用を踏まえ，①現況の建物利用の継続，②建物の用途変更や構造改造等，③建物の取壊し，のいずれが最も合理的であるかを判定することをいう。

建物及びその敷地の最有効使用の判定の意義

設問の対象不動産は，新築後25年を経過した木造2階建ての戸建住宅であり，典型的需要者は，自己の居住を目的とするエンドユーザーと判断される。当該エンドユーザーは，主として，居住の快適性や利便性を重視して取引の意思決定を行うことから，特に「間口，奥行，地積，形状等」，「建築の年次」，「建物等と敷地との適応の状態」などの個別的要因を重視する。

対象不動産について想定される典型的需要者と重視する個別的要因

以上を踏まえ，設問の対象不動産の個別分析を通じ，築年に比し建物の維持管理の状態が良好であり，経済的残存耐用年数が見込めるケース等においては，現況の建物利用の継続が最有効使用と判定される。一方，築年に比し建物の維持管理の状態が劣り，経済的残存耐用年数が見込めないケース等においては，建物のリノベーション（構造改造）や，現況建物の取壊し（更地化）が最有効使用と判定される。

対象不動産につき考えられる最有効使用

小問(2)

地域分析とは，その対象不動産がどのような地域に存するか，その地域はどのような特性を有するか，また，対象不動産に係る市場はどのような特性を有するか，及びそれらの特性はその地域内の不動産の利用形態と価格形成について全般的にどのような影響力を持っているかを分析し，判定することをいう。

地域分析の定義「基準」総論第6章

地域分析に当たって特に重要な地域は，用途的地域のうち①近隣地域及びその②類似地域と，近隣地域及びこれと相関関係にある類似地域を含むより広域的な地域，すなわち③同一需給圏である。

重要な地域「基準」総論第6章

同一需給圏とは，一般に対象不動産と代替関係が成立して，その価格の形成について相互に影響を及ぼすような関係にある他の不動産の存する圏域をいう。それは，近隣地域を含んでより広域的であ

同一需給圏の定義「基準」総論第6章

り，近隣地域と相関関係にある類似地域等の存する範囲を規定する
ものである。

① 同一需給圏の範囲の設定

　　同一需給圏は，不動産の種類，性格及び規模に応じた需要者の
選好性によってその地域的範囲を異にするものであるから，その
種類，性格及び規模に応じて需要者の選好性を的確に把握した上
で適切に判定する必要がある。

同一需給圏の
判定上の一般
的留意点
「基準」総論大
6章

　　一般的な住宅地の同一需給圏は，一般に都心への通勤可能な地
域の範囲に一致する傾向がある。ただし，地縁的選好性により地
域的範囲が狭められる傾向がある。

住宅地の同一
需給圏
「基準」総論第
6章

　　ここで，個々の不動産の最有効使用は，一般に近隣地域の地域
の特性の制約下にあるが，設問のように戸建住宅地域において，
開発用地と認められる大規模画地が存する場合，規模の相違によ
り，その典型的需要者及び同一需給圏が近隣地域の標準的な不動
産と異なる点に留意する必要がある。

　　これは，市場参加者が相違することによって不動産の利用形態
の選択や価格形成要因に係る判断基準が異なるためであり，設問
の場合，対象不動産に係る典型的需要者は宅地開発デベロッパー
であり，価格判断に当たっては，前記小問(1)のエンドユーザーが
重視する「快適性」「利便性」だけでなく，分譲規模，開発費用
等も考慮した「投資採算性」が重視される。

同一需給圏の
範囲の判定上
の留意点
「基準」総論第
6章

　　したがって，設問の対象不動産の同一需給圏については，「投
資採算性」の観点から判定する必要があるが，一般に，デベロッ
パーが需要する開発用地に係る同一需給圏は，エンドユーザーが
需要する戸建住宅に係る同一需給圏に比べて広く，対象不動産の
最寄り駅周辺だけに留まらず，最寄り駅の鉄道沿線における隣接
市町村等も含まれ，その圏域は比較的広範囲に及ぶものと考えら
れる。

② 取引事例の選択

　　設問の対象不動産は，その最有効使用が標準的使用と異なる場
合に該当するため，取引事例は「同一需給圏内の代替競争不動産」
に係るもののうちから選択すべきである点に留意する必要がある。

　なぜなら，対象不動産と近隣地域における標準的な不動産とで市場参加者が相違する場合，近隣地域や同一需給圏内の類似地域に存する不動産であっても，必ずしも対象不動産と代替，競争等の関係は成立しない一方で，近隣地域の外かつ同一需給圏内の類似地域の外に存する不動産であっても，同一需給圏内に存し対象不動産とその用途，規模，品等等の類似性に基づいて，これら相互の間に代替，競争等の関係が成立する場合があるためである。したがって，設問の対象不動産の場合，想定されるデベロッパーの開発事業に係る販売価格，開発費用等に影響を与える「駅距離」「住環境」「地盤の状態」等の要因が対象不動産と類似し，開発用地としての代替性が高い取引事例を同一需給圏全体から選択する必要がある。

> 取引事例選択上の留意点「基準」総論第6章，第7章

小問(3)

　鑑定評価の手順において，近隣地域の地域要因とその周辺の他の地域の地域要因との比較検討が有用となる場面としては，「価格形成要因の分析」，「鑑定評価の手法の適用」等が挙げられる。

> 結論づけ

①　価格形成要因の分析

　　近隣地域の相対的位置の把握に当たっては，対象不動産に係る市場の特性を踏まえて同一需給圏内の類似地域の地域要因と近隣地域の地域要因を比較して相対的な地域要因の格差の判定を行うものとする。さらに，近隣地域の地域要因とその周辺の他の地域の地域要因との比較検討も有用である。

　　近隣地域の相対的位置（品等）の把握につき，設問のような大規模住宅団地においては，比較対象となる住宅地（住宅団地）が少ないケースが考えられ，また，住宅団地においてはその住環境のみならず，地域における名声や評判などもその価格に影響を与える。このような場合，同一需給圏内の類似地域等のみならず，その周辺の他の地域（団地を形成していない普通住宅地や隣接する工業地等）との比較検討も有用と考えられる。

> 価格形成要因の分析における有用性「留意事項」総論第6章

②　鑑定評価の手法の適用

　　取引事例比較法等の適用に際しては，同一需給圏内から地域の品等が類似する事例を選択すべきであるが，品等が異なる事例を

選択した場合には，適切に地域格差として修正すべきであり，この地域格差修正率の判定等に当たって，近隣地域の地域要因と周辺地域の地域要因との比較検討が有用と考えられる。特に，前記小問(2)のように同一需給圏内の代替競争不動産を当該周辺の他の地域から採用するケースにおいては，両地域の地域要因の相違を市場参加者の観点から直接比較して地域格差修正率を判定しなければならない。

以　上

鑑定評価の手法の適用における有用性

解　説

　本問は，主として「基準」総論第6章から「最有効使用の判定」，「同一需給圏の判定」等に着目した問題である。

　小問(1)は，まず，鑑定評価に当たって最有効使用の判定の必要があることに触れ，個別分析の定義，建物及びその敷地の最有効使用の判定内容と論じていく。対象不動産へのあてはめは，簡潔にまとめておくのが無難であろう。

　小問(2)は，地域分析や同一需給圏の定義などで基礎点を確保しつつ，メイン論点である①同一需給圏の範囲の設定方法と②取引事例選択の際の留意点について丁寧に論じること。シンプルに考えれば，近隣地域の標準的な不動産と対象不動産とで典型的需要者が異なることに言及しつつ，「同一需給圏内の代替競争不動産」を軸として解答を作成すればよい。

　小問(3)は題意がつかみにくく，小問(1)や(2)との関連についても不明瞭である。近隣地域の地域要因とその周辺の他の地域の地域要因との比較検討が有用となる場面については，留意事項に言及されている程度であり，ほとんどの受験生が解答に苦慮したものと思われる。「鑑定評価の手順」とあるので，解答例のように手順全体から関連しそうな場面を2つ絞り出して，ここも簡潔にまとめておくのが無難である。

— MEMO —

問題③ 収益還元法に関する次の各問に答えなさい。

(1) 貸家及びその敷地の鑑定評価における収益還元法の意義について述べるとともに，実際実質賃料とはどのようなものか説明しなさい。

(2) 価格時点における実際実質賃料が，市場賃料に対し割安である場合の貸家及びその敷地の鑑定評価において，直接還元法を適用するに当たり，次の①及び②の各問に答えなさい。

① 純収益の査定に当たっての留意点について具体的に述べなさい。

② 還元利回りの査定に当たっての留意点について具体的に述べなさい。

解答例

小問(1)

　貸家及びその敷地とは，建物所有者とその敷地の所有者とが同一人であるが，建物が賃貸借に供されている場合における当該建物及びその敷地をいう。

　貸家及びその敷地は，借家人が居付の状態で取引の対象とされるため，直ちに需要者の用に供することは通常できない。したがって，貸家及びその敷地は，通常，賃料収入を前提とする収益物件として投資家によって取引される。

　したがって，貸家及びその敷地の鑑定評価額は，実際実質賃料に基づく純収益等の現在価値の総和を求めることにより得た収益還元法による収益価格を標準とし，原価法による積算価格及び取引事例比較法による比準価格を比較考量して決定するものとする。

　貸家及びその敷地の鑑定評価に当たっては，次に掲げる事項を総合的に勘案するものとする。

① 将来における賃料の改定の実現性とその程度

② 契約に当たって授受された一時金の額及びこれに関する契約条件

③ 将来見込まれる一時金の額及びこれに関する契約条件

④ 契約締結の経緯，経過した借家期間及び残存期間並びに建物の残存耐用年数

貸家及びその敷地の定義・特徴
「基準」総論第2章

貸家及びその敷地の鑑定評価額の基本的な決定方法
「基準」各論第1章

総合的勘案事項
「基準」各論第1章

⑤　貸家及びその敷地の取引慣行並びに取引利回り

⑥　借家の目的，契約の形式，登記の有無，転借か否かの別及び定期建物賃貸借か否かの別

⑦　借家権価格

　収益還元法は，対象不動産が将来生み出すであろうと期待される純収益の現在価値の総和を求めることにより対象不動産の試算価格（収益価格）を求める手法であり，収益性を重視する投資家が需要者となり得る賃貸用不動産の価格を求める場合に特に有効な手法である。

収益還元法の意義
「基準」総論第7章

　実際実質賃料とは，各支払時期に実際に支払われる支払賃料のほか，①契約に当たって授受される一時金の運用益及び償却額並びに②付加使用料等のうち実質的に賃料に相当する部分から構成される，賃貸人に実際に支払われているすべての経済的対価をいう。収益還元法における純収益は，総収益から総費用を控除して求めるが，貸家及びその敷地の年間実際実質賃料は総収益とほぼ同じ概念といえる。

実際実質賃料の定義等

①　一時金（敷金・礼金）と実際実質賃料との関係

　　敷金は，通常，預り金的性格を有する一時金であり，契約満了時に賃貸人から賃借人に返還されることから，その運用益のみが実際実質賃料を構成する。

　　礼金は，通常，賃料の前払的性格を有する一時金であり，契約が満了しても賃貸人から賃借人に返還されないことから，その運用益及び償却額が実際実質賃料を構成する。但し，貸家及びその敷地の収益価格を求めるに当たっては，売主が既に受領した一時金のうち売買等に当たって買主に承継されない部分がある場合，実際実質賃料に当該部分の運用益及び償却額を含まない。

一時金と実際実質賃料との関係
「基準」各論第1章

②　付加使用料等と実際実質賃料との関係

　　慣行上，建物及びその敷地の一部の賃貸借に当たって，水道光熱費，清掃・衛生費，冷暖房費等がいわゆる付加使用料，共益費等の名目で支払われる場合もあるが，これらのうちには実質的に賃料に相当する部分が含まれている場合があることに留意する必要がある。

　　つまり，付加使用料や共益費は，本来，賃借人が清掃請負業者

付加使用料等と実際実質賃料との関係
「基準」総論第7章

や水道局，電力会社等に直接支払うべき実費相当額であり，対象不動産に係る経済的対価としての賃料に含まれるものではない。

しかし，実際には，実費を超過する額を「共益費」等の名目で賃料とは別に受領することにより，実質的な賃料値上げが行われていること等があるため，共益費については，その水準の妥当性を十分検証し，実費超過分については実際実質賃料に計上しなければならない。

小問(2)

収益価格を求める方法には，①直接還元法と②ＤＣＦ法とがあり，直接還元法とは，一期間の純収益を還元利回りによって還元する方法をいい，ＤＣＦ法とは，連続する複数の期間に発生する純収益及び復帰価格をその発生時期に応じて現在価値に割り引き，それぞれを合計する方法をいう。

直接還元法及びＤＣＦ法の定義「基準」総論第7章

設問のように実際実質賃料が市場賃料に比べて割安な場合，将来，入居テナントの賃料増額改定やテナントの入替により，賃料収入の増額が予測されるので，このことを収益還元法の各段階において次のように反映させることが必要である。

賃料収入の増額予測

① 純収益の査定に当たって留意すべき点

純収益とは，不動産に帰属する適正な収益をいい，直接還元法における純収益は，対象不動産の初年度の純収益を採用する場合と標準化された純収益を採用する場合がある。

標準化された純収益を用いる場合には，将来の賃料収入の増額予測を反映する必要があるため，初年度純収益よりも高い純収益を用いるべきである。

純収益の定義，純収益の査定に当たって留意すべき点「基準」総論第7章

② 還元利回りの査定に当たって留意すべき点

還元利回りは，直接還元法の収益価格及びＤＣＦ法の復帰価格の算定において，一期間の純収益から対象不動産の価格を直接求める際に使用される率であり，将来の収益に影響を与える要因の変動予測と予測に伴う不確実性を含むものである。

また，標準化された純収益を採用する場合には，還元利回りもそれに対応したもの採用することが必要である。

すなわち，初年度の純収益に対応する還元利回りには，上記の

還元利回りの定義，還元利回りの査定に当たって留意すべき点「基準」「留意事項」総論第7章

標準化された純収益に対応する還元利回りに比べ，将来の賃料収入の増額予測を反映した相対的に低い還元利回りを用いるべきである。

以　上

解　説

　本問は，貸家及びその敷地の評価における収益還元法及び実際実質賃料の意義と，実際実質賃料の将来変動と純収益・還元利回りとの関係等について問う問題である。

　小問(1)の前半は，貸家及びその敷地の定義・特徴等を切り口に，貸家及びその敷地の評価方法，総合的勘案事項を「基準」に即して確実に解答すること。後半は，収益還元法の定義，実際実質賃料の定義を述べてから，実際実質賃料の構成要素のうち，特に「一時金」と「付加使用料等」についてそれぞれ説明すること。

　小問(2)は，割安な実際実質賃料に基づく純収益が，将来的には賃料増額改定やテナントの入替により増加する可能性を示し，これを純収益又は還元利回りでどのように反映すべきかをそれぞれ説明すること。特に還元利回りの査定に当たっては，純収益との整合性に留意しなければならない点を，「基準」「留意事項」に補足を加えて具体的に説明してほしい。

問題④　古くからの市街地にある新築後40年を経た自社利用中のオフィスビル（類型は自用の建物及びその敷地）の鑑定評価の依頼を受け，担当の不動産鑑定士は，当該建物を取り壊して，更地化し，賃貸用の店舗ビルを建築することが最有効使用と判断した。次の各問に答えなさい。
(1)　本件自用の建物及びその敷地の鑑定評価における，鑑定評価の手法の適用と試算価格の調整について述べなさい。
(2)　本件不動産について，建付地の価格を求める鑑定評価の依頼があった場合に建付地の鑑定評価は可能か。不動産鑑定評価基準に基づき述べなさい。
（一部改題）

解答例

小問(1)

1．鑑定評価の手法の適用について

　　鑑定評価の手法の適用に当たっては，鑑定評価の手法を当該案件に即して適切に適用すべきであり，実際に試算価格を求めるために適用する鑑定評価の手法は，対象不動産の類型及び最有効使用の判断の如何によって具体的に定まる。

　　複合不動産の最有効使用の判定とは，当該敷地部分の「更地として」の最有効使用を踏まえ，①現況の建物利用を継続すること，②用途変更又は構造改造等を実施すること，③建物を取壊して更地化すること，のいずれが最も合理的かを判断することをいう。

　　この中で設問の対象不動産は，複合不動産としての最有効使用が，「建物を取壊して更地化すること」と判定された自用の建物及びその敷地（建物所有者とその敷地の所有者とが同一人であり，その所有者による使用収益を制約する権利の付着していない場合における当該建物及びその敷地）である。

　　現況の建物利用を継続することが最有効使用の自用の建物及びその敷地の鑑定評価額は，積算価格，比準価格及び収益価格を関連づけて決定するものであるが，設問の対象不動産のように建物を取り壊すことが最有効使用と認められる場合における自用の建

（欄外注記）
鑑定評価の手法の適用について
「基準」総論第8章
複合不動産の最有効使用の判定方法

自用の建物及びその敷地の定義等
「基準」総論第2章

自用の建物及びその敷地の評価手法
「基準」各論第1章

186

物及びその敷地の鑑定評価額は，建物の解体による発生材料の価格から取壊し，除去，運搬等に必要な経費を控除した額を，当該敷地の最有効使用に基づく価格に加減して決定することになる。

「当該敷地の最有効使用に基づく価格」とは，更地価格のことであるから，その価格は，更地並びに自用の建物及びその敷地の取引事例に基づく比準価格並びに土地残余法による収益価格を関連づけて決定するものとする。

更地の評価方法
「基準」各論第1章

なお，本件土地は既成市街地に存することから，原価法は適用し難く，敷地の最有効使用が賃貸用の店舗ビルで有ることに鑑みれば，開発法の適用も不要と判断される。

適用困難な手法について

また，建物解体による発生材料価格は，通常は見出し難いことから，ゼロ計上が合理的であり，建物取壊し等費用については，建物解体事例や解体業者へのヒアリング等を通じて求めるべきである。

建物取壊し費用等について

2．試算価格の調整について

試算価格の調整とは，鑑定評価の複数の手法により求められた各試算価格の再吟味及び各試算価格が有する説得力に係る判断を行い，鑑定評価における最終判断である鑑定評価額の決定に導く作業をいう。

試算価格の調整に当たっては，対象不動産の価格形成を論理的かつ実証的に説明できるようにすることが重要である。このため，鑑定評価の手順の各段階について，客観的，批判的に再吟味し，その結果を踏まえた各試算価格が有する説得力の違いを適切に反映することによりこれを行うものとする。

試算価格の調整の意義
「基準」各論第8章

本件においては，前記のとおり『更地価格－建物取壊し費用等』が鑑定評価額となり，更地価格査定時の比準価格と収益価格は本来的な意味合いでの試算価格（これらを調整することにより鑑定評価額を導き出すもの）ではない。

ただし，更地価格の査定における比準価格と収益価格の調整は，試算価格の調整に準ずるものであることから，資料の選択，検討及び活用の適否・不動産の価格に関する諸原則の当該案件に即応した活用の適否・一般的要因の分析並びに地域分析及び個別分析

本件における試算価格の調整

の適否等を踏まえて再吟味を行い，対象不動産に係る地域分析及び個別分析の結果と各手法との適合性・各手法の適用において採用した資料の特性及び限界からくる相対的信頼性を踏まえて説得力に係る判断を行うべきである。

　また，最終的な鑑定評価額となる「更地価格－建物取壊し費用等」についても，単価と総額との関連の適否等の再吟味を行うべきである。

　建付地とは，建物等の用に供されている敷地で，建物等及びその敷地が同一の所有者に属している宅地をいう。

建付地の定義
「基準」総論第
2章

　建付地は，建物等と結合して有機的にその効用を発揮しているため，建物等と密接な関連を持つものであり，したがって，建付地の鑑定評価は，建物等と一体として継続使用することが合理的である場合において，その敷地について部分鑑定評価をするものである。

建付地の評価
方法
「基準」各論第
1章

　本件土地・建物は，建物取壊しが最有効と判断されるもので有り，上記の「建物等と一体として継続使用することが合理的である場合」という要件を満たさない。

本件のあては
め

　よって，建付地の鑑定評価を行うことはできず，依頼目的等を踏まえた上で，小問(1)のように現況を所与とした自用の建物及びその敷地としての評価か，または更地であるものと想定した評価（独立鑑定評価）を行うべきである。

本件において
行うべき評価

以　上

188

解　説

　本問は，建物取壊しが最有効使用と判断される自用の建物及びその敷地をテーマに，評価手法と試算価格の調整をからめた問題である。

　小問(1)は，建物取壊しが最有効使用の自用の建物及びその敷地の評価方法と試算価格の調整が骨格になるが，そもそも，建物取壊しが最有効使用の自用の建物及びその敷地の評価における「試算価格」とは何か？（更地の比準価格・収益価格等か，更地価格−取壊し費用等か）というのは，明確な規定が無い部分であり，解答に戸惑った受験生も多かったのではないかと思われる。いずれの立場でも調整の中心は更地価格査定の部分であることから，更地価格決定の枠組みの中で試算価格の調整について「基準」総論第8章を引用しながら一般論を述べれば十分であろう。

　小問(2)は，「基準」各論第1章に規定されている建付地評価の要件を引用し，「設問の場合，建付地評価は行えない」という結論をきちんと示すこと。その上で，代替的な評価方法を述べておくとよい。

平成28年度

> **問題1** 　正常価格を求める鑑定評価における試算価格の調整について，次の各問に答えなさい。
>
> (1) 　試算価格の再吟味に当たって，特に留意すべき事項として不動産鑑定評価基準に示されている事項のうち，「各手法に共通する価格形成要因に係る判断の整合性」を除く5つを挙げなさい。
>
> (2) 　「各手法に共通する価格形成要因に係る判断の整合性」について具体的に説明しなさい。また，例として更地の正常価格を求める鑑定評価の場合に，容積率が取引事例比較法及び収益還元法（土地残余法）の適用において互いにどのように考慮されるべきか簡潔に述べなさい。
>
> (3) 　試算価格が有する説得力に係る判断に当たって留意すべき「対象不動産に係る地域分析及び個別分析の結果と各手法との適合性」について具体的に説明しなさい。

解答例

小問(1)

　試算価格の調整とは，鑑定評価の複数の手法により求められた各試算価格の再吟味及び各試算価格が有する説得力に係る判断を行い，鑑定評価における最終判断である鑑定評価額の決定に導く作業をいう。

> 試算価格の調整の意義
> 「基準」総論第8章

　試算価格の調整に当たっては，対象不動産の価格形成を論理的かつ実証的に説明できるようにすることが重要である。このため，鑑定評価の手順の各段階について，客観的，批判的に再吟味し，その結果を踏まえた各試算価格が有する説得力の違いを適切に反映することによりこれを行うものとする。

> 再吟味と説得力に係る判断
> 「基準」総論第8章

　試算価格の再吟味とは，鑑定評価の手順の各段階に誤りや不整合な部分がないかどうかを客観的，批判的に見直し，その結果を踏まえて試算価格の再計算等を繰り返して，試算価格の精度と信頼性を向上させる作業をいう。

> 再吟味の意義

　この再吟味に当たっては，設問の事項のほか，特に次の事項に留

意すべきである。

①資料の選択，検討及び活用の適否，②不動産の価格に関する諸原則の当該案件に即応した活用の適否，③一般的要因の分析並びに地域分析及び個別分析の適否，④各手法の適用において行った各種補正，修正等に係る判断の適否，⑤単価と総額との関連の適否

再吟味に当たって特に留意すべき事項「基準」総論第8章

小問(2)

1．更地の鑑定評価と設問の留意事項について

更地とは，建物等の定着物がなく，かつ，使用収益を制約する権利の付着していない宅地をいう。

更地の定義「基準」総論第2章

更地は，当該宅地の最有効使用に基づく経済的利益を十全に享受することを期待し得るものであるから，更地の鑑定評価に当たっては，当該宅地の最有効使用を前提とした価格を求める必要がある。

更地の特徴

更地の鑑定評価額は，①更地並びに配分法が適用できる場合における建物及びその敷地の取引事例に基づく取引事例比較法による比準価格並びに②土地残余法による収益価格を関連づけて決定するものとする。再調達原価が把握できる場合には，③原価法による積算価格をも関連づけて決定すべきである。当該更地の面積が近隣地域の標準的な土地の面積に比べて大きい場合等においては，さらに④開発法による価格を比較考量して決定するものとする。

更地の鑑定評価額の求め方「基準」各論第1章

設問の「各手法に共通する価格形成要因に係る判断の整合性」とは，各手法の適用によって求められた試算価格相互間において，価格形成要因の扱いに矛盾が生じていないことを意味している。したがって，再吟味に当たっては，ある試算価格には適切に反映されている要因が，他の試算価格には一切反映されていない，または反映の程度等において整合性が保たれていないといった誤りの有無について検討しなければならない。

設問の事項の説明

2．取引事例比較法・土地残余法における容積率の反映について

設問の「容積率」は，建築可能な建物の延床面積を左右し，更地の最有効使用を大きく左右する要因であることから，当該要因の分析結果は，鑑定評価の手法の適用，試算価格の調整等におけ

容積率の分析結果の反映「基準」総論第6章

191

る各種の判断において適切に反映すべきである。

① 取引事例比較法と容積率について

　　取引事例比較法は，まず多数の取引事例を収集して適切な事例の選択を行い，これらに係る取引価格に必要に応じて事情補正及び時点修正を行い，かつ，地域要因の比較及び個別的要因の比較を行って求められた価格を比較考量し，これによって対象不動産の試算価格（比準価格）を求める手法である。

取引事例比較法の定義「基準」総論第7章

　　取引事例比較法の適用に当たっては，まず，a.取引事例の選択に当たって，対象不動産と容積率が類似する土地に係る取引事例を選択すべきであり，また，b.地域要因及び個別的要因の比較に当たって，対象不動産と取引事例との間に容積率の相違がある場合には，適切に格差修正率に反映すべきである。ただし，戸建住宅地や郊外路線商業地等においては，必ずしも容積率の相違が価格形成に影響するとは限らないので，市場参加者の観点から，格差修正の必要性の有無等を適切に判定しなければならない。

取引事例比較法における容積率の反映

② 土地残余法と容積率について

　　土地残余法は，対象不動産が更地である場合において，当該土地に最有効使用の賃貸用建物等の建築を想定し，収益還元法以外の手法によって想定建物等の価格を求め，当該想定建物及びその敷地に基づく純収益から想定建物等に帰属する純収益を控除した残余の純収益を還元利回りで還元し，これによって対象不動産の試算価格（収益価格）を求める手法である。

土地残余法の定義「留意事項」総論第7章

　　前述のとおり，更地の価格は，当該宅地の最有効使用を前提とした価格として求める必要があるため，更地について土地残余法を適用する場合，まず，最有効使用の賃貸用建物等の建築を想定しなければならない。この想定に当たっては，対象地について許容されている容積率に準拠した建物を想定しなければならない。この場合，高度商業地や高層マンション用地においては，通常，容積率を充足した建物を想定するが，戸建住宅地や郊外路線商業地等においては，必ずしも許容容積率を充足する建物が最有効使用とは限らないので，市場参加者の観点から，

土地残余法における容積率の反映

最有効使用建物に係る容積率の充足度等を適切に判定しなけれ
ばならない。

小問(3)

試算価格が有する説得力に係る判断とは，どの試算価格が最も重
要か，あるいはどの試算価格をどの程度重視して鑑定評価額を決定
すべきかを見極める作業をいう。

この判断における「対象不動産に係る地域分析及び個別分析の結
果と各手法との適合性」とは，換言すれば，「市場分析の結果と各
手法との適合性」を意味する。

市場分析とは，地域分析・個別分析の各手順において，対象不動
産に係る市場の範囲，主たる市場参加者の属性や行動基準・需給動
向や対象不動産の市場競争力等を分析し，現実の市場の実態を把握
することをいう。

不動産の価格形成において，市場参加者は主導的な役割を果たし
ていることから，各試算価格が有する説得力に係る判断に当たって
は，市場分析の結果を踏まえ，典型的な市場参加者が重視する価格
形成要因を最も的確に反映している試算価格を重視すべきである。

例えば，対象不動産（更地）の最有効使用が分譲マンションと判
定されている場合には，典型的な需要者としては，分譲マンション
の開発・分譲を目的とする開発事業者が想定される。当該需要者は，
通常，開発事業による事業採算性を重視して取引の意思決定を行う
ことから，事業採算性に係る各種の要因（販売価格や投下資本収益
率等）が適切に査定できれば，開発法による価格の重み付けは高ま
る。

また，対象不動産が賃貸用不動産（現況継続が最有効使用）の場
合には，典型的な需要者としては，収益物件の取得を目的とする投
資家が想定される。当該需要者は，通常，投資対象となる不動産の
収益性を重視して取引の意思決定を行うことから，収益性に係る各
種の要因（賃料収入や還元利回り等）が適切に査定できれば，収益
価格の重み付けは高まる。

以 上

　本問は，「基準」総論第8章から「試算価格の調整」に着目した問題である。

　小問(1)は，まず試算価格の調整の意義に触れ，試算価格の再吟味の定義，問われている列挙事項へと論じていく。再吟味の定義については，「基準」で明確に規定されていないが，明確な記述があったほうがよいだろう。列挙事項については，基本的な暗記事項であるので，確実に押さえておくこと。

　小問(2)は，まず，更地の定義や鑑定評価方針で基礎点を確保しつつ，「各手法に共通する価格形成要因に係る判断の整合性」について述べた上で，設問が具体例として挙げている「容積率」をどのように取引事例比較法と土地残余法で反映させるか説明すればよい。設問は単に「更地の正常価格」としているが，高度商業地，高層マンション用地，戸建住宅地，郊外路線商業地等の具体例を挙げて「容積率」の取り扱いについて具体的に説明できれば加点対象になろう。

　小問(3)は，説得力に係る判断について簡潔に説明した上で，問われている「対象不動産に係る地域分析及び個別分析の結果と各手法との適合性」について説明する。論点を知っていないとやや書きにくいが，結局のところ「マーケットが重視する試算価格はどれか」ということを丁寧に論じればよい。「市場分析」というキーワードが出せたかどうかがポイントなるであろう。

　具体例については分譲マンション適地，賃貸用不動産で説明しているが，勿論，矛盾点さえなければ，解答例以外の具体例を挙げてもよい。

─── MEMO ───

問題②　建付地について，次の各問に答えなさい。
　(1)　建付地の定義についてその特徴を挙げて説明しなさい。
　(2)　建付地の価格が更地価格を上回る，いわゆる建付増価が生じている
　　　場合について2つ例を挙げ，建付増価が生ずる理由について簡潔に説
　　　明しなさい。
　(3)　建付地の鑑定評価額の求め方について簡潔に説明しなさい。
　(4)　複合不動産価格をもとに建付地の価格を求める2つの方法を挙げ，
　　　その定義を簡潔に説明し，それぞれの方法の留意点について説明しな
　　　さい。

解答例

小問(1)

　宅地の類型は，その有形的利用及び権利関係の態様に応じて，更地，建付地，借地権，底地，区分地上権等に分けられる。

宅地の類型
「基準」総論第2章

　建付地とは，建物等の用に供されている敷地で建物等及びその敷地が同一の所有者に属している宅地をいい，自用の建物及びその敷地のほか，貸家及びその敷地の敷地部分（貸家建付地）も建付地に該当する。

建付地の定義
「基準」総論第2章

　建付地は，建物等と結合して有機的にその効用を発揮しているため，建物等と密接な関連を持つものであり，したがって，建付地の鑑定評価は，建物等と一体として継続使用することが合理的である場合において，その敷地（建物等に係る敷地利用権原のほか，地役権等の使用収益を制約する権利が付着している場合にはその状態を所与とする。）について部分鑑定評価をするものである。

　建付地の鑑定評価は，現況利用の継続が最有効使用の建物及びその敷地について，敷地部分の部分鑑定評価（不動産が土地及び建物等の結合により構成されている場合において，その状態を所与として，その不動産の構成部分を鑑定評価の対象とすること）を行うものであり，「現況の建物等の使用を前提とした価格を求める」という特徴がある。

建付地の特徴，部分鑑定評価の意義
「基準」各論第1章，総論第5章

196

小問(2)

　建付地は，敷地上に建物が存在しているため，その使用方法は当該建物によって制約を受ける。当該建物が敷地の「更地として」の最有効使用の建物と相違し，敷地の効用が十分に活かされていないような場合（例えば，高度商業地において，法令上許容されている容積率を十分に消化していない建物等），当該建付地の価格は，そこに最有効使用の建物が存する場合に比べて低くなる（これを建付減価という）。したがって，建付地の鑑定評価額は，原則として更地としての価格が上限となる。

　しかし，①敷地上に建築基準法第3条第2項に規定されている，いわゆる既存不適格建築物（例えば，現行の法令上許容される容積率を上回る床面積の建物等）が存する場合には，当該建物が存続する限りにおいて，更地の最有効使用を上回る効用（高度利用）を享受し得る。また，②敷地上に更地としての最有効使用に合致する建物が存する場合，更地の場合と異なり，建物等の建築時に生ずる未収入期間を考慮する必要がないこと等から，現実の取引市場において更地より選好されることがあり，特に貸家建付地の場合には，投資選好度が高まり，増価要因となることが多い。これら2つの場合には，例外的に当該建付地の鑑定評価額が更地としての価格を上回ることがある（これを建付増価という）。

小問(3)

　建付地の鑑定評価額は，①更地の価格をもとに当該建付地の更地としての最有効使用との格差，更地化の難易の程度等敷地と建物等との関連性を考慮して求めた価格を標準とし，②配分法に基づく比準価格及び③土地残余法による収益価格を比較考量して決定するものとする。

　ただし，④建物及びその敷地としての価格（複合不動産価格）をもとに敷地に帰属する額を配分して求めた価格を標準として決定することもできる。

　①の方法は，対象不動産の更地としての価格を求め，当該更地価格に現況建物が存することによる建付増減価修正率を乗じて建付地価格を求めるものである。この場合の建付増減価修正率は，更地の

建付減価について

建付増価について

建付地の鑑定評価額の求め方
「基準」各論第1章

更地の価格をもとに建付地価格を求める手法について

場合に想定される最有効使用建物と現況建物との違いによる土地帰属純収益の格差等を踏まえ，対象不動産に係る市場の特性等を十分考慮して査定する必要がある。

②の方法は，自用の建物及びその敷地又は貸家及びその敷地の取引事例に配分法を適用して建付地の取引事例を抽出し，取引事例比較法を適用する。この場合の取引事例は，敷地と建物との適応の状態が対象不動産と同程度のものを採用すべきである。また，個別的要因の比較に際しては，「土地の個別的要因」のほか，「建物及びその敷地の個別的要因」も反映しなければならない。

配分法による取引事例比較法について

③の方法に当たって，純収益を直接法で求める場合には，現況建物に基づく純収益を採用し，間接法で求める場合には，収益事例の選択，個別的要因の比較に関し，上記②と同じ点に留意する必要がある。

土地残余法について

小問(4)

複合不動産価格をもとに敷地に帰属する額を配分する方法には主として次の二つの方法があり，対象不動産の特性に応じて適切に適用しなければならない。

① 割合法

割合法とは，複合不動産価格に占める敷地の構成割合を求めることができる場合において，複合不動産価格に当該構成割合を乗じて求める方法である。

割合法の意義「留意事項」各論第1章

構成割合は，原価法によって求めた土地と建物等の積算価格割合を用いることが多いが，収益性の優る貸家及びその敷地等，複合不動産の鑑定評価額が当該不動産の積算価格を大きく上回っている場合においては，内訳価格としての建物価格が再調達原価を上回ってしまうこともあるため，安易に積算価格割合を用いると建物価格が過度に高位に求められてしまうことがある点に留意する必要がある。

留意点

② 控除法

控除法とは，複合不動産価格を前提とした建物等の価格を直接的に求めることができる場合において，複合不動産価格から建物等の価格を控除して求める方法である。

控除法の意義「留意事項」各論第1章

　建物等の価格は積算価格を中心として求めることが多いが，上記と同様，複合不動産の鑑定評価額が当該不動産の積算価格を大きく上回っている場合において，建物積算価格を単純に控除すると，一体としての増価分がすべて建付地に配分されることとなり，建付地価格が過度に高位に求められてしまうことがある点に留意する必要がある。

〉留意点

　したがって，割合法及び控除法いずれの適用に当たっても，複合不動産の鑑定評価額が積算価格を大きく上回っている場合等においては，乖離が発生した要因を分析し，必要に応じて，超過収益を建付地及び建物に適切に配分する等の方法を用いるべきである。

〉まとめ

以　上

　本問は,「基準」各論第1章から「建付地の鑑定評価」に着目した問題である。

　小問(1)は,まず,「建付地の定義」等について「基準」総論第2章を引用して説明してから,「建付地の鑑定評価は複合不動産の現況利用継続を前提とした部分鑑定評価である」点を特徴として述べればよい。部分鑑定評価について,「基準」総論第5章を引用できれば加点対象となる。

　小問(2)は,建付増価について問う問題であるが,建付増価が発生するケースはあくまで例外であることから,前提として「建付減価」について説明してから「建付増価」について論じるとよい。建付増価の具体例は「容積超過の既存不適格建築物」「未収入期間のない最有効使用建物」が無難であろう。

　小問(3)は,建付地の評価方針について「基準」各論第1章を引用して説明した上で,評価方針における個別の手法について補足していく。手法の定義について,「基準」「留意事項」総論第7章等を引用すれば加点対象となるが,記述量が多くなり過ぎることから解答例では割愛した。解答例のような具体的な補足ができない場合は,手法の定義を引用して「守りの答案」とすることも有効である。

　小問(4)は,割合法及び控除法の定義について「留意事項」各論第1章を引用して説明し,留意点を述べていくが,留意点についてはやや難易度の高い論点であるが,最低限,「留意事項」が引用できれば合格ラインはクリアできるであろう。

── MEMO ──

民事再生法に基づく鑑定評価目的の下で，特定価格を求める場合の
鑑定評価について，次の各問に答えなさい。
(1) 特定価格とはどのような価格か，定義について説明しなさい。
(2) 早期売却を前提とした価格を求める場合に特定価格を求める理由と，
適用する鑑定評価の手法について説明しなさい。
(3) 事業の継続を前提とした価格を求める場合に特定価格を求める理由
と，適用する鑑定評価の手法について説明しなさい。

解答例

小問(1)

　不動産の鑑定評価によって求める価格は，基本的には正常価格で
あるが，鑑定評価の依頼目的に対応した条件により限定価格，特定
価格又は特殊価格を求める場合があるので，依頼目的に対応した条
件を踏まえて価格の種類を適切に判断し，明確にすべきである。な
お，評価目的に応じ，特定価格として求めなければならない場合が
あることに留意しなければならない。

鑑定評価によっ
て求める価格
「基準」総論第
5章

　特定価格とは，市場性を有する不動産について，法令等による社
会的要請を背景とする鑑定評価目的の下で，正常価格の前提となる
諸条件を満たさないことにより正常価格と同一の市場概念の下にお
いて形成されるであろう市場価値と乖離することとなる場合におけ
る不動産の経済価値を適正に表示する価格をいう。

特定価格の定
義
「基準」総論第
5章

　特定価格は，市場において一般の売手及び買手の間で取引の対象
となり得る「市場性を有する不動産」についての価格という点で正
常価格（市場性を有する不動産について，現実の社会経済情勢の下
で合理的と考えられる条件を満たす市場で形成されるであろう市場
価値を表示する適正な価格）と共通しているが，法令等（法律，政
令，内閣府令，省令等）による社会的要請を受け，正常価格の前提
となる「合理的と考えられる条件」を満たさないことにより正常価
格と乖離する場合の価格概念であるという点で相違している。

特定価格と正
常価格の共通
点及び相違点
「基準」「留意
事項」総論第
5章

小問(2)

　設問の場合は，民事再生法に基づく鑑定評価目的の下で，財産を処分するものとしての価格を求めるものであり，対象不動産の種類，性格，所在地域の実情に応じ，早期の処分可能性を考慮した適正な処分価格として求める必要がある。

　鑑定評価に際しては，通常の市場公開期間より短い期間で売却されることを前提とするものであるため，正常価格の前提条件である「対象不動産が相当の期間市場に公開されていること」を満たさない。よって，早期売却による減価が生じないと判断される特段の事情がない限り特定価格として求めなければならない。

　この場合は，通常の市場公開期間より短い期間で売却されるという前提で，原則として①取引事例比較法による比準価格と②収益還元法による収益価格を関連づけ，③原価法による積算価格による検証を行って鑑定評価額を決定する。

　上記の鑑定評価の各手法の適用に当たっては，通常，早期売却による減価が発生し，正常価格よりも低い価格として求められる点に留意する必要があり，以下のような対応を行うことが原則である。

　取引事例比較法の適用に当たっては，対象不動産と同等の期間等で早期売却された取引事例を選択し，市場公開期間の相違等による価格差は要因比較において適切に修正する必要がある。

　収益還元法の適用に当たっては，早期売却による減価を還元利回りの査定において適切に反映する必要がある。

　原価法の適用に当たっては，早期売却による減価を減価修正において，主に経済的要因に基づく減価として適切に反映する必要がある。

　なお，比較可能な事例資料が少ない場合は，通常の方法で正常価格を求めた上で，早期売却に伴う減価を行って鑑定評価額を求めることもできる。

　すなわち，上記の各手法の適用に当たっては，早期売却による減価を考慮せず，試算価格の調整も通常どおり行って，まず正常価格を求め，当該正常価格について早期売却減価を行い，鑑定評価額（特定価格）を求めることとなる。その際，転売目的の卸売業者等

設問の場合に特定価格を求める理由「留意事項」「基準」総論第5章

設問の場合の原則的な評価方針「基準」各論第1章

各手法の適用に当たっての留意点

例外的な評価方針「基準」各論第1章

を想定した取得採算価格(転売予測価格から転売までの費用と利潤を控除して求める)は有力な検証手段となり得るものである。

設問の場合は，会社更生法又は民事再生法に基づく鑑定評価目的の下で，現状の事業が継続されるものとして当該事業の拘束下にあることを前提とする価格を求めるものである。

鑑定評価に際しては，上記鑑定評価目的の下で，対象不動産の利用現況を所与とすることにより，前提とする使用が対象不動産の最有効使用と異なることとなる場合には特定価格として求めなければならない。

この場合，対象不動産の利用現況を所与とすることになるが，当該使用は必ずしも最有効使用と一致せず，正常価格の前提となる合理的な市場の要件である「市場参加者が最有効使用を前提とした価値判断を行うこと」を満たさない。

この場合は，原則として①事業経営に基づく純収益のうち不動産に帰属する純収益に基づく収益還元法による収益価格を標準とし，②取引事例比較法による比準価格を比較考量の上，③原価法による積算価格による検証を行って鑑定評価額を決定する。

この場合の鑑定評価に当たっては，上記のように，対象不動産の利用現況が最有効使用と一致しない場合でも，現在の事業を継続した場合に得られる収益に基づく価格を求める必要があり，利用現況が最有効使用と比較して劣る場合，正常価格よりも低い価格として求められる。

上記の鑑定評価の各手法の適用に当たってはこれを考慮し，以下のような対応を行うこととなる。

収益還元法の適用に当たっては，現在の事業の継続を前提とすることから，現行の賃料収入等が市場における標準的な水準を下回っていても，安易に増額改定等を想定して純収益の標準化を行うべきではなく，原則として現行の純収益（初年度純収益）を採用する必要がある。

取引事例比較法の適用に当たっては，対象不動産と同様の採算性等を有する事業の用に供された状態で取引された取引事例を選択し，

設問の場合に特定価格を求める理由「留意事項」「基準」総論第5章

設問の場合の評価方針「基準」各論第1章

各手法の適用に当たっての留意点

事業形態の相違等による価格差は要因比較において適切に修正する必要がある。

原価法の適用に当たっては，現状の事業の採算性が劣ること等による減価を減価修正において，主に経済的要因に基づく減価として適切に反映する必要がある。

なお，特定価格を求めた場合，鑑定評価報告書の作成に当たっては，正常価格との関係を明らかにするため，鑑定評価額の欄には当該特定価格に加え，かっこ書きで正常価格である旨を付記してその額を併記しなければならない。

鑑定評価報告書記載事項「基準」総論第9章

以　上

解　説

本問は，「基準」総論第5章から，「特定価格」の鑑定評価について真正面から問う基本問題である。

小問(1)は，価格の種類を挙げてから，特定価格の定義と特徴を述べること。特徴については，正常価格と対比として共通点と相違点を説明するとよい。

小問(2)は，設問の場合において特定価格を求める理由と評価方針を「基準」「留意事項」に即して述べ，適用する各手法等について補足していけばよい。

小問(3)も，小問(2)と同様の流れで解答すればよい。

各小問とも「基準」「留意事項」からの引用のみで解答の大枠はできるが，それだけだと分量不足なので，解答例のように補足説明を加えることによって高得点が狙える。

　(1)　建物に関する個別的要因の１つである「維持管理の状態」が優れて
　　　いる状態とはどのような状態をいうのか，簡潔に説明しなさい。

　(2)　不動産鑑定評価基準各論第３章を適用する鑑定評価において，ＤＣＦ
　　　法の適用に当たって，次の各問に答えなさい。

　　　①　収益費用項目の全体の構成について簡潔に説明し，運営収益及び
　　　　　運営費用の各項目を列挙した上で，収益費用項目に運営純収益を表
　　　　　示する理由について述べなさい。

　　　②　(1)の状態にある証券化対象不動産について，(1)の状態が今後も当
　　　　　面は継続すると予測される場合，「維持管理の状態」が標準的な不動
　　　　　産と比較して，見積もる数値が異なると考えられる収益費用項目を
　　　　　３つ挙げて説明しなさい。

解答例

小問(1)

　価格形成要因とは，不動産の効用及び相対的稀少性並びに不動産
に対する有効需要の三者に影響を与える要因をいい，一般的要因，
地域要因及び個別的要因に分けられる。

　個別的要因とは，不動産に個別性を生じさせ，その価格を個別的
に形成する要因をいう。

　建物の個別的要因の１つである「維持管理の状態」は，建物の減
価の程度及び将来見込まれる修繕費用に影響を与え，対象不動産の
価格形成に大きな影響を及ぼす要因である。個別分析に当たっては，
屋根，外壁，床，内装，電気設備，給排水設備，衛生設備等に関す
る破損・老朽化等の状況及び保全の状態について特に留意する必要
がある。

　設問の「維持管理の状態」が優れている状態とは，屋根，外壁，
床，内装，電気設備，給排水設備，衛生設備等について，適切に清
掃，点検，部品交換，修繕及び更新等が行われており，建物が良好
な状況を維持している状態をいう。

価格形成要因
の定義・個別
的要因の定義
「基準」総論第
３章

維持管理の状
態
「留意事項」総
論第３章

維持管理の状
態が優れてい
る状態

建物の維持管理の状態が優れている場合，老朽化による減価が軽減され，大規模修繕等の必要性も緩和され，新築時に近い家賃水準が維持できる等，減価の程度が経年未満となる可能性がある。

小問(2)

①について

収益還元法は，対象不動産が将来生み出すであろうと期待される純収益の現在価値の総和を求めることにより対象不動産の試算価格（収益価格）を求める手法である。

収益価格を求める方法には，一期間の純収益を還元利回りによって還元する方法（直接還元法）と，連続する複数の期間に発生する純収益及び復帰価格を，その発生時期に応じて現在価値に割り引き，それぞれを合計する方法（ＤＣＦ法）がある。

収益還元法の定義，直接還元法，ＤＣＦ法の定義「基準」総論第7章

　ＤＣＦ法は，連続する複数の期間に発生する純収益及び復帰価格を予測しそれらを明示することから，収益価格を求める過程について説明性に優れたものである。したがって，証券化等による投資目的の需要者が中心となる証券化対象不動産の鑑定評価において収益価格を求めるに当たっては，ＤＣＦ法を適用しなければならず，証券化対象不動産に係る収益又は費用の額につき，連続する複数の期間ごとに，「収益費用項目」に区分して鑑定評価報告書に記載しなければならない。

ＤＣＦ法適用及び収益費用項目の必要性「留意事項」総論第7章，「基準」各論第3章

証券化対象不動産に係るＤＣＦ法の適用に際しては，運営収益から運営費用を控除して運営純収益を求め，これに預かり金的性格を有する保証金等の一時金の運用益を加算し，資本的支出を控除して，純収益を求める。

収益費用項目の全体の構成「基準」各論第3章

運営収益は，貸室賃料収入，共益費収入，水道光熱費収入（いずれも満室想定），駐車場収入及びその他収入（看板等の広告施設収入，礼金等の一時金収入等）を合計した額を求め，これから空室等損失及び貸倒れ損失を控除して求める。

運営収益の各項目「基準」各論第3章

運営費用は，維持管理費，水道光熱費，修繕費，プロパティマネジメントフィー，テナント募集費用等，公租公課，損害保険料及びその他費用（支払地代，道路占用使用料等）を合計して求める。

運営費用の各項目「基準」各論第3章

収益費用項目に運営純収益を表示する理由としては，会計上の営

業損益と類似概念である運営純収益を示すことが投資家等への開示資料として有効であり，また，欧米等における不動産インデックスの作成において，類似の概念であるNOI（ネット・オペレーティング・インカム）が多く用いられているためである。

収益費用項目に運営純収益を表示する理由

②について

見積もる数値が異なると考えられる収益費用項目は以下の通りである。

a．維持管理費

建物・設備管理，保安警備，清掃等対象不動産の維持・管理のために経常的に要する費用をいう。

維持管理の状態が優れている場合，標準的な場合に比べて，清掃や消耗品の取替え，各種設備点検等の頻度が高く，内容も充実していると考えられるため，現状の維持管理費の金額は高くなることが通常であるが，これらが適切に行われている場合，将来予期せぬ維持管理費の増加等が起こるリスクは低く，長期的な観点からは維持管理費の金額が低くなることも考えられる。

見積もる数値が異なると考えられる収益費用項目①「基準」各論第3章

b．修繕費

対象不動産に係る建物，設備等の修理，改良等のために支出した金額のうち当該建物，設備等の通常の維持管理のため，又は一部がき損した建物，設備等につきその原状を回復するために経常的に要する費用をいう。

維持管理の状態が優れている場合，標準的な場合に比べて，各部位の経年劣化が緩やかになり，修繕周期が長くことが考えられるため，結果として将来見込まれる修繕費が低くなると考えられる。

見積もる数値が異なると考えられる収益費用項目②「基準」各論第3章

c．資本的支出

対象不動産に係る建物，設備等の修理，改良等のために支出した金額のうち当該建物，設備等の価値を高め，又はその耐久性を増すこととなると認められる部分に対応する支出をいう。

維持管理の状態が優れている場合，標準的な場合に比べて，各部位の経年劣化が緩やかになり，更新周期が長くことが考えられるため，結果として将来見込まれる資本的支出が低くなる

見積もる数値が異なると考えられる収益費用項目③「基準」各論第3章

と考えられる。

　なお，維持管理の状態が優れている場合，新築時に近い家賃水準が維持され，同程度の築年数の不動産と比較して「貸室賃料収入」が高くなり，これに付随して，通常貸室賃料収入等の一定率として徴収される「プロパティマネジメントフィー」の金額も高くなることが考えられる。また，退去の頻度が低くなり，入替期間も短縮されること等により，「空室等損失」が低くなり，これに付随して，テナントの新規募集の頻度が低くなり，「テナント募集費用等」も低くなることが考えられる。

補足

以　上

解　説

　本問は，「基準」総論3章から「建物に関する個別的要因」,各論第3章から「収益費用項目」に着目した問題である。

　小問(1)は，まず，「価格形成要因の定義」「個別的要因の定義」「維持管理の状態に係る留意点」等について「基準」「留意事項」総論第3章を引用して説明した上で，「維持管理の状態が優れている状態」について具体的に説明していけばよい。後半はやや難易度が高いので，前半で「基準」「留意事項」を正確に引用することが重要である。

　小問(2)は，「収益還元法の定義」「DCF法の定義」「証券化評価におけるDCF法，収益費用項目」等について「基準」「留意事項」総論第7章及び各論第3章を引用して説明してから，「証券化評価における純収益の求め方」「運営収益，運営費用の各項目」について述べていくこととなる。運営純収益を表示する理由については，「会計上の営業損益」「NOI」等のキーワードを使いながら，「投資家等への開示資料として有効」である点を説明すればよい。

　小問(3)は，維持管理の状態が優れていることで金額が異なる収益費用項目を3つ挙げ，「基準」各論第3章の定義を引用した上で簡潔に補足していけばよい。解答例のように「維持管理費」「修繕費」「資本的支出」について書くのが無難であるが，「貸室賃料収入」「空室等損失」等の他の項目を挙げても問題ない。いずれにしても，簡潔でかまわないので各項目について「金額が異なる理由」を明確にすること。

問題1 移行地に関する次の各問に答えなさい。

(1) 不動産の種別における移行地の定義について，見込地と比較した上で，説明しなさい。

(2) 移行地の個別的要因について説明しなさい。

(3) 従来は店舗，事務所が建ち並んでいたものの近年はマンション建設が進んでいる住宅移行地においては，次の①及び②に記載する土地の個別的要因は，移行の前後で，土地価格に対しどのような影響を及ぼすか，またどのような点を重視して分析すべきかを説明しなさい。ただし，いずれの土地も建物の敷地としての利用が法令等に適合した上で可能であるものとする。

① 地域の標準的な土地（間口1：奥行1.5）と比較して間口が狭く奥行が広い

② 地域の標準的な土地（規模300㎡）と比較して地積が過大

解答例

小問(1)

1．種別の意義，判定上の留意点

　　不動産の種類とは，不動産の種別及び類型の二面から成る複合的な不動産の概念を示すものであり，この不動産の種別及び類型が不動産の経済価値を本質的に決定づけるものであるから，この両面の分析をまって初めて精度の高い不動産の鑑定評価が可能となるものである。

　　不動産の種別とは，不動産の用途に関して区分される不動産の分類をいう。

　　不動産の属する地域は固定的なものではなくて，常に拡大縮小，集中拡散，発展衰退等の変化の過程にあるものであるから，不動産の利用形態が最適なものであるかどうか，仮に現在最適なものであっても，時の経過に伴ってこれを持続できるかどうか，これらは常に検討されなければならない。したがって，種別の判定に

種類の意義
「基準」総論第2章

種別の意義，判定上の留意点
「基準」総論第1章，第2章

当たっては，地域要因の変化の過程における推移，動向を時系列的に分析し，常に動態的観点からこれを行うべきである。

2．見込地の定義

土地の種別は，地域の種別に応じて分類される土地の区分であり，宅地，農地，林地，見込地，移行地等に分けられ，さらに地域の種別の細分に応じて細分される。

地域の種別は，宅地地域，農地地域，林地地域等に分けられる。

見込地とは，宅地地域，農地地域，林地地域等の相互間において，ある種別の地域から他の種別の地域へと転換しつつある地域のうちにある土地をいい，宅地見込地，農地見込地等に分けられる。

3．移行地の定義

宅地地域とは，居住，商業活動，工業生産活動等の用に供される建物，構築物等の敷地の用に供されることが，自然的，社会的，経済的及び行政的観点からみて合理的と判断される地域をいい，住宅地域，商業地域，工業地域等に細分される。

移行地とは，宅地地域，農地地域等のうちにあって，細分されたある種別の地域から他の種別の地域へと移行しつつある地域のうちにある土地をいい，宅地地域における住宅移行地，商業移行地等が典型的である。

4．見込地と移行地の比較

上記のように，見込地及び移行地は，いずれも未だ地域の用途が確定しておらず，社会的，経済的環境の変化に伴う地域の転換・移行という過渡的な地域内の土地であるという点においては共通しているが，見込地が宅地地域，農地地域等の地域の大分類間の変化であるのに対し，移行地は主に宅地地域内における，住宅地域，商業地域等の細分類間の変化であるという点が異なる。

小問(2)

不動産の価格を形成する要因（価格形成要因）とは，不動産の効用及び相対的稀少性並びに不動産に対する有効需要の三者に影響を与える要因をいう。

価格形成要因は，一般的要因，地域要因及び個別的要因に分けら

欄外注記（右側）:

土地の種別，地域の種別の意義
「基準」総論第2章

見込地の定義
「基準」総論第2章

宅地地域の定義
「基準」総論第2章

移行地の定義等
「基準」総論第2章

見込地と移行地の共通点及び相違点

価格形成要因の意義
「基準」総論第3章

れる。

　個別的要因とは，不動産に個別性を生じさせ，その価格を個別的に形成する要因をいう。

　一般に，不動産の価格は，地域の価格水準という大枠の下，その不動産の個別的要因を反映して形成される。すなわち，個別的要因は，土地の価格に関していえば，地域の価格水準と比較して個別的な差異を生じさせる要因ということができる。

個別的要因の意義等
「基準」総論第3章

　土地の種別ごとに市場参加者は異なり，不動産に期待する効用の尺度も異なることから，土地の種別ごとに重視すべき要因が異なる。住宅地では居住の快適性及び利便性，商業地では収益性，工業地では生産の効率性及び費用の経済性に関する要因がそれぞれ重視される。

種別ごとに重視する要因が異なる理由

　移行地については，通常，移行後の種別を前提に需要が形成されることから，移行すると見込まれる移行後の種別の地域内の土地の個別的要因をより重視すべきであるが，移行の程度の低い場合においては，移行前の種別の地域内の土地の個別的要因をより重視すべきである。

移行地の個別的要因
「基準」総論第3章

小問(3)

　設問の住宅移行地は，商業地域から住宅地域への移行の過程にある地域内に存し，移行前後で想定される典型的な需要者が異なるため，これに応じて下記の要因の影響及び分析に当たって重視すべき点が異なる。

　移行前の商業地に係る典型的な需要者は投資家であり，賃料収入等の収益性を左右する，顧客の流動の状態との適合性等の個別的要因を重視して価格判断を行う。一方，移行後の住宅地（マンション適地）に係る典型的な需要者はデベロッパーであり，販売面積や販売価格等の事業採算性を左右する，許容容積率や日照，眺望等の個別的要因を重視して価格判断を行う。

移行前後の種別に係る需要者の違い等
「基準」総論第3章，各論第1章

①　地域の標準的な土地と比較して間口が狭く奥行が広い場合

　　移行前（商業地）においては，間口が狭小であることによる視認性，顧客誘引力への影響等を重視して分析を行うべきであり，極端に間口が狭く，通りからの視認が困難である等の場合には大

移行前（商業地）に係る設問①の要因の影響等

きな減価要因となるが，地域の標準と比較して多少間口が狭くて
も十分な顧客誘引が可能であり，減価要因とならない場合も多い。

　移行後（マンション適地）においては，間口が狭小であること
によるマンション住戸の配置，日照等への影響等を重視して分析
を行うべきであり，通常，間口狭小，奥行長大であることで隣接
建物と接する部分が多くなり，日照条件の良い住戸を多く配置す
ることが困難になるため，販売価格が低くなり，大きな減価要因
となることが多い。

② 　地域の標準的な土地と比較して地積が過大な場合

　移行前（商業地）においては，地積が過大であることによる賃
貸用建物の面積への影響及び賃貸需要等を重視して分析を行うべ
きであり，地積が過大な場合，高度商業地で大規模な商業施設や
事務所ビル等の建設に応じた賃貸需要が認められる場合等を除き，
大規模な収益物件を建設しても満室稼働が困難なことが多く，容
積率を十分に消化できないため，大きな減価要因となることが考
えられる。

　移行後（マンション適地）においては，地積が過大であること
による分譲用建物の面積への影響及び住宅需要等を重視して分析
を行うべきであり，地積が過大であることにより販売面積が大き
くなり，それに応じた住宅需要が認められない場合には販売リス
クが高まり減価要因となるが，バス便圏の郊外等を除いてそのよ
うな状況であることは少なく，地積が大きければその分販売面積，
分譲総額も大きくなり，事業採算性が高まるため，むしろ増価要
因となることが多い。

以　上

右欄注記：
移行後（住宅地）に係る設問①の要因の影響等

移行前（商業地）に係る設問②の要因の影響等

移行後（住宅地）に係る設問②の要因の影響等

　本問は，「基準」総論第2章及び第3章から「移行地」及び「個別的要因」に着目した問題である。

　小問(1)は，まず，上位概念として不動産の種類に軽く触れてから，種別の定義，判定上の留意点（動態的観点），見込地の定義，移行地の定義について「基準」を引用して的確に述べること。見込地と移行地の比較については前者が大分類，後者が細分類間の変化である点を簡潔に説明すればよい。

　小問(2)は，価格形成要因，個別的要因の意義等の上位概念について「基準」を引用し，移行地の個別的要因についても「基準」の引用のみでも十分な解答となるが，小問(3)を意識して市場参加者の観点から重視する要因を判断する点を追加しておくとレベルの高い内容となる。

　小問(3)は，やや実務色が強い問題であるが，問われているのは移行地でも結局は移行前の商業地と移行後の住宅地の両面について述べればよく，答練や過去問でよくある価格形成要因の不動産価格への影響を種別ごとに場合分けして説明する内容となる。設問の2つの要因について，「移行前の商業地」と「移行後の住宅地」の2つの種別ごとに，「土地価格への影響」と「どのような点を重視して分析すべきか」を説明する必要があるので，丁寧に答案構成し，問われている論点にはすべて答え，解答漏れがないようにしてほしい。

──── MEMO ────

問題2　不動産鑑定評価基準に定められた対象不動産の確定のための条件に
　　　関する次の各問に答えなさい。

(1)　証券化対象不動産（不動産鑑定評価基準各論第3章第1節に規定す
る証券化対象不動産をいう。以下同じ。）の鑑定評価においては，原則
として，対象不動産の現実の利用状況と異なる対象確定条件，地域要
因又は個別的要因についての想定上の条件及び調査範囲等条件を設定
してはならないとされているが，その理由について説明しなさい（各
条件の定義について説明する必要はない。）。

(2)　証券化対象不動産の鑑定評価においては，一定の条件の下に，未竣
工建物等鑑定評価を行うことができるとされている。この点に関し，
次の各問に答えなさい。

　①　未竣工建物等鑑定評価の定義について説明しなさい。

　②　証券化対象不動産について未竣工建物等鑑定評価を行うことがで
きるための条件について説明しなさい。

(3)　証券化対象不動産以外の鑑定評価においては，不動産鑑定士の通常
の調査の範囲では対象不動産の価格への影響の程度を判断するための
事実の確認が困難な特定の価格形成要因について，調査範囲等条件を
設定することができるとされている。この点に関し，次の各問に答え
なさい。

　①　調査範囲等条件の設定対象となる特定の価格形成要因の具体的な
例を4つ挙げなさい。

　②　調査範囲等条件の設定対象となる特定の価格形成要因について，
調査範囲等条件を設定することができる場合としてはどのような場
合があるか。具体的な例を4つ挙げなさい。

解答例

小問(1)

　鑑定評価に際しては，現実の用途及び権利の態様並びに地域要因及び個別的要因を所与として不動産の価格を求めることのみでは多様な不動産取引の実態に即応することができず，社会的な需要に応ずることができない場合があるので，条件設定の必要性が生じてくる。

＊条件設定の必要性「留意事項」総論第5章

　条件の設定は，依頼目的に応じて対象不動産の内容を確定し（対象確定条件），設定する地域要因若しくは個別的要因についての想定上の条件を明確にし，又は不動産鑑定士の通常の調査では事実の確認が困難な特定の価格形成要因について調査の範囲を明確にするもの（調査範囲等条件）である。したがって，条件設定は，鑑定評価の妥当する範囲及び鑑定評価を行った不動産鑑定士の責任の範囲を示すという意義を持つものである。

＊条件設定の意義「留意事項」総論第5章

　不動産の証券化とは，一般に，証券化という特別目的のために設立された投資法人等が，不動産が生み出すキャッシュフローを裏付資産にして証券を発行し，投資家から資金を調達する仕組みのことをいう。

＊不動産の証券化の定義

　不動産鑑定士は，証券化対象不動産の鑑定評価（以下「証券化不動産評価」という）の依頼者のみならず広範な投資家等に重大な影響を及ぼすことを考慮するとともに，不動産鑑定評価制度に対する社会的信頼性の確保等について重要な責任を有していることを認識し，証券化不動産評価の手順について常に最大限の配慮を行いつつ，鑑定評価を行わなければならない。

＊証券化不動産評価における鑑定士の責務「基準」各論第3章

　証券化不動産評価に当たっては，投資家等に予期せぬ損害を与えてはならないことから，原則として現況を所与として鑑定評価を行う必要がある。

　つまり，証券化不動産評価における鑑定評価書の利用者は，対象不動産の現実の状況を前提とした収益性や投資リスクについて分析のうえ，投資意思等を決定するところ，現実の状況と異なる，又は異なる可能性のある条件を設定して鑑定評価を行ってしまうと，収

＊証券化不動産評価において条件設定が制限される理由「基準」各論第3章

益性や投資リスクに相違が生じてしまう等，当該鑑定評価が鑑定評価書の利用者の利益に重大な影響を及ぼす可能性がある。したがって，投資家保護の観点から，証券化対象不動産の鑑定評価においては，原則として，対象不動産の現実の利用状況と異なる対象確定条件，地域要因又は個別的要因についての想定上の条件及び調査範囲等条件の設定をしてはならない。

小問(2)

①について

　未竣工建物等鑑定評価とは，造成に関する工事が完了していない土地又は建築に係る工事（建物を新築するもののほか，増改築等を含む。）が完了していない建物について，当該工事の完了を前提として鑑定評価の対象とすることをいう。

未竣工建物等鑑定評価の定義等
「基準」「留意事項」総論第5章

　すなわち，未竣工建物等鑑定評価は，価格時点において，当該建物等の工事が完了し，その使用収益が可能な状態であることを前提として鑑定評価を行うものである。

②について

　対象確定条件を設定するに当たっては，対象不動産に係る諸事項についての調査及び確認を行った上で，依頼目的に照らして，鑑定評価書の利用者の利益を害するおそれがないかどうかの観点から当該条件設定の妥当性を確認しなければならない。

対象確定条件を設定する場合の要件
「基準」総論第5章

　なお，未竣工建物等鑑定評価を行う場合は，上記妥当性の検討に加え，価格時点において想定される竣工後の不動産に係る物的確認を行うために必要な設計図書等及び権利の態様の確認を行うための請負契約書等を収集しなければならず，さらに，当該未竣工建物等に係る法令上必要な許認可等が取得され，発注者の資金調達能力等の観点から工事完了の実現性が高いと判断されなければならない。

未竣工建物等鑑定評価を設定する場合の要件
「基準」総論第5章

　証券化対象不動産の未竣工建物等鑑定評価は，前述の要件（利用者の利益保護と資料収集，実現性，合法性）に加え，工事の中止，工期の延期又は工事内容の変更が発生した場合に生じる損害が，当該不動産に係る売買契約上の約定や各種保険等により回避される場合に限り行うことができる。

証券化不動産評価において未竣工建物等鑑定評価を設定する場合の要件
「基準」各論第3章

　証券化不動産評価に当たっては，予定されていた造成又は建築工

218

事等が計画通り完了しないことによって投資家等に不測の損害を与えないよう十分配慮しなければならない。よって，証券化対象不動産について未竣工建物等鑑定評価を行う場合，前述の要件に加え，建物が未竣工であることに起因するリスクが，工事完成保証や売買契約の瑕疵担保条項等で担保されていることが条件設定の要件として求められていることに留意しなければならない。

小問(3)

①について

　不動産鑑定士の通常の調査の範囲では，対象不動産の価格への影響の程度を判断するための事実の確認が困難な特定の価格形成要因が存する場合，当該価格形成要因について調査の範囲に係る条件（調査範囲等条件）を設定することができる。

　不動産鑑定士の通常の調査の範囲では，対象不動産の価格への影響の程度を判断するための事実の確認が困難な特定の価格形成要因を4つ例示すれば，次のとおりである。

- (i)　土壌汚染の有無及びその状態
- (ii)　建物に関する有害な物質（アスベスト等）の使用の有無及びその状態
- (iii)　埋蔵文化財及び地下埋設物の有無並びにその状態
- (iv)　隣接不動産との境界が不分明な部分が存する場合における対象不動産の範囲

②について

　調査範囲等条件を設定することができるのは，調査範囲等条件を設定しても鑑定評価書の利用者の利益を害するおそれがないと判断される場合に限る。

　特定の価格形成要因について調査範囲等条件を設定しても鑑定評価書の利用者の利益を害するおそれがないと判断される場合を4つ例示すれば，次のとおりである。

- (i)　依頼者等による当該価格形成要因に係る調査，査定又は考慮した結果に基づき，鑑定評価書の利用者が不動産の価格形成に係る影響の判断を自ら行う場合
- (ii)　不動産の売買契約等において，当該価格形成要因に係る契約

（右欄注記）

調査範囲等条件を設定できる場合
「基準」総論第5章

特定の要因の具体例4つ
「留意事項」総論第5章

調査範囲等条件を設定する場合の要件
「基準」総論第5章

調査範囲等条件を設定できる場合の具体例4つ
「留意事項」総論第5章

当事者間での取扱いが約定される場合

⒤　担保権者が当該価格形成要因が存する場合における取扱いについての指針を有し，その判断に資するための調査が実施される場合

⒥　当該価格形成要因が存する場合における損失等が保険等で担保される場合

　調査範囲等条件を設定する価格形成要因については，当該価格形成要因の取扱いを明確にする必要があり，通常は当該条件を設定した価格形成要因を除外して鑑定評価を行うこととなる。

以　上

調査範囲等条件を設定する場合の評価上の取扱い「留意事項」総論第5章，第8章

解　説

　本問は，「基準」総論第5章の「鑑定評価の条件」のうち，特に「未竣工建物等鑑定評価」と「調査範囲等条件」に着目した問題である。

　小問⑴は，まず前提概念として条件設定の必要性や意義等を「留意事項」総論第5章に即して述べてから，証券化不動産評価の必要性・意義の観点から，「投資家等に予期せぬ損害」を与えないために，現実の利用状況と異なる条件を設定してはならない点を説明すること。「基準」各論第3章の証券化不動産評価における鑑定士の責務を適宜引用するとよい。

　小問⑵の①については，対象確定条件の定義と未竣工建物等鑑定評価の定義を「基準」に即して解答すればよい。②についても，対象確定条件を設定する場合の要件（利用者の利益），未竣工建物等鑑定評価を設定する場合の要件（資料収集及び実現性・合法性），証券化不動産評価において未竣工建物等鑑定評価を設定する場合の要件（リスク回避措置）について，「基準」総論第5章と各論第3章に即して順序よく解答すればよい。

　小問⑶の①については，調査範囲等条件の定義と特定の価格形成要因の具体例を「基準」「留意事項」に即して解答すればよい。②についても，利用者の利益を害するおそれがないと判断できる具体例について，「留意事項」に即して解答すればよい。

―― MEMO ――

問題③　収益還元法に関する次の各問に答えなさい。

　⑴　還元利回りと割引率に関し，次の各問に答えなさい。

　　　①　還元利回りと割引率の定義についてそれぞれ説明しなさい。

　　　②　還元利回りと割引率の関係について算式を用いて説明しなさい。

　　　③　還元利回りと割引率を求める際の留意点について説明しなさい。

　⑵　不動産の価格に関する諸原則のうち，還元利回りの決定に当たって
　　　重要な指針となる原則を１つ挙げた上で，当該原則について簡潔に説
　　　明しなさい。

　⑶　銀行の貸出金利が低下した場合において還元利回りにもたらされる
　　　影響について，不動産鑑定評価基準において例示されている還元利回
　　　りを求める方法を１つ用いて説明しなさい。

解答例

小問⑴

①　還元利回りと割引率の定義について

　　収益還元法は，対象不動産が将来生み出すであろうと期待され
る純収益の現在価値の総和を求めることにより対象不動産の試算
価格（収益価格）を求める手法である。収益価格を求める方法に
は，直接還元法とＤＣＦ法がある。

　　還元利回り及び割引率は，共に不動産の収益性を表し，収益価
格を求めるために用いるものであるが，基本的には次のような違
いがある。

　　還元利回りは，直接還元法の収益価格及びＤＣＦ法の復帰価格
の算定において，一期間の純収益から対象不動産の価格を直接求
める際に使用される率であり，将来の収益に影響を与える要因の
変動予測と予測に伴う不確実性を含むものである。

　　割引率は，ＤＣＦ法において，ある将来時点の収益を現在時点
の価値に割り戻す際に使用される率であり，還元利回りに含まれ
る変動予測と予測に伴う不確実性のうち，収益見通しにおいて考
慮された連続する複数の期間に発生する純収益や復帰価格の変動

収益還元法の
定義
「基準」総論第
7章

還元利回り及
び割引率の定
義
「基準」総論第
7章

222

予測に係るものを除くものである。

② 還元利回りと割引率の関係（算式）

　　還元利回りと割引率の違いは主として，将来の収益変動予測を含むか否かという点である。

　　還元利回りが用いられる直接還元法においては，一期間の純収益を還元対象とするため，この「一期間」として「価格時点初年度」を採用した場合，翌年度以降の純収益の変動予測や価格の変動予測は還元利回りに反映させる必要がある。一方，ＤＣＦ法では，保有期間中の純収益の変動等はキャッシュフロー表において具体的に明示されるため，割引率には，このような将来の収益見通しとして各期のキャッシュフローに既に反映されている変動予測を含まない。

　　このような還元利回りと割引率の違いにより，両者の関係は「R＝Y－g（R：還元利回り，Y：割引率，g：純収益の変動率）」の算式で表される。

③ 還元利回りと割引率を求める際の留意点

　　還元利回り及び割引率は，共に比較可能な他の資産の収益性や金融市場における運用利回りと密接な関連があるので，その動向に留意しなければならない。

　　具体的には，還元利回り及び割引率は，共に債券等の金融資産の利回りをもとに，対象不動産の投資対象としての危険性，非流動性，管理の困難性，資産としての安全性等の個別性を加味したものとして把握することができるため，比較の対象となる金融資産の利回りとして，10年物国債の利回り，株式や社債の利回り等の動向に留意しなければならない。

　　さらに，還元利回り及び割引率は，地方別，用途的地域別，品等別等によって異なる傾向を持つため，対象不動産に係る地域要因及び個別的要因の分析を踏まえつつ適切に求めることが必要である。

　　なお，還元利回り及び割引率共に，必要に応じ，投資家等の意見や整備された不動産インデックス等を参考として活用して求め，割引率は収益見通しにおいて考慮されなかった収益予測の不確実

（右欄注記）

還元利回りと割引率の関係「留意事項」総論第7章

留意点①「基準」総論第7章

留意点①の補足「基準」「留意事項」総論第7章

留意点②「基準」総論第7章

留意点③「留意事項」総論第7章

性の程度に応じて異なることに留意する。

]

小問(2)

直接還元法は，一期間の純収益を還元利回りによって還元する方法である。

直接還元法の適用に当たっては，将来の純収益等の変動予測を還元利回り又は純収益の標準化において考慮する必要があり，当該予測の如何によって求められる試算価格が大きく異なることから，直接還元法は不動産の価格に関する諸原則のうち，「予測」の原則と密接に関連する手法であり，当該原則は還元利回りの決定に当たっても重要な指針となるものである。

直接還元法の定義，予測の原則の指摘「基準」総論第7章

財の価格は，その財の将来の収益性等についての予測を反映して定まる。不動産の価格も，価格形成要因の変動についての市場参加者による予測によって左右される（予測の原則）。

予測の原則の定義「基準」総論第4章

不動産の価格は通常過去と将来とにわたる長期的な考慮の下に形成され，また，価格形成要因は常に変動しているから，収益還元法の適用に当たっては，純収益等に影響を与える要因の将来動向を市場参加者の観点から適切に予測しなければならない。

予測の原則の説明「基準」総論第1章

すなわち，還元利回りの決定に当たっては，市場の実勢を反映した利回りとして求める必要があり，還元対象となる純収益の変動予測を含むものであることから，それらの予測を的確に行い，還元利回りに反映させる必要がある。

具体的には，初年度純収益を採用した場合には，上記小問(1)で述べたとおり，変動予測のすべてを還元利回りに反映する必要があり，ある一定期間の標準化された純収益を採用した場合には，変動予測の一部が既に純収益に反映されていることから，当該予測を還元利回りに含めてはならない。

予測の原則の還元利回りの査定への反映「留意事項」総論第7章

小問(3)

価格形成要因のうち一般的要因は，不動産の価格形成全般に影響を与えるものであり，鑑定評価手法の適用における各手順において常に考慮されるべきものであり，価格判定の妥当性を検討するために活用しなければならない。

一般的要因の分析「基準」総論第7章

設問の要因は一般的要因のうち「経済的要因（財政及び金融の状

態）」に該当し，還元利回りの査定に当たって下記のとおり考慮する必要がある。

設問の要因の指摘「基準」総論第3章

還元利回りを求める方法の一つに，「借入金と自己資金に係る還元利回りから求める方法」がある。

求める方法の指摘「基準」総論第7章

この方法は，対象不動産の取得の際の資金調達上の構成要素（借入金及び自己資金）に係る各還元利回りを各々の構成割合により加重平均して求めるものであり，基本的に次の式により表される。

$R = R_M \times W_M + R_E \times W_E$ （R ：還元利回り，R_M：借入金還元利回り，W_M：借入金割合，R_E：自己資金還元利回り，W_E：自己資金割合）

この方法は，不動産の取得に際し標準的な資金調達能力を有する需要者の資金調達の要素に着目した方法であり，不動産投資に係る利回り及び資金調達に際する金融市場の動向を反映させることに優れている。

借入金と自己資金に係る還元利回りから求める方法の説明「基準」「留意事項」総論第7章

借入金還元利回りは，市場における標準的な借入条件（借入比率，金利，借入期間等）の下での借り入れを想定し，金融機関の標準的な貸出金利を採用することが通常であることから，設問のように貸出金利が低下した場合，借入金還元利回りが低下することを通じて還元利回りが低く求められることとなる。

なお，金融政策の影響等により貸出金利が大きく低下するような状況においては，金融機関の収益性が低下し，融資件数や融資金額を増加させることにより採算が確保される傾向があるが，このような場合，市場における標準的な借入比率が高くなり，借入金割合が増加することが考えられる。一般的に自己資金による投資は融資よりも弁済順位で劣る分高配当を求める傾向があり，借入金還元利回りは自己資金還元利回りよりも低くなることが通常であることから，借入金還元利回りの低下に加えて借入金割合が増加した場合，さらに大きく還元利回りが低下することとなる。

貸出金利の低下が還元利回りにもたらす影響「留意事項」総論第5章

以　上

　本問は,「基準」総論第7章の「収益還元法」のうち,「還元利回り」と「割引率」に着目した問題である。

　小問(1)の①は,収益還元法の定義を述べてから,還元利回りと割引率の定義等について「基準」に即して確実に解答すること。②は,還元利回りと割引率の違いは主に将来の収益変動予測を含むか否かという点を述べてから,「R＝Y－g」という関係式を挙げること。③は,還元利回りと割引率を求める際の留意点について「基準」「留意事項」に規定されている事項をできる限り引用すればよい。

　小問(2)については,還元利回りが純収益の将来予測を反映した利回りであることから,特に関連する価格原則として「予測の原則」を挙げ,当該原則と還元利回りとの関係について説明すること。なお,標準化された純収益を採用した場合には,当該純収益に反映されている将来予測を還元利回りで二重計上することのないよう留意すべき点についても触れてほしい。

　小問(3)については,設問の「銀行の貸出金利の低下」が還元利回りに与える影響について,「借入金と自己資金に係る還元利回りから求める方法」を挙げて説明するとよい。なお,「借入金償還余裕率から求める方法」を挙げて説明してもよい。

— MEMO —

問題④　宅地を新規に賃貸の用に供する場合における賃料の鑑定評価に関する次の各問に答えなさい。

(1)　新規賃料固有の価格形成要因について，その主なものを挙げなさい。

(2)　不動産鑑定評価基準においては，宅地の正常賃料の鑑定評価額は，積算賃料，比準賃料及び配分法に準ずる方法に基づく比準賃料を関連づけて決定するものとされている。この点に関し，次の各問に答えなさい。

①　積算賃料を求める場合の留意点について説明しなさい。

②　比準賃料を求める場合の留意点について説明しなさい。

③　配分法に準ずる方法に基づく比準賃料を求める場合の留意点について説明しなさい。

(3)　不動産鑑定評価基準においては，宅地の正常賃料の鑑定評価額は，建物及びその敷地に係る賃貸事業に基づく純収益を適切に求めることができるときには，賃貸事業分析法で得た宅地の試算賃料も比較考量して決定するものとされている。この点に関し，次の各問に答えなさい。

①　賃貸事業分析法とはどのような方法か説明しなさい。

②　賃貸事業分析法はどのような場合に適用するのが有効か説明しなさい。

③　賃貸事業分析法を適用する場合の留意点について説明しなさい。

解答例

小問(1)

　　価格形成要因とは，不動産の効用及び相対的稀少性並びに不動産に対する有効需要の三者に影響を与える要因をいう。

　　新規賃料固有の価格形成要因の主なものは次のとおりである。

①　当該地域の賃貸借等の契約慣行

②　賃貸借等の種類・目的，一時金の授受の有無及びその内容並びに特約事項の有無及びその内容等の新規賃料を求める前提となる契約内容

価格形成要因
の定義
「基準」総論第
3章

新規賃料固有
の価格形成要
因
「基準」各論第
2章

　上記のうち，①の契約慣行は対象不動産の存する地域の賃料水準に影響を与える新規賃料固有の地域要因であり，②の契約内容は，対象不動産の賃料に影響を与える新規賃料固有の個別的要因である。

補足

小問(2)

　宅地の正常賃料を求める場合の鑑定評価に当たっては，賃貸借等の契約内容による使用方法に基づく宅地の経済価値に即応する適正な賃料を求めるものとする。

　宅地の正常賃料の鑑定評価額は，積算法による積算賃料，賃貸事例比較法による比準賃料及び配分法に準ずる方法に基づく比準賃料を関連づけて決定するものとする。この場合において，純収益を適切に求めることができるときは収益分析法による収益賃料を比較考量して決定するものとする。

　また，建物及びその敷地に係る賃貸事業に基づく純収益を適切に求めることができるときには，賃貸事業分析法で得た宅地の試算賃料も比較考量して決定するものとする。

宅地の正常賃料の鑑定評価額の決定方法「基準」各論第2章

① 積算賃料を求める場合の留意点

　積算法は，対象不動産について，価格時点における基礎価格を求め，これに期待利回りを乗じて得た額に必要諸経費等を加算して対象不動産の試算賃料（積算賃料）を求める手法である。

積算法の定義「基準」総論第7章

　積算賃料を求めるに当たっての基礎価格は，賃貸借等の契約において，賃貸人等の事情によって使用方法が制約されている場合等で最有効使用の状態を確保できない場合には，最有効使用が制約されている程度に応じた経済価値の減分を考慮して求めるものとする。したがって，宅地の基礎価格を求めるに当たっては，①当該宅地の最有効使用が可能な場合は，「更地」の経済価値に即応した価格を，②建物の所有を目的とする賃貸借等の場合で契約により敷地の最有効使用が見込めないときは，当該契約条件を前提とする「建付地」としての経済価値に即応した価格を，それぞれ求める必要がある点に留意する。

　期待利回りの判定に当たっては，地価水準の変動に対する賃料の遅行性及び地価との相関関係の程度を考慮する必要がある。

　必要諸経費等については，建物の維持管理等に係る費用は借地

積算賃料を求める場合の留意点「留意事項」各論第2章，「基準」総論第7章

権者が負担することから，土地公租公課のみであることが多い。

② 比準賃料を求める場合の留意点

賃貸事例比較法は，まず多数の新規の賃貸借等の事例を収集して適切な事例の選択を行い，これらに係る「実際実質賃料」に必要に応じて事情補正及び時点修正を行い，かつ，地域要因の比較及び個別的要因の比較を行って求められた賃料を比較考量し，これによって対象不動産の試算賃料（比準賃料）を求める手法である。

賃貸事例比較法の定義「基準」総論第7章

賃貸借等の事例の選択に当たっては，賃貸借等の契約の内容（借地権の態様，一時金の条件等）について類似性を有するものを選択すべきことに留意しなければならない。

なお，契約に当たって預り金的性格を有する保証金が授受されている場合等には，実際支払賃料のほか，当該一時金の運用益等を含めた「実際実質賃料」を求めて比準することにより，対象不動産の実質賃料を求める必要がある。

また，比準賃料は，価格時点に近い時点に新規に締結された賃貸借等の事例から比準する必要があり，立地条件のほか，小問(1)で述べた新規賃料固有の価格形成要因が類似するものでなければならない。

比準賃料を求める場合の留意点「留意事項」各論第2章，「基準」総論第7章

③ 配分法に準ずる方法に基づく比準賃料を求める場合の留意点

配分法に準ずる方法を用いた賃貸事例比較法は，宅地を含む複合不動産の賃貸借等の契約内容が類似している賃貸借等の事例に係る実際実質賃料から宅地以外の部分に対応する実際実質賃料相当額を控除する等して宅地部分に対応する実際実質賃料を求め，これに必要に応じて事情補正及び時点修正を行い，かつ，地域要因の比較及び個別的要因の比較を行って求められた賃料を比較考量して試算賃料（比準賃料）を求める手法である。

配分法に準ずる方法を用いた賃貸事例比較法の定義「留意事項」各論第2章，「基準」総論第7章

宅地の正常賃料を求める場合における事例資料の選択に当たっては，賃貸借等の契約内容の類似性及び敷地の最有効使用の程度に留意すべきである。

配分法に準ずる方法に基づく比準賃料を求める場合の留意点「留意事項」各論第2章

小問(3)

① 賃貸事業分析法の定義，求め方

　　賃貸事業分析法は，建物及びその敷地に係る賃貸事業に基づく純収益をもとに土地に帰属する部分を査定して宅地の試算賃料を求める方法である。

　　賃貸事業分析法は，新たに締結される土地の賃貸借等の契約内容に基づく予定建物を前提として，当該予定建物の賃貸を想定し，新規家賃に基づく賃貸事業収益から，賃貸事業費用を控除して予定建物及びその敷地の賃貸事業に基づく純収益を求め，当該純収益から予定建物に帰属する純収益を控除することにより土地に帰属する純収益を求め，これに基づいて賃貸事業分析法による賃料を求める方法である。

② 賃貸事業分析法の有効性

　　したがって，対象地において新たに締結される土地の賃貸借等の契約内容に基づく予定建物の賃貸を想定することが可能であり，新規家賃に基づく賃貸事業収益，賃貸事業費用等及び建物所有者（借地権者）に帰属する純収益を適切に求めることができる場合に有効な方法であり，予定建物の賃貸を想定することが困難な場合や家賃の鑑定評価においては当該方法を適用することができない。

③ 賃貸事業分析法を適用する場合の留意点

　　賃貸事業分析法の適用に当たっては，新たに締結される土地の賃貸借等の契約内容に基づく予定建物を前提とする必要があり，必ずしも当該土地の更地としての最有効使用に基づく建物を前提としないことに留意する必要がある。

　　なお，当該予定建物には，土地賃貸借等の契約締結後に新築する建物のほか，契約時点において既に存在する建物も含まれるが，建物等が古い場合には複合不動産の生み出す純収益から土地に帰属する純収益を的確に求められないことが多いので，建物等は新築か築後間もないものでなければならないことにも留意する必要がある。

　　　　　　　　　　　　　　　　　　　　　　　以　上

賃貸事業分析法の定義，求め方
「基準」「留意事項」各論第2章

賃貸事業分析法の有効性

賃貸事業分析法を適用する場合の留意点

解　説

　本問は，新規地代の鑑定評価手法について着目した問題であり，「基準」総論第 7 章及び各論第 2 章からの出題である。

　小問(1)は，平成26年の基準改正時に追加された事項であり，「基準」各論第 2 章の引用によって解答できる。解答例のような補足があるとよい。

　小問(2)は，正常地代の鑑定評価方法を述べてから，設問の各手法適用上の留意点について述べること。積算法と賃貸事例比較法は基本論点だが，配分法に準ずる方法はやや難易度が高い。解答例のように「基準」「留意事項」の引用でコンパクトにまとめれば十分である。

　小問(3)は，平成26年の基準改正時に追加された賃貸事業分析法に関する問題で，やや難易度が高い。賃貸借契約条件に基づく予定建物を前提とした家賃収益から地代を求める手法である点をきちんとイメージし，求め方，有効性，留意点についてコンパクトにまとめれば十分である。

—— MEMO ——

◆ 平成30年度

問題① 個別的要因に関する次の各設問に答えなさい。

(1) 建物の各用途に共通する個別的要因について，次の各問に答えなさい。

① 次に掲げる個別的要因について，特に留意する必要があるとされている事項を述べなさい。

㋐設計，設備等の機能性 ㋑建物の性能 ㋒維持管理の状態 ㋓有害な物質の有無及びその状態 ㋔公法上及び私法上の規制，制約等

② 事務所ビル（貸家及びその敷地）の個別的要因について，留意する必要があるとされている事項を述べなさい。

(2) 建物及びその敷地に関する個別的要因のうち主なもの（土地に関する個別的要因及び建物に関する個別的要因を除く。）を挙げるとともに，当該個別的要因について特に留意すべき事項を述べなさい。

(3) 対象不動産の物的確認に当たり，内覧の全部又は一部の実施について省略することができるのはどのような場合か説明しなさい。また，対象不動産が証券化対象不動産（不動産鑑定評価基準各論第3章第1節に規定する証券化対象不動産をいう。）である場合においては，その個別的要因の調査に当たり，どのような事項に留意する必要があるか説明しなさい。

解答例

小問(1)

① 設問の個別的要因について特に留意すべき事項

　　不動産の価格を形成する要因（価格形成要因）とは，不動産の効用及び相対的稀少性並びに不動産に対する有効需要の三者に影響を与える要因をいう。価格形成要因は，一般的要因，地域要因及び個別的要因に分けられる。

価格形成要因の意義
「基準」総論第3章

　　個別的要因とは，不動産に個別性を生じさせ，その価格を個別的に形成する要因をいう。

個別的要因の定義
「基準」総論第3章

建物の個別的要因は，(1)その建物の再調達（新築）に要する建築工事費に影響を与える要因と，(2)当該工事費からの経済価値・市場価値の減少分に影響を与える要因に分けられる。

設問の個別的要因について特に留意すべき事項は下記のとおりである。

(ア) 設計，設備等の機能性について

　各階の床面積，天井高，床荷重，情報通信対応設備の状況，空調設備の状況，エレベーターの状況，電気容量，自家発電設備・警備用機器の有無，省エネルギー対策の状況，建物利用における汎用性等に特に留意する必要がある。

(イ) 建物の性能について

　建物の耐震性については，建築基準法に基づく耐震基準との関係及び建築物の耐震改修の促進に関する法律に基づく耐震診断の結果について特に留意する必要がある。

　(ア)(イ)については，上記(1)(2)の双方に該当するので，原価法の適用に当たっては再調達原価の査定及び減価修正の双方に反映する必要があることに留意すべきである。

(ウ) 維持管理の状態について

　屋根，外壁，床，内装，電気設備，給排水設備，衛生設備，防災設備等に関する破損・老朽化等の状況及び保全の状態について特に留意する必要がある。

(エ) 有害な物質の使用の有無及びその状態について

　建設資材としてのアスベストの使用の有無及び飛散防止等の措置の実施状況並びにポリ塩化ビフェニル（ＰＣＢ）の使用状況及び保管状況に特に留意する必要がある。

(オ) 公法上及び私法上の規制，制約等について

　増改築等，用途変更等が行われている場合には，法令の遵守の状況に特に留意する必要がある。

　(ウ)(エ)(オ)については，上記(2)に該当するので，原価法の適用に当たっては減価修正に反映する必要があるが，特に維持管理の状態が著しく劣る場合や有害物質の使用が認められる場合，重大な法令違反がある場合等には大きな減価要因となることに留

	建物の個別的要因について
	「設計，設備等の機能性」について「留意事項」総論第3章
	「建物の性能」について「留意事項」総論第3章
	補足
	「維持管理の状態」について「留意事項」総論第3章
	「有害な物質の使用の有無及びその状態」について「留意事項」総論第3章
	「公法上及び私法上の規制，制約等」について「留意事項」総論第3章
	補足

意すべきである。

② 事務所ビル（貸家及びその敷地）の個別的要因について留意すべき事項

賃貸用不動産（貸家及びその敷地）に関する個別的要因には，賃貸経営管理の良否があり，その主なものを例示すれば，次のとおりである。(1)賃借人の状況及び賃貸借契約の内容，(2)貸室の稼働状況，(3)躯体・設備・内装等の資産区分及び修繕費用等の負担区分

これらのうち，特に(1)賃借人の状況及び賃貸借契約の内容については，賃料の滞納の有無及びその他契約内容の履行状況，賃借人の属性（業種，企業規模等），総賃貸可能床面積に占める主たる賃借人の賃貸面積の割合及び賃貸借契約の形態等に特に留意する必要がある。

賃貸用不動産に関する個別的要因について「基準」「留意事項」総論第3章

通常，建物の用途毎に市場参加者が異なり，不動産に期待する効用の尺度も異なることから，建物の用途毎に留意すべき個別的要因が異なる。

事務所ビルの入居テナント（事業法人等）から得られる賃料収入等は執務スペースの快適性や業務効率性等に左右されるため，設問の場合，上記の賃貸用不動産に関する一般的な個別的要因に加えて，これらに影響を与える基準階床面積，天井高，床荷重，情報通信対応設備・空調設備・電気設備等の状況及び共用施設の状態等に留意する必要がある。特に，就労人口が多い大規模な高層事務所ビルの場合は，エレベーターの台数・配置，建物内の店舗等の面積・配置等にも留意する必要がある。

事務所ビル固有の個別的要因について「留意事項」総論第3章

小問(2)

建物及びその敷地に関する個別的要因の主なものを例示すれば，①敷地内における建物，駐車場，通路，庭等の配置，②建物と敷地の規模の対応関係等建物等と敷地との適応の状態，③修繕計画・管理計画の良否とその実施の状態がある。

建物及びその敷地の個別的要因「基準」総論第3章

上記①②については，建物等の配置が不合理な場合や許容容積率を適切に消化していない場合等，建物と敷地とが不均衡の状態にある場合，減価要因となるため，均衡の原則（不動産の収益性又は快

適性が最高度に発揮されるためには，その構成要素の組合せが均衡を得ていることが必要である。したがって，不動産の最有効使用を判定するためには，この均衡を得ているかどうかを分析することが必要である）を活用のうえ，減価の有無やその程度等について検討する必要がある。

上記③については，特に大規模修繕に係る修繕計画の有無及び修繕履歴の内容，管理規則の有無，管理委託先，管理サービスの内容等に特に留意する必要がある。

補足
「基準」総論第4章
「留意事項」総論第3章

小問(3)

① 対象不動産の物的確認について

対象不動産の確認に当たっては，基本的事項の確定により確定された対象不動産についてその内容を明瞭にしなければならない。対象不動産の確認は，対象不動産の物的確認及び権利の態様の確認に分けられ，実地調査，聴聞，公的資料の確認等により，的確に行う必要がある。

対象不動産の確認の意義
「基準」総論第8章

対象不動産の物的確認に当たっては，土地についてはその所在，地番，数量等を，建物についてはこれらのほか家屋番号，建物の構造，用途等を，それぞれ実地に確認することを通じて，基本的事項の確定により確定された対象不動産の存否及びその内容を，確認資料を用いて照合しなければならない。

物的確認の意義
「基準」総論第8章

② 内覧の全部又は一部を省略できる場合について

対象不動産の確認に当たっては，原則として内覧の実施を含めた実地調査を行うものとする。

なお，同一の不動産の再評価を行う場合において，過去に自ら内覧の実施を含めた実地調査を行ったことがあり，かつ，当該不動産の個別的要因について，直近に行った鑑定評価の価格時点と比較して重要な変化がないと客観的に認められる場合は，内覧の全部又は一部の実施について省略することができる。

この場合，鑑定評価報告書の作成に当たっては，当該不動産の個別的要因に重要な変化がないと判断した根拠について記載する。

内覧を省略できる場合及び鑑定評価報告書への記載事項等
「留意事項」総論第8章，第9章

③ 証券化評価における個別的要因の調査に当たって留意すべき事項について

237

不動産証券化商品の投資家を保護するために不動産鑑定評価の果たす役割は大きく、また、証券化対象不動産の鑑定評価（証券化評価）には極めて高度な説明責任が求められている。

証券化評価における説明責任

　したがって、証券化評価に当たっては、安易に想定上の条件や調査範囲等条件等を設定して個別的要因を考慮外とすることは許されず、証券化対象不動産の個別的要因の調査等に当たっては、証券化対象不動産の物的・法的確認を確実かつ詳細に行うため、依頼された証券化対象不動産の鑑定評価のための実地調査について、依頼者（依頼者が指定した者を含む。）の立会いの下、対象不動産の内覧の実施を含めた実地調査を行うとともに、対象不動産の管理者からの聴聞等により権利関係、公法上の規制、アスベスト等の有害物質、耐震性及び増改築等の履歴等に関し鑑定評価に必要な事項を確認しなければならない。

証券化評価における個別的要因の調査等「基準」各論第3章

　同一の証券化対象不動産の再評価を行う場合における物的確認については、内覧の全部又は一部の実施について省略することができる。この場合においては、専門性の高い個別的要因（土壌汚染、地震リスク等）ついても、直近に行った鑑定評価の価格時点と比較して重要な変化がないと認められることが必要であるほか、実地調査に関する鑑定評価報告書への記載事項（実地調査を行った年月日、立会人及び対象不動産の管理者の氏名及び職業等）に加え、直近に行った鑑定評価の価格時点と比較して当該不動産の個別的要因に重要な変化がないと判断した理由について記載する。

証券化評価において内覧を省略する際の留意点「留意事項」各論第3章

　なお、証券化対象不動産は貸家及びその敷地であることが多く、特に賃貸マンションや賃貸オフィスの場合、賃借人の承諾が得られないため、再評価でなくても内覧の一部を省略せざるを得ない場合があることにも留意が必要である。この場合、内覧できない部分については空室部分の内覧や建物竣工図との照合、立会人からの聴取による推定等を踏まえて確認を行うとともに、鑑定評価報告書にも内覧した範囲等を明確に示す必要がある。

補足

以　上

解　説

　本問は，「基準」総論第3章の個別的要因を中心に，総論第8章と各論第3章を絡めた問題である。

　小問(1)は，①②とも「基準」「留意事項」からの引用でほぼ完璧に解答できる。上位概念として価格形成要因の意義，個別的要因の定義等に触れてから，①は建物の各用途に共通する個別的要因を例示し，設問の5つの要因に係る留意事項をそれぞれ述べ，②は事務所ビルについて特に留意すべき個別的要因を述べること。解答例のように「基準」「留意事項」の文言に少し補足があると良い。

　小問(2)も，「基準」「留意事項」からの引用で解答できるが，「建物等と敷地との適応の状態」について，総論第4章の均衡の原則を挙げて補足等できれば加点対象になると思われる。

　小問(3)は，対象不動産の物的確認において内覧の全部又は一部を省略することができる場合の具体例については，総論第8章の「留意事項」に即して述べ，証券化評価における個別的要因の調査上の留意点については，各論第3章の「基準」「留意事項」に即して述べれば，それぞれ完璧な解答となる。ただし，各論第3章の「留意事項」をどこまで引用するかは出題者の意図が掴みきれないため（内覧の省略に限定するのか，証券化評価全般についてなのか），受験生の間でも解答は分かれたものと思われる。ただし，「留意事項」がノーマークであっても，証券化評価で重要な「高度な説明責任」という観点を念頭に解答できていれば，解答例と異なる内容であっても合格点はとれるはずである。

問題②　不動産の賃料の鑑定評価について，次の各設問に答えなさい。
(1)　実質賃料とはどのような賃料か述べなさい。また，実質賃料がどのようなものから成り立っているか説明しなさい。
(2)　支払賃料とはどのような賃料か述べなさい。また，実質賃料との関係について説明しなさい。
(3)　賃料の鑑定評価においては，その一般的留意事項として，賃料の算定の期間に対応して，実質賃料を求めることが原則とされているが，支払賃料を求めることができるのはどのような場合か説明しなさい。
(4)　支払賃料の鑑定評価を依頼された場合において，鑑定評価額を鑑定評価報告書に記載するに当たり留意すべき事項について説明しなさい。
(5)　賃貸借等の契約に当たって授受される一時金について，次の各問に答えなさい。
　①　賃料の前払的性格を有する一時金について，その特徴を説明しなさい。
　②　預り金的性格を有する一時金について，その特徴を説明しなさい。

解答例

小問(1)

　不動産の賃料は，当該不動産の経済的残存耐用年数のうち一部の期間（賃料算定期間）において，賃貸借契約等に基づき使用収益することを基礎として生ずる経済価値を貨幣額で表示したものである。

《不動産の賃料》

　実質賃料とは，賃料の種類の如何を問わず賃貸人等に支払われる賃料の算定の期間に対応する適正なすべての経済的対価をいい，純賃料及び不動産の賃貸借等を継続するために通常必要とされる諸経費等（必要諸経費等）から成り立つものである。

《実際賃料の定義　「基準」総論第7章》

　純賃料とは，賃貸人等が収受しうるネットの賃料収入をいう。また，当該純賃料を得るために負担すべき必要諸経費等としては，次のものがあげられる。

《実質賃料の構成要素　「基準」総論第7章》

　①減価償却費（償却前の純収益に対応する期待利回りを用いる場合には，計上しない。），②維持管理費（維持費，管理費，修繕費等），

③公租公課（固定資産税，都市計画税等），④損害保険料（火災，機械，ボイラー等の各種保険），⑤貸倒れ準備費，⑥空室等による損失相当額。

小問(2)

支払賃料とは，各支払時期に支払われる賃料をいい，契約に当たって，権利金，敷金，保証金等の一時金が授受される場合においては，当該一時金の運用益及び償却額と併せて実質賃料を構成するものである。

支払賃料の定義
「基準」総論第7章

支払賃料と実質賃料との関係は，支払賃料は各支払時期に支払われる賃料に過ぎず，実質賃料の構成要素の1つと捉えられる。不動産の賃貸借に際しては一時金が授受されることが一般的であることから，賃料の鑑定評価においては，実質賃料とともにその構成要素である支払賃料を求めることができる。

実質賃料と支払賃料の関係

なお，慣行上，建物及びその敷地の一部の賃貸借に当たって，水道光熱費，清掃衛生費，冷暖房費等がいわゆる付加使用料，共益費等の名目で支払われる場合もある。これらは本来賃料を構成するものではないが，これらのうちには実質的に賃料に相当する部分が含まれている場合があることに留意する必要がある。

付加使用料等の取扱い
「基準」総論第7章

以上より，実質賃料は，①支払賃料，②預り金的性格を有する一時金の運用益，③賃料の前払的性格を有する一時金の運用益及び償却額及び④共益費等のうち実費超過分の金額を加えたものから構成されているといえる。

実質賃料と支払賃料の関係式

小問(3)

題意のとおり，賃料の鑑定評価は，対象不動産について，賃料の算定の期間に対応して，実質賃料を求めることを原則とし，賃料の算定の期間及び支払いの時期に係る条件並びに権利金，敷金，保証金等の一時金の授受に関する条件が付されて支払賃料を求めることを依頼された場合には，実質賃料とともに，その一部である支払賃料を求めることができるものとする。

賃料を求める場合の一般的留意事項
「基準」総論第7章

契約に当たって一時金が授受される場合における支払賃料は，実質賃料から，当該一時金について賃料の前払的性格を有する一時金の運用益及び償却額並びに預り金的性格を有する一時金の運用益を

支払賃料の求め方
「基準」総論第7章

控除して求めるものとする。

　鑑定評価によって求められる支払賃料は，実質賃料を構成する他の要素を控除することによって求められるものであり，その性格は名目的なものである。

　よって，支払賃料を求めることができる場合としては，契約に当たって一時金の授受を前提とする場合において，当該一時金の金額が把握でき，その運用益及び償却額を適切に控除しうる場合が挙げられる。

　また，建物賃貸借において，賃料の支払時期を期首とする場合，期末まで当該賃料の運用が可能となることから，当該支払時期に対応する運用益を控除することにより純然たる支払賃料を求めることができる。

　さらに，小問(2)で述べた共益費等のうち実費超過分の金額が含まれる場合，超過分は実質的に賃料と同視しうることから，当該金額を適切に査定できる場合においても，当該金額を控除することにより適切な支払賃料を査定することができる。

支払賃料を求めることができる場合の説明

小問(4)

　鑑定評価報告書は，不動産の鑑定評価の成果を記載した文書であり，不動産鑑定士が自己の専門的学識と経験に基づいた判断と意見を表明し，その責任を明らかにすることを目的とするものである。

鑑定評価報告書の意義「基準」総論第9章

　支払賃料の鑑定評価を依頼された場合における鑑定評価額の記載は，支払賃料である旨を付記して支払賃料の額を表示するとともに，当該支払賃料が実質賃料と異なる場合においては，かっこ書きで実質賃料である旨を付記して実質賃料の額を併記するものとする。

記載に当たり留意すべき事項①「基準」総論第9章

　また，支払賃料を求めた場合には，その支払賃料と実質賃料との関連を記載しなければならない。

記載に当たり留意すべき事項②「基準」総論第9章

　これらは，実質賃料と支払賃料の関係を明確にし，その妥当性を証明し，無用の混乱を避けるための必須記載事項である。

補足

小問(5)

① 　賃料の前払的性格を有する一時金

　　一般に礼金，権利金等と呼ばれているもので，賃貸借契約終了後も賃貸人から賃借人へ返還されないため，当該一時金の運用益

及び償却額を経済的対価として実質賃料に計上する。

　賃料の前払的性格を有する一時金の運用益及び償却額については，対象不動産の賃貸借等の持続する期間の効用の変化等に着目し，実態に応じて適切に求める必要があり，通常は，当該一時金に運用利回りと賃借人の平均契約期間等に基づく元利均等償却率を乗じて求めることが多い。

② 預り金的性格を有する一時金

　一般に敷金，保証金等と呼ばれているもので，いずれも賃料滞納等の債務不履行を担保するための一時金であり，通常，契約終了後に賃貸人から賃借人へ返還されるため，当該一時金の償却不可な部分の運用益のみを経済的対価として実質賃料に計上する。

　運用益は，当該一時金に運用利回りを乗じることにより求めるものであり，運用利回りは，賃貸借等の契約に当たって授受される一時金の性格，賃貸借等の契約内容並びに対象不動産の種類及び性格等の相違に応じて，当該不動産の期待利回り，不動産の取引利回り，長期預金の金利，国債及び公社債利回り，金融機関の貸出金利等を比較考量して決定するものとする。

　なお，「敷金」名目の一時金であっても，その金額の一部は賃貸人が償却し賃借人に返還されないことを前提とする契約等もあり，この場合，当該償却部分は，実質的には賃料の前払的性格を有する一時金に分類される。したがって，一時金の性格については，その名称の如何を問わず，契約内容等を確認して個別に判定することが必要である。

　また，上記の一時金のほかに営業権の対価又はのれん代に相当する金銭が支払われる場合があるが，これらは原則として不動産に帰属するものではないのでその運用益等は実質賃料に含まれない。

以　上

欄外注記

- 賃料の前払的性格を有する一時金とその特徴　「基準」総論第7章
- 預り金的性格を有する一時金とその特徴　「基準」総論第7章
- 留意点①
- 留意点②

解　説

　本問は，「基準」総論第7章の「賃料を求める場合の一般的留意事項」から，実質賃料と支払賃料それぞれの概念についての理解を問う基本的な問題である。

　小問(1)は，「基準」に即して，実質賃料の定義と構成要素を述べればよい。必要諸経費等の内容について「積算法」から引用等して述べれば加点対象となる。

　小問(2)も，「基準」に即して，支払賃料の定義と実質賃料との関係を述べればよい。共益費等の名目の金銭の扱いも忘れずに述べてほしい。なお，一時金についての具体的説明は小問(5)で述べること。

　小問(3)は，実質賃料と支払賃料の概念を「基準」に即して述べてから，支払賃料が名目的なものに過ぎない点を明確にした上で，「一時金の授受を前提とする場合」「賃料の支払時期を期首とする場合」等，実質賃料≠支払賃料となる具体例を挙げればよい。

　小問(4)は，「基準」総論第9章の規定を引用すればよい。鑑定評価報告書の作成指針等に言及してもよいが，各小問のバランスを考慮し，コンパクトにまとめてほしい。

　小問(5)は，一時金の「一般的な名称」「性格」「特徴（実質賃料との関係）」について問う基本問題である。①②それぞれについて，解答例とほぼ同等の解答が求められる。

— MEMO —

問題③　限定価格について，次の各設問に答えなさい。

　(1)　価格の種類のうち限定価格とはどのような価格か。不動産の鑑定評価によって求める価格の種類がどのように判断され，明確にされるべきかという点に言及しつつ，説明しなさい。

　(2)　限定価格を求める場合の例として，借地権者が底地の併合を目的とする売買に関連する場合が挙げられる理由を説明しなさい（借地権及び底地とは何かについて説明する必要はない）。

　(3)　次の事例において，Ａ土地に隣接するＢ土地の所有者がＡ土地を取得する場合に，価格の種類を限定価格として求めることができる理由を説明しなさい。

【事例】
　○　Ａ土地：不整形地である角地。画地規模600㎡。
　○　Ｂ土地：不整形地である中間画地。画地規模400㎡。Ａ土地に隣接している。
　○　Ｃ土地：Ａ土地及びＢ土地の併合により形成される長方形状の角地。画地規模1,000㎡。
　○　Ａ土地，Ｂ土地及びＣ土地は，いずれも更地。
　○　Ａ土地，Ｂ土地及びＣ土地は，いずれも繁華性の優れた商業地域（指定建蔽率80％，指定容積率600％，防火地域）に存する。
　○　Ａ土地，Ｂ土地及びＣ土地の最有効使用は，いずれも高層事務所ビル用地。

解答例

小問(1)

　不動産の鑑定評価によって求める価格は，基本的には正常価格であるが，多様な不動産取引の実態等に即応するため，鑑定評価の依頼目的に対応した条件により限定価格，特定価格又は特殊価格を求める場合があるので，依頼目的に対応した条件を踏まえて価格の種類を適切に判断し，明確にすべきである。なお，評価目的に応じ，

価格の種類
「基準」総論第
5章

特定価格として求めなければならない場合があることに留意しなければならない。

限定価格とは，市場性を有する不動産について，不動産と取得する他の不動産との併合又は不動産の一部を取得する際の分割等に基づき正常価格と同一の市場概念の下において形成されるであろう市場価値と乖離することにより，市場が相対的に限定される場合における取得部分の当該市場限定に基づく市場価値を適正に表示する価格をいう。

限定価格は，不動産の併合や分割に係る売買等に関連し，当該併合又は分割前の不動産の正常価格と乖離する価値の増減が発生することにより，市場参加者が特定当事者間に限定される場合に求める価格であり，第三者が参入する余地はなく，当該当事者間にのみ経済合理性の認められる価格である。この点において，限定価格は，第三者が参入する合理的な市場を前提とした正常価格と異なる。

したがって，鑑定評価で求める価格は基本的には正常価格であるが，鑑定評価の依頼目的が売買の参考で，下記小問(2)〜(3)等の売買に関連して正常価格と乖離する価値の増分が発生する場合には限定価格を求めるべきと判断される。

この場合，鑑定評価報告書にて「隣接不動産の併合を前提とした鑑定評価を行う」等の依頼目的に対応した条件を設定し，正常価格の前提となる諸条件を満たさないため求める価格の種類は限定価格である旨を明確に記載すべきである。

併せて，限定価格を求めた場合は，両者の違いを明確にし，無用の混乱を避けるため，かっこ書きで正常価格である旨を付記して正常価格を併記しなければならない。

また，正常価格と乖離する価値の増減が発生しない場合には，限定価格として求めることはできず，正常価格として求める。

小問(2)

限定価格を求める場合を例示すれば，次のとおりである。

1．借地権者が底地の併合を目的とする売買に関連する場合

2．隣接不動産の併合を目的とする売買に関連する場合

3．経済合理性に反する不動産の分割を前提とする売買に関連す

（欄外注記）
限定価格の定義「基準」総論第5章

限定価格の特徴

鑑定評価報告書の記載「基準」総論第9章

増分価値が発生しない場合

限定価格を求める場合「基準」総論第5章

る場合

底地を当該借地権者人が買い取る場合における底地の鑑定評価に当たっては、当該宅地又は建物及びその敷地が同一所有者に帰属することによる市場性の回復等に即応する経済価値の増分が生ずる場合があることに留意すべきである。

借地権者が底地を併合する場合の価格の種類
「基準」各論第1章

借地権者が底地を併合する場合には、これにより借地権の存する土地が完全所有権に復帰することとなる。借地契約により土地の最有効使用が制約されている場合等で、借地権と底地の価格の合計が更地又は建付地価格を下回る場合には、併合により借地契約上の制限がなくなり、土地の最有効使用が可能となることから、当該土地に増分価値が生ずることとなる。この場合、買い手である借地権者にとっては、底地を正常価格より高い価格で買っても経済合理性が成り立つ。したがって、第三者が介入する余地がなくなり、市場が相対的に限定されるため求める価格の種類は原則として限定価格となる。

借地権者が底地を併合する場合に求める価格が限定価格となる理由

小問(3)

ある土地を隣接地と併合した場合、併合後の土地の価格が、併合前のそれぞれの土地の価格の合計額より高くなることがあるが、これは、併合前のそれぞれの土地の最有効使用に比し、併合後の土地の最有効使用が上昇し、増分価値が生じるためである。この場合、買い手である隣接不動産の所有者にとっては、対象不動産を正常価格より高い価格で買っても経済合理性が成り立つ。したがって、第三者が介入する余地がなくなり、市場が相対的に限定されるため求める価格の種類は原則として限定価格となる。

隣接不動産を併合する場合に求める価格が限定価格となる理由

本問の場合、B土地の所有者がA土地を取得、併合しC土地となれば、中間画地から角地となり、不整形地が長方形地になるため、建蔽率の緩和や視認性の上昇、建物配置の自由度が増し、規模も400㎡から1,000㎡になるため、基準階の広い高層事務所ビルの建築が可能となるため、併合によりB土地の利用効率が上昇すると考えられる。

そのため、A土地及びB土地の正常価格の合計をC土地の正常価格が上回り、増分価値が発生すると考えられる。この場合にB土地

設問の場合に求める価格が限定価格となる理由

の所有者はＡ土地を正常価格よりも高い価格で取得しても経済合理性が成り立つ。したがって，第三者が介入する余地がなくなり，市場が相対的に限定されるため求める価格の種類は原則として限定価格となる。

　Ａ土地の限定価格は，まず，併合前のＡ土地，Ｂ土地のそれぞれの正常価格と併合後のＣ土地の正常価格を求め，このＣ土地の正常価格から併合前のＡ土地とＢ土地の正常価格の合計額を控除して併合による増分価値を求める。次に，この増分価値のうちＡ土地に配分されるべき適正な額を，単価比，面積比，総額比，買入限度額比等の方法によって求め，この配分額をＡ土地の正常価格に加算してＡ土地の限定価格を求める。

以　上

（補足（隣接地の併合に係る限定価格の求め方））

解　説

　本問は，「基準」総論第５章の「価格の種類」から「限定価格」に着目した問題である。

　小問(1)は，「基準」を中心に，鑑定評価によって求める価格の種類，限定価格の定義，特徴を述べること。「価格の種類がどのように判断され，明確にされるべきかに言及しつつ」との指定があり，どこまで深く掘り下げるかがやや悩ましいが，該当する総論第５章の「基準」を引用してさえいれば，解答例のように鑑定評価報告書の記載事項で補足しても良いし，「基準」総論第１章を引用し，「鑑定評価によって求める価格が基本的に正常価格となる理由」について補足してもよいだろう。正常価格の定義等も引用し，正常価格との違いを説明することも考えられ，この部分は自由度が高く，受験生なりにまとめられれば及第点であろう。

　小問(2)は，借地権及び底地についての一般的な説明については題意により不要であるが，両者の受ける経済的不利益（契約減価）に留意しつつ，併合によって完全所有権となることにより生じる増分価値が限定価格の要件となる点を説明してほしい。この論点については基本テキストに十分な説明があるので，これに準拠しつつ受験生なりにまとめられればよい。解答例のように「基準」各論第１章の文言を引用できれば，より厚みのある解答となる。なお，補足として，底地権者が借地権を併合する場合等について書いてもよい。

小問(3)も，基本テキストに準拠した説明が中心となるが，具体的な事例が与えられているのでこれに合わせた記述も簡潔に行うこと。解答例のように限定価格を求める手順（併合前後の正常価格の査定→併合による増分価値の査定→増分価値の配分）等を説明すれば加点事由となる。

— MEMO —

問題④　収益還元法及び事業用不動産に関する次の各設問に答えなさい。

(1)　収益還元法の定義について，どのような場合に収益還元法が有効であるかに言及しつつ，簡潔に説明しなさい。

(2)　賃貸以外の事業の用に供する不動産の総収益の算定方法について，説明しなさい。

(3)　事業用不動産の鑑定評価に関する次の各問に答えなさい。

①　事業用不動産の定義について，簡潔に説明しなさい。また，事業用不動産の例として，「病院，有料老人ホーム等の医療・福祉施設」が挙げられるが，それ以外の例を３つ挙げなさい。

②　事業用不動産の収益性の分析に当たり，依頼者から事業計画が提出された際に留意すべき事項について説明しなさい。また，事業用不動産が現に賃貸借の用に供されている場合において，総収益の把握に当たり留意すべき事項について説明しなさい。

③　不動産の価格に関する諸原則のうち，事業用不動産の総収益の把握に際し深い関連性を有する原則を１つ挙げ，当該原則について，簡潔に説明しなさい（ただし，「予測の原則」を除く）。

解答例

小問(1)

　収益還元法は，対象不動産が将来生み出すであろうと期待される純収益の現在価値の総和を求めることにより対象不動産の試算価格（収益価格）を求める手法である。

> 収益還元法の定義
> 「基準」総論第7章

　収益還元法は，価格の三面性（費用性，市場性及び収益性）のうち特に収益性に着目した手法であることから，現に収益を生み出している賃貸用不動産又は賃貸以外の事業の用に供する不動産の価格を求める場合に特に有効である。また，更地や自用のマンションのように現に収益を生み出していない不動産であっても，現実の市場で賃貸を想定することが可能な不動産であれば，収益還元法を適用することができるが，文化財や宗教建築物等のように賃貸需要がなく，賃貸想定が困難な不動産については，その適用は困難である。

> 収益還元法の有効性・困難性
> 「基準」総論第7章

小問(2)

　賃貸用不動産とは，賃貸事務所ビル，賃貸マンション，賃貸運営型の物流倉庫・ホテル等，賃借人からの賃料収入が収益源となる不動産を意味し，このような不動産の純収益は，賃貸経営に基づく総収益から総費用を控除して求める。

右注: 賃貸用不動産の具体例

　賃貸用不動産の総収益は，一般に，支払賃料に預り金的性格を有する保証金等の運用益，賃料の前払的性格を有する権利金等の運用益及び償却額並びに駐車場使用料等のその他収入を加えた額とする。

右注: 賃貸用不動産の総収益の求め方「基準」総論第7章

　一方，賃貸以外の事業の用に供する不動産とは，自社用事務所ビル，企業用社宅・寮，工場，所有者直営型の物流倉庫・ホテル・商業施設・病院・老人ホーム等，当該事業形態に応じたそれぞれの売上が収益源となる不動産を意味し，このような不動産の純収益は，基本的に当該事業経営に基づく総収益から総費用を控除して求める。

右注: 賃貸以外の事業の用に供する不動産の具体例

　賃貸以外の事業の用に供する不動産の総収益は，一般に，①売上高とする。ただし，賃貸以外の事業の用に供する不動産であっても，②売上高のうち不動産に帰属する部分をもとに求めた支払賃料等相当額，又は，③賃貸に供することを想定することができる場合における支払賃料等をもって総収益とすることができる。

右注: 賃貸以外の事業の用に供する不動産の総収益の求め方「基準」総論第7章

　このうち，②の方法は，例えば，都市部におけるビジネスホテルや老人ホーム等のように，類似の不動産の賃貸借等の事例の収集や要因比較までは困難だが，当該不動産に係る賃貸借の慣行が相当程度認められる場合に，収益分析法を適用（又は準用）し，売上高のうち不動産に帰属する部分を基に求めた支払賃料等相当額をもって総収益とするものである。

右注: 総収益の求め方（例外その1（②））

　また，③の方法は，例えば，自社用オフィスビルや物流倉庫等のように，賃貸借の市場が成熟し，類似の不動産の賃貸借等の事例の収集や要因比較が可能な場合に，賃貸事例比較法を適用（又は準用）し，類似不動産の賃貸事例と比較して求めた支払賃料等をもって総収益とするものである。

右注: 総収益の求め方（例外その2（③））

　これら②及び③の方法は，実際の企業経営に基づく「売上高」をベースとする①の方法よりも，賃貸事業を想定し，収支の振れ幅が比較的少なく，また水準としても認識しやすい「賃料」をベースと

右注: 賃料手法を活用して総収益を求める方法の意義

することで，より安定的，客観的な純収益を求めようとするものである。

小問(3)

1．設問①について

　　事業用不動産とは，賃貸用不動産又は賃貸以外の事業の用に供する不動産のうち，その収益性が当該事業（賃貸用不動産にあっては賃借人による事業）の経営の動向に強く影響を受けるものをいう。

事業用不動産
の定義
「留意事項」総
論第7章

　　事業用不動産の具体例としては，設問の「病院，有料老人ホーム等の医療・福祉施設」のほか，①ホテル等の宿泊施設，②ゴルフ場等のレジャー施設，③百貨店や多数の店舗により構成されるショッピングセンター等の商業施設等が挙げられる。

事業用不動産
の具体例
「留意事項」総
論第7章

2．設問②について

(1)　事業用不動産の収益性の分析について

　　事業用不動産は，景気の変動，社会環境の変化，経営主体による営業方針の変化等が，その都度，売上に直接影響しやすいため，毎期の収支が大きく変動することがある。

事業用不動産
の収益変動の
特徴

　　したがって，事業用不動産に係る収益性の分析に当たっては，事業経営に影響を及ぼす社会経済情勢，当該不動産の存する地域において代替，競争等の関係にある不動産と比べた優劣及び競争力の程度等について中長期的な観点から行うことが重要である。また，依頼者等から提出された事業実績や事業計画等は，上記の分析における資料として有用であるが，当該資料のみに依拠するのではなく，当該事業の運営主体として通常想定される事業者（運営事業者）の視点から，当該実績・計画等の持続性・実現性について十分に検討しなければならない。

事業用不動産
の収益性の分
析に当たって
の留意点
「留意事項」総
論第7章

　　依頼者から提出された事業計画は有用な資料となるが，これを鵜呑みにするのではなく，過年度の事業実績や同様の業種の統計資料，精通者意見等も踏まえて，価格時点現在の状況のみならず中長期的な観点から当該事業の継続性，収益の安定性等を検証しなければならない。

依頼者から事
業計画が提出
された際の留
意点

(2)　事業用不動産が賃貸されている場合の総収益の把握の際の留

意点

事業用不動産が現に賃貸借に供されている場合においては，現行の賃貸借契約における賃料と，事業採算性の観点から把握した適正な賃料水準との関係について分析を行うことが有用である。すなわち，設問のように事業用不動産が現に賃貸借の用に供されている場合には，現実に収受されている実際支払賃料を採用するのが原則であり，総収益は原則として小問(2)で述べた賃貸用不動産の項目を採用して求めるが，当該賃料の継続性，安定性等は収益分析法等で求めた支払賃料等相当額（事業採算性の観点から把握した適正な賃料水準）との比較等により十分に検証しなければならない。

> 事業用不動産が賃貸されている場合の総収益の把握の際の留意点
> 「留意事項」総論第7章

この場合においては，将来における事業経営の動向を中長期的な観点から分析し，当該賃料等が，相当の期間，安定的に収受可能な水準であるかについて検討する必要がある。

> 補足
> 「留意事項」総論第7章

3．設問③について

不動産の鑑定評価は，その不動産の価格の形成過程を追究し，分析することを本質とするものであるから，不動産の経済価値に関する適切な最終判断に到達するためには，鑑定評価に必要な指針としてこれらの法則性を認識し，かつ，これらを具体的に現した諸原則を活用すべきである。

> 価格諸原則の意義
> 「基準」総論第4章

設問の原則は「収益配分の原則」である。

不動産，資本，労働及び経営（組織）の各要素の結合によって生ずる総収益は，これらの各要素に配分される。したがって，このような総収益のうち，資本，労働及び経営（組織）に配分される部分以外の部分は，それぞれの配分が正しく行われる限り，不動産に帰属するものである（収益配分の原則）。

> 収益配分の原則の指摘，定義
> 「基準」総論第4章

事業用不動産は，経営主体による営業方針等により収益性が大きく左右されるなど個別性が強い不動産であることから，事業用不動産の総収益の把握に当たっては，収益配分の原則を活用し，各要素の結合によって生ずる収益を，不動産以外の各要素（資本，労働，経営等）の貢献度に応じて配分することにより，不動産に帰属する収益を適切に求めることが必要である。

> 収益配分の原則の活用

なお，事業用不動産について，運営事業者が通常よりも優れた能力を有することによって生じる超過収益は，本来，運営事業者の経営等に帰属するものであるが，賃貸借契約において当該超過収益の一部が不動産の所有者に安定的に帰属することについて合意があるときには，当該超過収益の一部が当該事業用不動産に帰属する場合があることに留意すべきであり，当該超過収益の計上の有無や程度の判断等に当たっても収益配分の原則を活用すべきである。

事業用不動産の超過収益に係る留意点「留意事項」総論第7章

以　上

解　説

　本問は，「基準」総論第7章から，収益還元法に関する出題で，特に「事業用不動産」に着目した問題である。

　小問(1)は，収益還元法の基本論点で，収益還元法の定義・特徴・有効性・困難性をコンパクトに述べればよい。

　小問(2)は，「賃貸用不動産」，「賃貸以外の事業の用に供する不動産」の定義は基準上明記されていないが，「賃貸用不動産」＝「賃料収入が収益源となる不動産」であり，一方の「賃貸以外の事業の用に供する不動産」＝「売上が収益源となる不動産」であることを述べた上で，「賃貸以外の事業の用に供する不動産」の総収益の求め方を基準に即して述べること。また，解答例のように例外規定について補足説明が求められる。

　小問(3)は，「事業用不動産」を正面から問う問題で，各設問毎に基準・留意事項に即して丁寧に解答することが求められる。なお，設問③は「収益配分の原則」以外の原則（「変動の原則」等）を採用することも可能であるが，最も関連性が高い原則として「収益配分の原則」を挙げることが望ましいと考える。

――― MEMO ―――

問題1 地域の種別及び地域要因について，次の各設問に答えなさい。

(1) 地域の種別について説明しなさい。

(2) 宅地地域のうち商業地域について，その1つである高度商業地域の定義を述べなさい。

(3) 商業地域特有の地域要因のうち，高度商業地域の地域分析で特に重要視されるべきものを2つ挙げ，それぞれについてその理由を簡潔に述べなさい。

解答例

小問(1)

① 種別の意義等

不動産の鑑定評価においては，不動産の地域性並びに有形的利用及び権利関係の態様に応じた分析を行う必要があり，その地域の特性等に基づく不動産の種類ごとに検討することが重要である。

不動産の種類とは，不動産の種別及び類型の二面から成る複合的な不動産の概念を示すものである。

不動産の種別とは，不動産の用途に関して区分される不動産の分類をいう。

不動産の種別は，地域の種別と土地の種別に分けられ，地域の種別は，宅地地域，農地地域，林地地域等に分けられる。

② 種別が経済価値を決定づける理由

不動産は，他の不動産と共に，用途的に同質性を有する地域（用途的地域）を構成してこれに帰属することを通常とし（不動産の地域性），地域はその規模，構成の内容，機能等にわたってそれぞれ他の地域と区別されるべき特性を有している（地域の特性）。不動産の属する用途的地域は，他の用途的地域との相互関係を通じて，その社会的及び経済的位置を占め，また，個別の不動産は，地域内の他の不動産との代替・競争関係を通じて，その社会的及び経済的な有用性を発揮する。すなわち，不動産の属す

> 不動産の種類
> 「基準」総論第
> 2章

> 種別の定義・
> 分類
> 「基準」総論第
> 2章

> 種別が経済価値を決定づける理由
> 「基準」総論第
> 2章

る地域では，その特性に応じて価格水準が形成され，個別の不動産は，その地域の価格水準という大枠の下で価格が個別的に形成されるのである。

したがって，不動産の種別（不動産の用途による分類）は不動産の経済価値を本質的に決定づけるものであるから，この分析をまって初めて精度の高い不動産の鑑定評価が可能となるものである。

③　種別判定上の留意点

種別の判定に当たっては，以下の3点に特に留意すべきである。

a．合理的用途としての分類

種別の判定に当たっては，「現にどのように用いられているか」という現況主義を採用することは妥当ではなく，「自然的，社会的，経済的及び行政的観点からみて合理的か否か」という基準を重視して，鑑定評価の主体，すなわち不動産鑑定士が巨視的，客観的観点から適切に判断すべきである。

合理的用途としての分類

b．分類の細分化

宅地地域は，一般的に，地域自体の発展にしたがって，その内部において用途的に細分化する傾向を持っており，地域の種別は，極力細分化された分類によってとらえることが望ましく，これにより鑑定評価の精度は高まる。

分類の細分化

c．動態的観点

不動産の属する地域は固定的なものではなくて，常に拡大縮小，集中拡散，発展衰退等の変化の過程にあるものであるから，種別の判定は常に動態的観点から行わなければならない。

動態的観点「基準」総論第1章

小問(2)

不動産の種別の分類は，不動産の鑑定評価における地域分析，個別分析，鑑定評価手法の適用等の各手順を通じて重要な事項となっており，これらを的確に分類，整理することは鑑定評価の精密さを一段と高めることとなるものである。

種別細分の意義「留意事項」総論第2章

宅地地域のうち商業地域とは，商業活動等の用に供される建物，構築物等の敷地の用に供されることが，自然的，社会的，経済的及び行政的観点からみて合理的と判断される地域をいい，その規模，

商業地域の定義，細分類「基準」総論第2章

構成の内容，機能等に応じた細分化が考えられる。

　商業地域について細分化すると，高度商業地域，準高度商業地域，普通商業地域，近隣商業地域，郊外路線商業地域に分類される。

　設問の高度商業地域は，例えば，大都市（東京23区，政令指定都市等）の都心又は副都心にあって，広域的商圏を有し，比較的大規模な中高層の店舗，事務所等が高密度に集積している地域であり，高度商業地域の性格に応じて，さらに，一般高度商業地域，業務高度商業地域，複合高度商業地域の3つの細分類が考えられる。

　一般高度商業地域とは，主として繁華性，収益性等が極めて高い店舗が高度に集積している地域である。

　業務高度商業地域とは，主として行政機関，企業，金融機関等の事務所が高度に集積している地域である。

　複合高度商業地域とは，店舗と事務所が複合して高度に集積している地域である。

高度商業地域の定義
「留意事項」総論第2章

小問(3)

　不動産の価格は，一般に，不動産の効用及び相対的稀少性並びに不動産に対する有効需要の三者の相関結合によって生ずる不動産の経済価値を，貨幣額をもって表示したものである。

　不動産の価格を形成する要因（以下「価格形成要因」という。）とは，この三者に影響を与える要因をいい一般的要因，地域要因及び個別的要因に分けられる。

価格形成要因の意義
「基準」総論第1章，第3章

　地域要因とは，一般的要因の相関結合によって規模，構成の内容，機能等にわたる各地域の特性を形成し，その地域に属する不動産の価格の形成に全般的な影響を与える要因をいう。小問(1)で述べたとおり，一般に，個別の不動産の価格は，地域の価格水準という大枠の下で個別的に形成されることから，鑑定評価を行うに当たっては，対象不動産の存する地域について分析する地域分析が必要となる。

地域要因の定義等
「基準」総論第3章

　地域分析とは，その対象不動産がどのような地域に存するか，その地域はどのような特性を有するか，また，対象不動産に係る市場はどのような特性を有するか，及びそれらの特性はその地域内の不動産の利用形態と価格形成について全般的にどのような影響力を持っているかを分析し，判定することをいう。

地域分析の定義
「基準」総論第6章

260

　不動産の鑑定評価を行うに当たっては，価格形成要因を市場参加者の観点から明確に把握し，諸要因間の相互関係を十分に分析して，前記三者に及ぼすその影響を判定することが必要である。

　通常，地域の種別ごとに市場参加者は異なり，不動産に期待する効用の尺度も異なることから，地域の種別ごとに重視すべき要因（地域要因）が異なる。高度商業地域における典型的な需要者としては「機関投資家」「大手法人」等が考えられ，彼らが重視するのは高度の収益性（高度利用の可能性，業務利便性，繁華性，地域の品等等）である。

　高度商業地域の地域分析で特に重要視されるべき地域要因は以下のとおりである。

① 容積率（行政上の助成及び規制の程度）

　容積率は，建物の高度利用可能性を左右する重要な地域要因であり，特に高度商業地域は広域的な商圏を有し，地域全体で高い集客力を有するため，建物を高層化してもそれに応じた顧客の購買需要，テナントの賃貸需要等が認められるのが通常であり，建物を高度利用すればするほど収益性，投資採算性が高まるため，一般的に容積率に比例して価格が高くなる傾向がある。

② 街路の幅員（街路の回遊性，アーケード等の状態）

　商業地域において街路の幅員が広いことは，客足の流動性が優れること，視認性が優れること等から顧客誘引力が高まり，増価要因ととらえられる。特に高度商業地域の場合，建物が高度利用され，多数の店舗が集積していることから，それに応じて顧客数も多く，街路の幅員が狭いと客動線が阻害されるため，街路の幅員はある程度以上広いことが望ましい。さらに，幅員が狭いと，斜線制限，基準容積率等の規制によって上記①の容積率が阻害される面もある。

以　上

右欄注記：
- 要因把握上の留意点「基準」総論第3章
- 高度商業地域において重視すべき地域要因
- 容積率について「基準」総論第3章
- 街路の幅員について「基準」総論第3章

　本問は，「基準」総論第2章の「地域の種別」と総論第3章の「地域要因」についての理解を問う問題である。

　小問(1)は，「種別の意義」を切り口に，「種別が経済価値を決定づける理由」，「地域の種別の分類」，「種別判定上の留意点」，といった基本論点を丁寧に論じていけばよい。

　小問(2)は，種別細分の意義，商業地域の定義，高度商業地域の定義等を「基準」「留意事項」に即して述べればよい。さらに，高度商業地域をさらに細分化した地域（一般・業務・複合）の定義を述べれば加点になるものと思われる。

　小問(3)は，過去の本試験でも頻繁に出題されている「具体的な要因と価格との関係」に関する問題であり，やや難易度は高い。地域の種別ごとに重視される要因が異なる理由をきちんと述べてから，高度商業地域において特に重要視される地域要因を挙げ，価格との関係について説明するとよい。高度商業地域における典型的な需要者としては「機関投資家」「大手法人」等が考えられ，彼らが重視するのは高度の収益性（高度利用の可能性，業務利便性，繁華性，地域の品等等）である点を示し，当該収益性と関係する具体的な地域要因を挙げて説明すると，解答に厚みが出る。解答例では「容積率」「街路の幅員」といった地域要因を挙げたが，その他，「商業施設又は業務施設の種類，規模，集積度等の状態」「繁華性の程度及び盛衰の動向」等の他の要因を挙げても構わない。なお，「地域分析」について掘り下げていくと論点がずれてしまうので，定義程度にとどめておくのが無難である。

───── MEMO ─────

問題②　不動産の鑑定評価における地域分析について，次の各設問に答えな
　　　さい。
　(1)　地域分析に当たって特に重要な地域は，近隣地域及びその類似地域
　　　並びに同一需給圏である。これに関し，次の各問に答えなさい。
　　①　近隣地域の定義を述べなさい。
　　②　類似地域の定義を述べなさい。
　　③　同一需給圏の定義を述べるとともに，同一需給圏と近隣地域及び
　　　類似地域との関係を説明しなさい。
　(2)　下記の不動産について，同一需給圏の判定に当たって特に留意すべ
　　　き基本的な事項を答えなさい。
　　①　商業地
　　②　工業地
　　③　建物及びその敷地

解答例

小問(1)

　地域分析とは，その対象不動産がどのような地域に存するか，そ
の地域はどのような特性を有するか，また，対象不動産に係る市場
はどのような特性を有するか，及びそれらの特性はその地域内の不
動産の利用形態と価格形成について全般的にどのような影響力を持っ
ているかを分析し，判定することをいう。

　　　地域分析の意
　　　義
　　　「基準」総論第
　　　6章

　設問のとおり，地域分析に当たって特に重要な地域は，用途的観
点から区分される地域（用途的地域），すなわち近隣地域及びその
類似地域と，近隣地域及びこれと相関関係にある類似地域を含むよ
り広域的な地域，すなわち同一需給圏である。

　　　地域分析に当
　　　たって特に重
　　　要な地域
　　　「基準」総論第
　　　6章

　①について

　　近隣地域とは，対象不動産の属する用途的地域であって，より
大きな規模と内容とを持つ地域である都市あるいは農村等の内部
にあって，居住，商業活動，工業生産活動等人の生活と活動とに
関して，ある特定の用途に供されることを中心として地域的にま

　　　近隣地域の定
　　　義
　　　「基準」総論第
　　　6章

とまりを示している地域をいい，対象不動産の価格の形成に関して直接に影響を与えるような特性を持つものである。

近隣地域は，その地域の特性を形成する地域要因の推移，動向の如何によって，変化していくものである。

なお，近隣地域の特性は，通常，その地域に属する不動産の一般的な標準的使用に具体的に現れるが，この標準的使用は，利用形態からみた地域相互間の相対的位置関係及び価格形成を明らかにする手掛りとなるとともに，その地域に属する不動産のそれぞれについての最有効使用を判定する有力な標準となるものである。

補足
「基準」総論第6章

②について

類似地域とは，近隣地域の地域の特性と類似する特性を有する地域であり，その地域に属する不動産は，特定の用途に供されることを中心として地域的にまとまりを持つものである。この地域のまとまりは，近隣地域の特性との類似性を前提として判定されるものである。

類似地域の定義
「基準」総論第6章

類似地域は，その地域に存する不動産についてみれば，当該不動産の近隣地域に該当するものである。

補足

③について

同一需給圏とは，一般に対象不動産と代替関係が成立して，その価格の形成について相互に影響を及ぼすような関係にある他の不動産の存する圏域をいう。それは，近隣地域を含んでより広域的であり，近隣地域と相関関係にある類似地域等の存する範囲を規定するものである。

同一需給圏の定義
「基準」総論第6章

同一需給圏は，地理的な概念として捉えることができる一方で，対象不動産と代替競争等の関係にある不動産の集合体，つまり対象不動産が属する「市場」として捉えることもできる。

補足

一般に，近隣地域と同一需給圏内に存する類似地域とは，隣接すると否とにかかわらず，その地域要因の類似性に基づいて，それぞれの地域の構成分子である不動産相互の間に代替，競争等の関係が成立し，その結果，両地域は相互に影響を及ぼすものである。

また，近隣地域の外かつ同一需給圏内の類似地域の外に存する

同一需給圏と近隣地域・類似地域との関係
「基準」総論第6章

不動産であっても，同一需給圏内に存し対象不動産とその用途，規模，品等等の類似性に基づいて，これら相互の間に代替，競争等の関係が成立する場合がある。

小問(2)

同一需給圏は，不動産の種類，性格及び規模に応じた需要者の選好性によってその地域的範囲を異にするものであるから，その種類，性格及び規模に応じて需要者の選好性を的確に把握した上で適切に判定する必要がある。

① 商業地

　商業地の同一需給圏は，高度商業地については，一般に広域的な商業背後地を基礎に成り立つ商業収益に関して代替性の及ぶ地域の範囲に一致する傾向があり，したがって，その範囲は高度商業地の性格に応じて広域的に形成される傾向がある。

　なお，業務種類が限定的な業務高度商業地（主として行政機関，企業，金融機関等の事務所が高度に集積している地域のうちにある土地）等にあっては，例外的にその地域的範囲が狭められる場合もあることに留意する。

　また，普通商業地については，一般に狭い商業背後地を基礎に成り立つ商業収益に関して代替性の及ぶ地域の範囲に一致する傾向がある。ただし，地縁的選好性により地域的範囲が狭められる傾向がある。

② 工業地

　工業地の同一需給圏は，港湾，高速交通網等の利便性を指向する産業基盤指向型工業地等の大工場地については，一般に原材料，製品等の大規模な移動を可能にする高度の輸送機関に関して代替性を有する地域の範囲に一致する傾向があり，したがって，その地域的範囲は，全国的な規模となる傾向がある。

　また，製品の消費地への距離，消費規模等の市場接近性を指向する消費地指向型工業地等の中小工場地については，一般に製品の生産及び販売に関する費用の経済性に関して代替性を有する地域の範囲に一致する傾向がある。

　なお，昨今投資対象として増加している物流施設等については，

同一需給圏の
判定上の留意
点
「基準」総論第
6 章

商業地の同一
需給圏判定上
の留意点
「基準」総論第
6 章
「留意事項」総
論第 2 章

工業地の同一
需給圏判定上
の留意点
「基準」総論第
6 章

純然たる工業地の同一需給圏の範囲と必ずしも一致するとは限らず，その投資対象となりうる不動産の存するエリア特性，賃料水準や空室率及びテナント属性等の観点からも同一需給圏の範囲を判定することが必要となる。

③　建物及びその敷地

　建物及びその敷地の同一需給圏は，一般に当該敷地の用途に応じた同一需給圏と一致する傾向があるが，当該建物及びその敷地一体としての用途，規模，品等等によっては代替関係にある不動産の存する範囲が異なるために当該敷地の用途に応じた同一需給圏の範囲と一致しない場合がある。

　例えば，対象不動産がビジネスホテルであるが，地域の標準的使用及び敷地部分の更地としての最有効使用が「中高層事務所ビルの敷地」と判定されている場合，更地に対する市場参加者（典型的な需要者）は，賃貸オフィスビルの建築，運用を企図する開発事業者や投資家である。一方，対象不動産はビジネスホテルであり，かつ現況利用の継続が最有効使用であると考えられる場合，典型的需要者はホテルの運営・賃貸運用を企図するホテル事業者や投資家である。

　このように，建物及びその敷地の最有効使用が現況利用の継続であり，かつその用途が標準的使用及び敷地部分の更地としての最有効使用と異なる場合，それぞれ需要者が異なり，選好性にも違いがあることから，通常，敷地の用途に応じた同一需給圏と建物及びその敷地の同一需給圏は一致しないと考えられることに留意すべきである。

以　上

補足

建物及びその敷地の同一需給圏判定上の留意点
「基準」総論第6章
補足

267

　本問は，「基準」総論第6章の「地域分析」のうち「特に重要な地域」に着目した問題である。

　小問(1)は，まず，上位概念として地域分析，重要な地域の意義を述べ，近隣地域，類似地域，同一需給圏の定義を正確に引用すること。同一需給圏については，同一需給圏内の不動産相互の「原則的関係」と「例外的関係」についても「基準」総論第6章を引用してほしい。上位概念や各地域の定義は基本中の基本の論点であり，合格レベルの受験生の間では差がつかないと考えられることから，同一需給圏について上記の追加事項を正確に書けたかどうかが重要である。また，「基準」のみではなく，各地域について適宜補足を行い，加点を狙ってほしい。

　小問(2)も，同一需給圏の判定に当たっては「需要者の選好性」の把握が必要である旨と，設問の各土地の種別の同一需給圏の判定に当たって留意すべき点を「基準」総論第6章を引用して述べればよい。やや応用的な論点で，「基準」を正確に覚えていない受験生も多い箇所だが，「需要者の選好性＝市場参加者の観点」を踏まえて自己文で解答することも可能である。上位レベルの受験生は，小問(1)同様，「基準」のみで終わらせず，適宜補足を行って加点を狙ってほしい。

─ MEMO ─

問題③　取引事例比較法に関する次の各設問に答えなさい。
　(1)　取引事例比較法とは何か，その定義及び有効性について説明しなさい。
　(2)　取引事例比較法の適用に当たり，多数の取引事例を収集する必要性についてその理由を述べなさい。
　(3)　配分法について次の各問に答えなさい。
　　①　配分法とは何かを述べるとともに，その有効性について説明しなさい。
　　②　更地の鑑定評価に適用する場合の留意点を述べなさい。

解答例

小問(1)

　不動産の価格を求める鑑定評価の基本的な手法は，価格の三面性（費用性，市場性及び収益性）に対応して原価法，取引事例比較法及び収益還元法に大別される。

価格の三面性と三手法「基準」総論第7章

　取引事例比較法は，まず多数の取引事例を収集して適切な事例の選択を行い，これらに係る取引価格に必要に応じて事情補正及び時点修正を行い，かつ，地域要因の比較及び個別的要因の比較を行って求められた価格を比較考量し，これによって対象不動産の試算価格（比準価格）を求める手法である。

取引事例比較法の定義「基準」総論第7章

　代替性を有する二以上の財が存在する場合には，これらの財の価格は，相互に影響を及ぼして定まる。不動産の価格も代替可能な他の不動産又は財の価格と相互に関連して形成される。これを代替の原則という。

　同一需給圏内に存する種別及び類型を同じくする不動産は，相互に代替性を有するものであるから，その価格は「代替の原則」が作用して，相互に密接に関連し合いながら，それぞれの不動産の存する用途的地域に係る地域要因及びその不動産の個別的要因を反映しつつ，価格が成立している。また，不動産の取引に当たっては，その当事者は，市場性のある不動産の価格を判定する場合，当該不動

代替の原則と取引事例比較法「基準」総論第4章

産と同種類の代替可能な他の不動産の取引事例に着目し，それらの事例における取引価格を価格判定の基礎として用いているものである。

取引事例比較法は，この不動産取引市場における代替の原則の作用を根拠として適用される手法であり，対象不動産と代替関係が認められる不動産の取引事例の価格から対象不動産の価格へとアプローチするものであるから，取引事例比較法は，近隣地域若しくは同一需給圏内の類似地域等において対象不動産と類似の不動産の取引が行われている場合又は同一需給圏内の代替競争不動産の取引が行われている場合に有効である。

取引事例比較法の有効性「基準」総論第7章

したがって，文化財の指定を受けた建造物や宗教建築物のように代替性の認められる不動産の取引がほとんどみられない場合や，土地建物一体としての比較が困難な場合，取引事例比較法は適用できない。

取引事例比較法の困難性

小問(2)

取引事例比較法は，市場において発生した取引事例を価格判定の基礎とするものであるので，多数の取引事例を収集することが必要である。

豊富に収集された取引事例の分析検討は，下記のとおり，①個別の取引に内在する特殊な事情を排除し，②時点修正率を把握し，及び③価格形成要因の対象不動産の価格への影響の程度を知る上で欠くことのできないものである。

① 多数の取引事例を相互に比較検討することにより，特殊な事情により割高又は割安となっている事例を見つけ出し，選択を見送ったり，事情補正することができる。

② 多数の取引事例を時系列的に分析することにより，より適切な時点修正率を求めることができる。

③ 特定の価格形成要因を異にする取引事例を比較検討することにより，当該価格形成要因が価格に与える影響の程度を把握し，地域要因・個別的要因の格差の比較を的確に行うことができる。

多数の事例収集の必要性「基準」総論第7章「留意事項」総論第7章

したがって，取引事例比較法の適用に当たっては，多数の取引事例を収集しなければならないが，その有効性を高めるため，取引事

例はもとより，売り希望価格，買い希望価格，精通者意見等の資料を幅広く収集するよう努めることが必要とされる。

補足
「留意事項」総論第7章

小問(3)

① 配分法とは，取引事例が対象不動産と同類型の不動産の部分を内包して複合的に構成されている異類型の不動産に係る場合に，当該複合不動産の取引事例より，対象不動産の類型に係る事例資料を求める方法である。

配分法の定義
「基準」総論第7章

配分法には，以下の2方法がある。

（ⅰ）対象不動産と同類型の不動産以外の部分の価格が取引価格等により判明しているときは，当該事例の価格からその価格を控除して，対象不動産の類型に係る事例資料を求める方法

（ⅱ）当該取引事例について各構成部分の価格の割合が取引価格，新規投資等により判明しているとき，当該事例の取引価格に対象不動産と同類型の不動産の部分に係る構成割合を乗じて，対象不動産の類型に係る事例資料を求める方法

配分法の適用方法
「基準」総論第7章

配分法は，複合不動産の取引事例の取引価格を，土地価格と建物価格に配分することであり，これによって，異類型の取引事例から対象不動産と同類型の部分に係る事例資料を作成することができる。具体的には，自用の建物及びその敷地や貸家及びその敷地の取引事例から更地（建付地）又は建物の事例資料を，借地権付建物の取引事例から借地権又は建物の事例資料を作成することができる。

配分法を適用する例

配分法は，複合不動産の取引価格と，求める類型以外の構成要素の価格又は求める類型の価格割合が判明している場合に有効である。一方，複合不動産の取引であっても，建物取壊しが前提とされる取引事例については，建物に価値が認められないこと等から，配分法を適用することは困難である。

配分法の有効性と困難性

② 更地とは，建物等の定着物がなく，かつ，使用収益を制約する権利の付着していない宅地をいう。

更地の定義
「基準」総論第2章

不動産の価格は，その不動産の効用が最高度に発揮される可能性に最も富む使用（最有効使用）を前提として把握される価格を標準として形成される。これを「最有効使用の原則」という。

最有効使用の原則の定義
「基準」総論第4章

更地は，直ちに需要者の用に供することができ，かつ自由に使用収益ができるため，当該宅地の最有効使用を前提とした経済的利益を十全に享受することを期待し得る。したがって，更地の鑑定評価における各手法の適用に当たっては，当該宅地の最有効使用を前提とした試算価格を求める必要がある。

更地の鑑定評価額は，更地並びに配分法が適用できる場合における建物及びその敷地の取引事例に基づく比準価格並びに土地残余法による収益価格を関連づけて決定するものとする。再調達原価が把握できる場合には，積算価格をも関連づけて決定すべきである。当該更地の面積が近隣地域の標準的な土地の面積に比べて大きい場合等においては，さらに開発法による価格を比較考量して決定するものとする。

更地の鑑定評価に当たって取引事例比較法を適用する場合，「更地」の取引事例だけでなく，上記①の配分法を適用することにより「建物及びその敷地」の取引事例を採用することも可能である。ただし，建物が敷地の最有効使用に合致していない事例の場合，建付減価（又は増価）が発生していることから，更地の鑑定評価に当たって採用すべきではない。したがって，配分法を適用する場合における取引事例は，敷地が最有効使用の状態にあるものを採用すべきである。

なお，実務上，都心部の商業地域等においては，更地や自用の建物及びその敷地の取引事例自体が僅少なことが多いため，貸家及びその敷地の取引事例を採用せざるを得ないこともあるが，賃借人が居付であることによる増減価が取引価格に含まれているか否かを十分に分析し，必要に応じて補正する必要がある。ただし，貸家及びその敷地は土地建物一体としての収益性に基づいて取引価格が形成されるものであり，当該取引価格から更地価格を導出することは困難であることが多い。したがって，更地の鑑定評価に当たっては，可能な限り，更地又は自用の建物及びその敷地の取引事例を採用することが望ましい。

以　上

更地評価と最有効使用との関係

更地の鑑定評価
「基準」各論第1章

更地の鑑定評価に配分法を適用する場合の留意点
「基準」各論第1章

273

　本問は,「基準」総論第7章のうち「取引事例比較法」に着目した基本問題だが, 小問(3)は更地の鑑定評価における配分法適用上の留意点について問うており, 各論第1章の知識も求められる。

　小問(1)は基本問題である。取引事例比較法の定義と有効性について「基準」に即して確実に解答すること。取引事例比較法の特徴や困難性にも言及し, 厚みのある解答を目指してほしい。

　小問(2)は, 事例の「選択」ではなく「収集」に着目した問題である。多数の事例を収集する必要性は,「事情補正」「時点修正」「要因比較」を適切に行うためである。「基準」「留意事項」に該当箇所があるが, 解答例のような補足説明も加えてほしい。

　小問(3)は, 複合不動産の取引事例について行う「配分法」に関する問題である。①については, 配分法の2つの方法を「基準」に即して述べればよいが, 配分法を適用し得る「対象不動産」の類型と「取引事例」の類型について言及できれば加点対象となる。②については, 更地の定義, 更地の価格の前提（最有効使用）, 更地の鑑定評価額の求め方を述べてから, 更地の鑑定評価において配分法を適用する場合の留意点（最有効使用の状態であること）を述べるとよい。解答例のように, 実務上の取扱いについて言及できれば加点対象となる。

---- MEMO ----

問題④　区分所有建物及びその敷地の鑑定評価に関する次の各設問に答えなさい。

(1)　専有部分が自用の場合に鑑定評価額をどのように決定するか，簡潔に説明しなさい。また，積算価格をどのように求めるか，簡潔に説明しなさい。

(2)　専有部分が賃貸されている場合における鑑定評価額は収益価格を標準とするものとされているが，その理由を簡潔に説明しなさい。

(3)　区分所有建物及びその敷地に係る固有の個別的要因の一つとされる「敷地に関する権利の態様」とはどのようなものをいうか，簡潔に説明しなさい。

(4)　区分所有建物及びその敷地の鑑定評価を行う場合における一棟の区分所有建物及びその敷地の再調達原価に関し，次の各問に答えなさい。

①　再調達原価をどのように求めるか，簡潔に説明しなさい。

②　開発リスク相当額とはどのようなものであるか，簡潔に説明しなさい。

解答例

小問(1)

　建物及びその敷地の類型は，その有形的利用及び権利関係の態様に応じて，自用の建物及びその敷地，貸家及びその敷地，借地権付建物，区分所有建物及びその敷地等に分けられる。

　区分所有建物及びその敷地とは，建物の区分所有等に関する法律第2条第3項に規定する専有部分並びに当該専有部分に係る同条第4項に規定する共用部分の共有持分及び同条第6項に規定する敷地利用権をいう。

　区分所有建物及びその敷地で，専有部分を区分所有者が使用しているものについての鑑定評価額は，原価法による積算価格，取引事例比較法による比準価格及び収益還元法による収益価格を関連づけて決定するものとする。

　積算価格は，区分所有建物の対象となっている一棟の建物及びそ

> 建物及びその敷地の類型
> 「基準」総論第2章

> 区分所有建物及びその敷地の定義
> 「基準」総論第2章

> 自用の区分所有建物及びその敷地の鑑定評価
> 「基準」各論第1章

の敷地の積算価格を求め，当該積算価格に当該一棟の建物の各階層別及び同一階層内の位置別の効用比により求めた配分率を乗ずることにより求めるものとする。

この配分方法には，①一棟全体の建物及びその敷地の積算価格に配分率を乗ずる方法（階層別・位置別効用比率に基づく方法）と，②一棟の建物価格と敷地の価格にそれぞれ異なる配分率を乗ずる方法（地価配分率に基づく方法）とがある。

積算価格の求め方「基準」各論第1章

2つの配分方法

小問(2)

区分所有建物及びその敷地で，専有部分が賃貸されているものについての鑑定評価額は，実際実質賃料（売主が既に受領した一時金のうち売買等に当たって買主に承継されない部分がある場合には，当該部分の運用益及び償却額を含まないものとする。）に基づく純収益等の現在価値の総和を求めることにより得た収益還元法による収益価格を標準とし，原価法による積算価格及び取引事例比較法による比準価格を比較考量して決定するものとする。

貸家の区分所有建物及びその敷地の鑑定評価「基準」各論第1章

専有部分が賃貸されている場合，借家人が居付きで直ちに買主の自用に供することはできないため，典型的な需要者として投資目的での取得を考える投資家が考えられ，収益性を重視することが考えられる。そのため，収益性を最もよく反映する収益価格を標準として，鑑定評価額を決定すべきである。

収益価格を標準とする理由

小問(3)

個別的要因とは，不動産に個別性を生じさせ，その価格を個別的に形成する要因をいう。

個別的要因の定義「基準」総論第3章

区分所有建物及びその敷地における固有の個別的要因として，①区分所有建物が存する一棟の建物及びその敷地に係る個別的要因と②専有部分に係る個別的要因があり，さらに①は建物に係る要因，敷地に係る要因，建物及びその敷地に係る要因に分類することができる。

区分所有建物及びその敷地の個別的要因「基準」各論第1章

設問の「敷地に関する権利の態様」は一棟の敷地に係る要因である。敷地利用権（専有部分を所有するための建物の敷地に関する権利）が所有権なのか借地権なのか，持分が共有か否かにより価格が変化することに留意する必要がある。区分所有建物及びその敷地は，

敷地に関する権利の態様「基準」各論第1章

借家人の有無及び敷地利用権の態様に応じて細分することが可能であり，それぞれの類型に即した分析，評価を行わなければならない。

小問(4)

① 再調達原価の求め方

原価法は，価格時点における対象不動産の再調達原価を求め，この再調達原価について減価修正を行って対象不動産の試算価格（積算価格）を求める手法である。

原価法の定義
「基準」総論第
7章

再調達原価とは，対象不動産を価格時点において再調達することを想定した場合において必要とされる適正な原価の総額をいう。

再調達原価は，建物は新築，土地は最有効使用の状態を想定した価値の合計であり，費用面からみた対象不動産の経済価値の上限値を表すものである。

再調達原価の
定義等
「基準」総論第
7章

一棟の建物及びその敷地の再調達原価は，まず，土地の再調達原価又は借地権の価格に発注者が直接負担すべき通常の付帯費用を加算した額を求め，この価格に建物の再調達原価を加算して求める。

建物及びその
敷地の再調達
原価
「基準」総論第
7章

土地の再調達原価は，その素材となる土地の標準的な取得原価に当該土地の標準的な造成費と発注者が直接負担すべき通常の付帯費用とを加算して求めるものとするが，再調達原価が把握できない既成市街地における土地にあっては取引事例比較法及び収益還元法によって求めた更地の価格に発注者が直接負担すべき通常の付帯費用を加算した額をもって，土地の再調達原価とすることができる。

土地の再調達
原価「基準」総
論第7章

建物の再調達原価は，建設請負により，請負者が発注者に対して直ちに使用可能な状態で引き渡す通常の場合を想定し，発注者が請負者に対して支払う標準的な建設費に発注者が直接負担すべき通常の付帯費用を加算して求める。

建物の再調達
原価「基準」総
論第7章

再調達原価を求める方法には，直接法及び間接法があるが，収集した建設事例等の資料としての信頼度に応じていずれかを適用するものとし，また，必要に応じて併用するものとする。

再調達原価を
求める方法
「基準」総論第
7章

付帯費用の具体例としては，①公共公益施設負担金，公租公課（土地），②建築確認申請に係る費用（建物）のほか，特に本問の

ような区分所有建物及びその敷地については，③開発案件に係る発注者利益（建物及びその敷地）等が含まれることが多い。これら付帯費用については，土地・建物に係る付帯費用相当額を土地・建物それぞれについて求める方法のほか，付帯費用を含まない土地建物一体の価格に付帯費用率を乗じて求める方法がある。

なお，これらの場合における通常の付帯費用には，建物引渡しまでに発注者が負担する通常の資金調達費用や標準的な開発リスク相当額等が含まれる場合があることに留意する必要がある。

付帯費用について
「基準」総論第
7章

② 開発リスク相当額について

開発リスク相当額とは，開発を伴う不動産について，当該開発に係る工事が終了し，不動産の効用が十分に発揮されるに至るまでの不確実性に関し，事業者（発注者）が通常負担する危険負担率を金額で表示したものである。

区分所有建物及びその敷地の場合，開発期間が長期にわたることもあり，開発事業者としては，不動産市場や金融市場の変化に伴い，当初見込んだ販売計画（分譲販売収入や販売期間等）が実現できないリスク等を考慮し，販売価格を設定することから，これら開発リスク相当額についても再調達原価に含める必要がある。

開発リスク相
当額について
「留意事項」総
論第7章

以　上

解　説

本問は，「基準」各論第1章のうち「区分所有建物及びその敷地」に着目した問題である。

小問(1)は，区分所有建物及びその敷地の定義，自用の区分所有建物及びその敷地の鑑定評価額の求め方，積算価格の求め方について，「基準」に即して確実に解答すること。積算価格の求め方については，「基準」に規定されている「一棟全体の建物及びその敷地の積算価格に配分率を乗じる方法」のほか，「一棟全体の建物価格と敷地価格のそれぞれに異なる配分率を乗じる方法（地価配分率を用いる方法）」もある点を言及できれば加点対象となる。

小問(2)は，貸家の区分所有建物及びその敷地の鑑定評価額の求め方について，「基準」に即して確実に解答すること。「収益価格を標準とする理由」については，

貸家及びその敷地と同一論点である。「投資家」「収益性重視」といったキーワードをきちんと挙げて解答してほしい。

　小問(3)は，「敷地に関する権利（敷地利用権）の態様」として「所有権」「借地権」が考えられ，区分所有者は共有持分（又は分有）という形でこれら敷地利用権を有することとなる点を述べられれば十分である。個別的要因の定義や，区分所有建物及びその敷地の個別的要因の分類，敷地利用権の態様に応じた細分といった補足説明があるとよい。

　小問(4)の①については，土地，建物の再調達原価だけでなく，開発案件に係る発注者利益等についても「付帯費用」として再調達原価に計上すべき点を必ず述べること。演習問題をイメージするとよい。②については，戸惑った受験生が多かったかもしれないが，実は，①とともに原価法に関する平成26年の基準改正箇所のひとつである。「留意事項」にズバリの箇所があり，そこを引用できれば満点だが，思い付かなくても「開発事業者（マンションデベロッパー）にとっての開発に伴うリスク」といったイメージで解答できればそれなりの点数は確保できるはずである。

—— MEMO ——

◇ 令和2年度

> 問題[1]　鑑定評価の条件設定に関する次の各設問に答えなさい。
>
> (1)　条件設定の必要性について述べなさい。
>
> (2)　条件設定に関する依頼者との合意について説明しなさい。
>
> (3)　使用収益を制約する権利が付着している不動産について，その権利がないものとして鑑定評価を行う場合の条件設定について，次の各問に答えなさい。
>
> ①　条件設定に当たってどのような観点から妥当性の検討を行う必要があるか説明しなさい。
>
> ②　鑑定評価報告書への記載事項について簡潔に説明しなさい。

解答例

小問(1)

　不動産の鑑定評価に当たっては，基本的事項として，対象不動産，価格時点及び価格又は賃料の種類を確定しなければならない。

　対象不動産の確定は，鑑定評価の対象を明確に他の不動産と区別し，特定することであり，鑑定評価の対象となる土地又は建物等を物的に確定することのみならず，鑑定評価の対象となる所有権及び所有権以外の権利を確定する必要がある。

> 対象不動産の確定の定義等「基準」総論第5章

　ここで，鑑定評価に際しては，現実の用途及び権利の態様並びに地域要因及び個別的要因を所与として不動産の価格を求めることのみでは多様な不動産取引の実態に即応することができず，社会的な需要に応ずることができない場合があるので，条件設定の必要性が生じてくる。

　条件の設定は，依頼目的に応じて対象不動産の内容を確定し（対象確定条件），設定する地域要因若しくは個別的要因についての想定上の条件を明確にし，又は不動産鑑定士の通常の調査では事実の確認が困難な特定の価格形成要因について調査の範囲を明確にするもの（調査範囲等条件）である。したがって，条件設定は，鑑定評価の妥当する範囲及び鑑定評価を行った不動産鑑定士の責任の範囲

> 条件設定の必要性及び意義「留意事項」総論第5章

を示すという意義を持つものである。

小問(2)

　鑑定評価の条件は，依頼内容に応じて設定するもので，不動産鑑定士は不動産鑑定業者の受付という行為を通じてこれを間接的に確認することとなる。しかし，同一不動産であっても設定された条件の如何によっては鑑定評価額に差異が生ずるものであるから，不動産鑑定士は直接，依頼内容の確認を行うべきである。

　また，条件設定をする場合，依頼者との間で当該条件設定に係る鑑定評価依頼契約上の合意がなくてはならない。

　鑑定評価の条件は，主に鑑定評価の対象とする不動産の物的事項及び権利の態様に関する事項を確定するため，又は対象不動産の価格形成要因をどのように取り扱うかを明確にするために設定するものであり，当該設定された条件の如何によっては鑑定評価額に差異が生ずることから，依頼者を中心とした鑑定評価書の利用者等に与える影響は非常に大きい。したがって，条件設定をする場合，鑑定評価の対象とする不動産の現実の利用状況や価格形成要因を所与とする場合を含め，依頼者に十分確認するとともに，当該条件設定に係る鑑定評価依頼契約上の合意も必要となる。

小問(3)

① 　対象確定条件とは，対象不動産の確定に当たって必要となる鑑定評価の条件のことであり，鑑定評価の対象とする不動産の所在，範囲等の物的事項及び所有権，賃借権等の対象不動産の権利の態様に関する事項を確定するために必要な条件である。

　設問の鑑定評価に係る条件は，対象確定条件のうち，対象不動産の権利の態様に関するものとして，価格時点と異なる権利関係を前提として鑑定評価の対象とする場合に該当する。

　なお，対象確定条件は，上記のほか，①現況を所与とする鑑定評価，②独立鑑定評価，③部分鑑定評価，④分割鑑定評価又は併合鑑定評価及び⑤未竣工建物等鑑定評価等に大別される。

　設問の対象確定条件の具体例としては，現況が貸家及びその敷地である不動産について，賃借人（建物賃借権）の存しない自用の建物及びその敷地であるものと想定して鑑定評価を行う場合や，

右欄注記：
- 条件設定の手順及び依頼者との合意「基準」「留意事項」総論第5章
- 依頼者との合意が必要な理由
- 対象確定条件の意義「基準」総論第5章
- 設問の条件のあてはめ「基準」総論第5章
- 対象確定条件の種類
- 設問の対象確定条件の具体例

駐車場として使用されている土地について，駐車場使用権（土地賃借権）の存しない更地と想定して鑑定評価を行う場合等が挙げられる。

　対象確定条件を設定するに当たっては，対象不動産に係る諸事項についての調査及び確認を行った上で，依頼目的に照らして，鑑定評価書の利用者の利益を害するおそれがないかどうかの観点から当該条件設定の妥当性を確認しなければならない。

条件設定の妥当性
「基準」総論第5章

　例えば，証券化対象不動産の鑑定評価及び会社法上の現物出資の目的となる不動産の鑑定評価等，鑑定評価が鑑定評価書の利用者の利益に重大な影響を及ぼす可能性がある場合には，原則として，設問のような鑑定評価の対象とする不動産の現実の利用状況（権利関係）と異なる対象確定条件の設定をしてはならないことに留意すべきである。

妥当性を欠く場合
「基準」総論第5章

　なお，上述のように当該条件設定が妥当ではないと認められる場合には，依頼者に説明の上，妥当な条件に改定しなければならない。

補足
「基準」総論第5章

② 鑑定評価報告書は，不動産の鑑定評価の成果を記載した文書であり，不動産鑑定士が自己の専門的学識と経験に基づいた判断と意見を表明し，その責任を明らかにすることを目的とするものである。

鑑定評価報告書の意義
「基準」総論第9章

　鑑定評価の条件については，鑑定評価報告書の必須記載事項の1つであり，対象確定条件，依頼目的に応じ設定された地域要因若しくは個別的要因についての想定上の条件又は調査範囲等条件についてそれらの条件の内容及び評価における取扱いが妥当なものであると判断した根拠を明らかにするとともに，必要があると認められるときは，当該条件が設定されない場合の価格等の参考事項を記載すべきである。

鑑定評価報告書における鑑定評価の条件の記載
「基準」総論第9章

　設問の対象確定条件下における鑑定評価においては，同一不動産であっても設定された条件の有無によって鑑定評価額に差異が生ずる可能性があることから，鑑定評価書の利用者に誤解や予期せぬ損害等を与えることのないよう，鑑定評価報告書には，設定された条件の内容を明確に記載するとともに，当該条件の設定が

補足

妥当なものであると判断した根拠（鑑定評価書の利用者の利益を
害するおそれがないと判断した理由）も明らかにする必要がある。

以　上

解　説

　本問は，「基準」総論第5章の対象不動産の確定に関する「条件の設定」につ
いての理解を問う問題である。
　小問(1)は，条件設定の必要性と鑑定評価上の意義を「留意事項」に即して述べ
ればよい。
　小問(2)は，条件の如何によって鑑定評価額に差異が生じ，鑑定評価書の利用者
に与える影響が大きいことから，条件設定をする場合，依頼者との間で当該条件
設定に係る鑑定評価依頼契約上の合意が必要である点を「基準」「留意事項」に
即して述べればよい。解答例のように補足説明ができれば加点対象となり得る。
　小問(3)は，対象確定条件のひとつである「価格時点と異なる権利関係を前提と
した鑑定評価」に関する問題である。①については，対象確定条件の意義を述べ，
本問が対象確定条件のひとつである旨を指摘したうえで，「依頼目的に照らして，
鑑定評価の利用者の利益を害するおそれがないかどうか」の観点から当該条件設
定の妥当性を確認する必要がある点を「基準」に即して述べればよい。「基準」
の引用だけでなく，当該条件設定の具体例や，妥当性を欠く場合の具体例等を挙
げれば高得点が見込める。解答例では省略したが，「留意事項」の規定（鑑定評
価書の利用者の具体例や，利用者の利益を害する場合の説明）を引用してもよい。
②については，本問のような鑑定評価の条件が鑑定評価報告書の必須記載事項の
ひとつである点を指摘し，具体的な記載内容について「基準」総論第9章に即し
て述べればよい。

原価法の適用における減価修正について，次の各設問に答えなさい。
  (1) 耐用年数に基づく方法及び観察減価法について説明しなさい。
  (2) 増築が行われている場合において，耐用年数に基づく方法及び観察減価法を適用する上での留意点について説明しなさい。

解答例

小問(1)

1．原価法の定義，有効性

　　原価法は，価格時点における対象不動産の再調達原価を求め，この再調達原価について減価修正を行って対象不動産の試算価格（積算価格）を求める手法である。　　　　　　　　　　｜原価法の定義「基準」総論第7章

　　原価法は，対象不動産が建物又は建物及びその敷地である場合において，再調達原価の把握及び減価修正を適切に行うことができるときに有効であり，対象不動産が土地のみである場合においても，再調達原価を適切に求めることができるときはこの手法を適用することができる。したがって，既成市街地内の更地のように再調達原価の把握が困難な場合，原価法は適用できない。　　｜原価法の有効性「基準」総論第7章

2．減価修正の定義，留意点

　　減価修正とは，減価の要因に基づき発生した減価額を対象不動産の再調達原価から控除して価格時点における対象不動産の適正な積算価格を求めることである。この「減価」とは，新築かつ最有効使用の状態を前提とする再調達原価を上限値として，そこからの価値の減少を意味する。　　　　　　　　　　｜減価修正の定義「基準」総論第7章

　　減価修正を行うに当たっては，減価の要因（物理的要因，機能的要因及び経済的要因）に着目して対象不動産を部分的かつ総合的に分析検討し，減価額を求めなければならない。　　　　　　　｜減価修正における留意点「基準」総論第7章

3．耐用年数に基づく方法及び観察減価法の説明

　　減価額を求めるには，次の二つの方法があり，これらを併用するものとする。　　　　　　　　　　　　　　　　　　｜二方法の併用「基準」総論第7章

① 耐用年数に基づく方法

　耐用年数に基づく方法は，対象不動産の価格時点における経過年数及び経済的残存耐用年数の和として把握される耐用年数を基礎として減価額を把握する方法である。耐用年数に基づく方法には，定額法，定率法等があるが，これらのうちいずれの方法を用いるかは，対象不動産の用途や利用状況に即して決定すべきである。

　この方法は，毎期一定の減価額を計上する定額法や，毎期一定率を乗じて減価額を算出する定率法等によって，規則正しく減価額を計上するため，建築資材の経年劣化など外部観察のみでは発見しにくい減価を把握し，反映させやすいという長所がある。

② 観察減価法

　観察減価法は，対象不動産について，設計，設備等の機能性，維持管理の状態，補修の状況，付近の環境との適合の状態等各減価の要因の実態を調査することにより，減価額を直接求める方法である。

　この方法は，不動産鑑定士が対象不動産の内部・外部の状況を詳細に調査し，減価額を直接算出するため，偶発的な損傷など個別的な減価の実態を把握し，反映させやすいという長所がある。

　この二つの方法は，それぞれ上記のような長所を有しているが，一方で，耐用年数に基づく方法については，不動産の価値は必ずしも規則的には減価しないため，減価の実態と乖離してしまう場合があること，観察減価法については，対象不動産の細部にわたる詳細な調査は困難なことが多く，外部観察のみでは発見しにくい減価を見落としてしまう場合があること等，それぞれ短所も認められる。

　このように，両者はいわば相互補完の関係にあることから，より精度の高い減価額を求めるためには，二つの方法を併用することが必要となる。

耐用年数に基づく方法の定義
「基準」総論第7章

耐用年数に基づく方法の長所

観察減価法の定義
「基準」総論第7章

観察減価法の長所

両方法の短所，併用の必要性

287

　耐用年数に基づく方法及び観察減価法を適用する場合においては，対象不動産が有する市場性を踏まえ，特に，建物の増築部分が耐用年数及び減価の要因に与える影響の程度について留意しなければならない。

　設問のように増築部分がある場合の耐用年数に基づく方法及び観察減価法における留意点はそれぞれ下記のとおりである。

1．耐用年数に基づく方法における留意点

　設問の場合，対象不動産は新築部分及び増築部分から構成されるが，このように対象不動産が二以上の分別可能な組成部分により構成されていて，それぞれの経過年数又は経済的残存耐用年数が異なる場合に，これらをいかに判断して用いるかは，対象不動産の用途や利用状況に即して決定すべきである。

　また，経済的残存耐用年数とは，価格時点において，対象不動産の用途や利用状況に即し，物理的要因及び機能的要因に照らした劣化の程度並びに経済的要因に照らした市場競争力の程度に応じてその効用が十分に持続すると考えられる期間をいうが，増築が行われている場合，当該年数の判定にあたって特に留意する必要があり，具体的には下記のとおりである。

　建物について，新築部分と増築部分から構成される場合等，外形的に分別出来る場合には，できる限り構成部分を分別し，それぞれの特性に応じた減価修正を行う必要がある。設問の場合，新築部分と増築部分とで経過年数が異なり，また，使用資材の種別，品等も異なる可能性があることから，これらに留意してそれぞれの経済的残存耐用年数を適切に査定し，それぞれの構成割合に応じて減価額を求める必要がある。なお，増築が適切に行われていれば建物全体の市場性の回復による経済的残存耐用年数の延長等によって減価の程度が軽減される場合があり，逆に増築バランスが悪い場合等には増築部分だけでなく新築部分についても経済的残存耐用年数が短縮され，経年以上の減価が生じる場合があることに留意すべきである。

増築部分がある場合
「留意事項」総論第7章

分別可能な場合
「基準」総論第7章

経済的残存耐用年数の意義
「基準」総論第7章

耐用年数に基づく方法における留意点

２．観察減価法における留意点

　　観察減価法の適用においては，対象不動産に係る個別分析の結果を踏まえた代替，競争等の関係にある不動産と比べた優劣及び競争力の程度等を適切に反映すべきである。

　特に設問のように増築部分がある場合には，増築による価値の回復を考慮して減価額を査定することとなるが，その際には，特に増築による市場性への影響の程度に留意する必要があり，減価修正後の価格が同程度の用途，規模，品等，築年数の物件の取引価格等と比較して十分な競争力を有するか否かを十分に検証しなければならない。

以　上

競争力の程度
等の反映
「基準」総論
第７章

観察減価法に
おける留意点

解　説

　本問は，「基準」総論第７章から「原価法（減価修正）」に着目した問題である。

　小問(1)は，まず，上位概念として原価法の定義，有効性，減価修正の定義等について「基準」を正確に引用して説明してから，減価額を求める二つの方法について丁寧に論じてほしい。二つの方法については，「基準」からの引用だけでなく，両者がいわば「相互補完」の関係にあることを，両者の長所と短所を明確にし，きちんと説明すること。

　小問(2)は，増改築等の二つの方法への反映に係る「留意事項」を引用したうえで，耐用年数に基づく方法を中心に論じていくのが無難である。新築部分と増築部分とで経過年数及び経済的残存耐用年数が異なることを考慮して減価額を求めることを明確にしてほしい。「分別可能な組成部分」「経済的残存耐用年数」に係る「基準」を正確に引用することが重要である。観察減価法については解答例のように簡潔にまとめれば十分であるが，「基準」の引用ができれば加点事由となる。

問題3 収益還元法について，次の各設問に答えなさい。
(1) 収益還元法の定義について述べるとともに，貸家及びその敷地の収益価格を求める方法である直接還元法及びDCF法の定義について述べなさい（査定式の記載は不要である）。
(2) 土地残余法について次の各問に答えなさい。
① 土地残余法の定義及び適用に当たっての留意点について述べなさい（査定式の記載は不要である）。
② 貸家及びその敷地の鑑定評価における直接還元法と比較して両者で算定する純収益にどのような違いがあるか説明しなさい。

解答例

小問(1)

　収益還元法は，価格の三面性のうち収益性に対応する手法であり，対象不動産が将来生み出すであろうと期待される純収益の現在価値の総和を求めることにより対象不動産の試算価格（収益価格）を求める手法である。

| 収益還元法の定義「基準」総論第7章

　貸家及びその敷地とは，建物所有者とその敷地の所有者とが同一人であるが，建物が賃貸借に供されている場合における当該建物及びその敷地をいう。

　貸家及びその敷地は，借家人が居付の状態で取引の対象とされるため，直ちに需要者の用に供することは通常できない。したがって，貸家及びその敷地は，通常，賃料収入を前提とする収益物件として投資家によって取引される。

| 貸家及びその敷地の定義・特徴「基準」総論第2章

　貸家及びその敷地の鑑定評価額は，実際実質賃料（売主が既に受領した一時金のうち売買等に当たって買主に承継されない部分がある場合には，当該部分の運用益及び償却額を含まないものとする。）に基づく純収益等の現在価値の総和を求めることにより得た収益還元法による収益価格を標準とし，原価法による積算価格及び取引事例比較法による比準価格を比較考量して決定するものとする。

| 貸家及びその敷地の鑑定評価額の決定方法「基準」各論第1章

　収益価格を求める方法には，「直接還元法」と「DCF法」があ

290

る。

　直接還元法とは，<u>一期間の純収益を還元利回りによって還元する方法である。</u>

　ＤＣＦ法とは，<u>連続する複数の期間に発生する純収益及び復帰価格を，その発生時期に応じて現在価値に割り引き，それぞれを合計する方法である。</u>

　直接還元法とＤＣＦ法は，ともに不動産価格の収益性に着目し，将来期待される純収益の現在価値の総和を求める点において共通している。

　しかし，直接還元法は一期間の純収益（初年度純収益又は標準化された単年度純収益）から収益価格を求める方法であるのに対し，ＤＣＦ法はキャッシュフロー表を作成し，保有（分析）期間各期の純収益と復帰価格とを明示した上で収益価格を求める方法である点において大きく異なる。

　したがって，ＤＣＦ法は将来の純収益や復帰価格を明示する点において直接還元法よりも試算価格が導かれる過程に関する説明力に優れている。しかし，直接還元法においても将来の純収益の変動等は，純収益を標準化する過程や還元利回りを求める過程において織り込まれており，二つの方法によって求められた各試算価格に大きな差異は生じない。

　<u>直接還元法又はＤＣＦ法のいずれの方法を適用するかについては，収集可能な資料の範囲，対象不動産の類型及び依頼目的に即して適切に選択することが必要である。ただし，証券化対象不動産の鑑定評価における収益価格を求めるに当たっては，ＤＣＦ法を適用しなければならない。</u>この場合において，併せて直接還元法を適用することにより検証を行うことが適切である。

小問(2)

① 土地残余法の定義と適用上の留意点

　　土地残余法は直接還元法に分類される手法であり，収益配分の原則を活用して，土地と建物等との結合による複合不動産としての純収益から，土地の収益価格にアプローチするものである。

　　土地残余法とは，<u>不動産が敷地と建物等との結合によって構成</u>

右段注記：直接還元法の定義「基準」総論第7章／ＤＣＦ法の定義「基準」総論第7章／直接還元法とＤＣＦ法の共通点／直接還元法とＤＣＦ法の相違点／両者の適用のあり方「基準」総論第7章，各論第3章／土地残余法の位置づけ

されている場合において，収益還元法以外の手法によって建物等の価格を求めることができるときに，当該建物及びその敷地に基づく純収益から建物等に帰属する純収益を控除した残余の純収益を還元利回りで還元する手法である。

土地残余法の定義
「留意事項」総論第7章

　土地残余法は，土地と建物等から構成される複合不動産が生み出す純収益を土地及び建物等に適正に配分することができる場合に有効である。

土地残余法の有効性
「留意事項」総論第7章

　したがって，当該手法は更地，建付地，借地権のように建物等と一体として利用される土地の収益価格を求める場合に有効であり，建物等と一体として使用収益できない類型（底地）に適用することはできない。

土地残余法の適用対象となる類型

　更地（建物等の定着物がなく，かつ，使用収益を制約する権利の付着していない宅地）は常に最有効使用が実現可能な類型であることから，土地残余法の適用に当たっては，最有効使用の賃貸用建物等の建築を想定すること等に留意する。

適用上の留意点①（更地に適用する場合）

　建付地（建物等の用に供されている敷地で，建物等及びその敷地が同一の所有者に属している宅地）や建物等が存する既存の借地権（借地借家法に基づく借地権（建物の所有を目的とする地上権又は土地の賃借権））において土地残余法を適用する場合，建物等が古い場合には複合不動産の生み出す純収益から土地に帰属する純収益が的確に求められないことが多いので，建物等は新築か築後間もないものでなければならないことに留意する。

運用上の留意点②（建付地や借地権に適用する場合）

　なお，土地残余法の適用に当たっては，賃貸事業におけるライフサイクルの観点を踏まえて，複合不動産が生み出す純収益及び土地に帰属する純収益を適切に求める必要があることに留意する。

運用上の留意点③（ライフサイクルの観点）

②　貸家及びその敷地の純収益と土地残余法の純収益の相違

　純収益とは，不動産に帰属する適正な収益をいい，総収益から総費用を控除して求める。

純収益の意義
「基準」総論第7章

　貸家及びその敷地の直接還元法における純収益と土地残余法における純収益とは以下の違いがある。

　貸家及びその敷地の直接還元法における純収益は，複合不動産の総収益から総費用を控除して求めるのに対し，土地残余法にお

ける純収益は，複合不動産の総収益から総費用を控除して複合不動産の純収益を求め，当該純収益から建物に帰属する純収益を控除して土地に帰属する純収益を求める点が異なる。

> 相違点①（複合不動産の純収益と土地帰属純収益）

また，貸家及びその敷地の直接還元法における純収益は実際実質賃料に基づく純収益であるのに対し，更地や建物が賃貸されていない建付地及び既存の借地権の土地残余法における純収益は，最有効使用の建物又は現状建物の賃貸を想定するため，正常実質賃料に基づく純収益である点が異なる。

> 相違点②（実際実質賃料に基づく純収益と正常実質賃料に基づく純収益）

以　上

解　説

本問は，「基準」総論第 7 章のうち「収益還元法」に着目した問題である。

小問(1)は，収益還元法の定義と貸家及びその敷地の定義及び鑑定評価方法を述べてから，直接還元法とＤＣＦ法の定義，両者の比較，適用のあり方等を述べればよい。定義だけでも合格点だが，「基準」プラス補足説明によって厚みのある解答を目指してほしい。

小問(2)①は，まず，土地残余法が直接還元法の一種である点を指摘してから，定義を総論第 7 章の「留意事項」に即して述べること。適用上の留意点については，題意がやや不明瞭であるが，「留意事項」を引用しつつ，更地，建付地，借地権といった各類型に固有の留意点にも言及すれば十分であろう。

小問(2)②も題意がやや不明瞭であるが，貸家及びその敷地の鑑定評価における直接還元法の純収益は「土地建物一体としての純収益」であるのに対し，土地残余法の純収益は「土地に帰属する純収益」である点を述べ，さらに，①と同様，各類型に応じた相違点（例えば，貸家及びその敷地の純収益は，現況の建物の実際実質賃料に基づくものだが，更地に土地残余法を適用する場合の純収益は，最有効使用の建物の正常実質賃料に基づくものであること等）にも言及すれば十分であろう。

問題④　証券化対象不動産の価格に関する鑑定評価について，次の各設問に
　　　答えなさい。
　(1)　証券化対象不動産の価格に関する鑑定評価に当たって，不動産鑑定
　　　士が果たすべき説明責任について述べなさい。
　(2)　証券化対象不動産の価格に関する鑑定評価における処理計画の策定
　　　について説明し，あらかじめ依頼者に対し確認すべき事項を挙げなさ
　　　い。また，処理計画の策定に当たっての確認について，留意すべき点
　　　を述べなさい。

解答例

小問(1)

　不動産の証券化とは，一般に，証券化という特別目的のために設
立された投資法人等が，不動産が生み出すキャッシュフローを裏付
資産にして証券を発行し，投資家から資金を調達する仕組みのこと
をいう。

不動産の証券化の定義

　「証券化対象不動産」とは，各論第3章第1節に規定する不動産
取引の目的である不動産又は不動産取引の目的となる見込みのある
不動産（信託受益権に係るものを含む。）をいうが，当該証券化対
象不動産の鑑定評価は，各論第3章の定めるところに従って行わな
ければならない。

証券化対象不動産の定義，各論第3章の適用義務「基準」各論第3章

　不動産鑑定士は，不動産の鑑定評価を担当する者として，十分に
能力のある専門家としての地位を不動産の鑑定評価に関する法律に
よって認められ，付与されるものである。したがって，不動産鑑定
士は，不動産の鑑定評価の社会的公共的意義を理解し，その責務を
自覚し，的確かつ誠実な鑑定評価活動の実践をもって，社会一般の
信頼と期待に報いなければならない。

　そのために，不動産鑑定士は，依頼者に対して鑑定評価の結果を
分かり易く誠実に説明を行い得るようにするとともに，社会一般に
対して，実践活動をもって，不動産の鑑定評価及びその制度に関す
る理解を深めることにより，不動産の鑑定評価に対する信頼を高め

不動産鑑定士の責務「基準」総論第1章

るよう努めなければならない。具体的には，依頼者が鑑定評価の内容を正確に理解できるよう，鑑定評価がどのような過程を経て最終の鑑定評価額が決定されたのかを明確に分かりやすく説明する必要がある。

証券化対象不動産の鑑定評価に当たって，不動産鑑定士は，依頼者のみならず広範な投資家等に重大な影響を及ぼすことを考慮するとともに，不動産鑑定評価制度に対する社会的信頼性の確保等について重要な責任を有していることを認識し，証券化不動産評価の手順について常に最大限の配慮を行いつつ，鑑定評価を行わなければならない。

証券化評価における鑑定士の責務
「基準」各論第3章

そのために，証券化対象不動産の鑑定評価書については，依頼者及び証券化対象不動産に係る利害関係者その他の者がその内容を容易に把握・比較することができるようにするため，鑑定評価報告書の記載方法等を工夫し，及び鑑定評価に活用した資料等を明示することができるようにするなど説明責任が十分に果たされるものとしなければならない。

すなわち，証券化対象不動産の鑑定評価書は，証券化対象不動産への投資や融資等に当たり多くの利害関係者の参考資料として用いられるため，依頼者だけでなく証券化対象不動産に係る利害関係者等が鑑定評価の調査内容や判断根拠を容易に把握することができるようにする必要がある。

さらに，投資判断のため，他の証券化対象不動産の鑑定評価とも比較を行えるように，調査内容や鑑定評価で用いた数値等の判断根拠をより具体的に明示するとともに，鑑定評価報告書の記載方法等を工夫し，鑑定評価に採用した資料等を明示するなど，説明責任が十分に果たされるものとする必要がある。

証券化評価に係る鑑定評価書の説明責任
「基準」各論第3章

具体的には，エンジニアリング・レポート等他の専門家による調査結果の活用の有無について判断した結果や，同一の依頼者から同時に複数物件の鑑定評価を依頼された場合の増減価要因の格差，利回りの判断，評価手法の適用方法等について，複数の鑑定評価報告書相互間の統一性や整合性の確保を行うこと等についての説明責任が要求される。

　処理計画の策定に当たっては，あらかじめ，依頼者に対し，証券化対象不動産の鑑定評価に関する次の事項を確認し，鑑定評価の作業の円滑かつ確実な実施を行うことができるよう適切かつ合理的な処理計画を策定するものとする。この場合において，確認された事項については，処理計画に反映するとともに，当該事項に変更があった場合にあっては，処理計画を変更するものとする。

① 　鑑定評価の依頼目的及び依頼が必要となった背景
② 　対象不動産が各論第3章第1節のいずれに係るものであるかの別
③ 　エンジニアリング・レポート（建築物，設備等及び環境に関する専門的知識を有する者が行った証券化対象不動産の状況に関する調査報告書をいう。），DCF法等を適用するために必要となる資料その他の資料の主な項目及びその入手時期
④ 　エンジニアリング・レポートを作成した者からの説明の有無
⑤ 　対象不動産の内覧の実施を含めた実地調査の範囲
⑥ 　その他処理計画の策定のために必要な事項

　上記①及び②に関して，各論第3章の適用の有無を判定するためには，鑑定評価の依頼目的及び依頼が必要となった背景を明らかにする必要があることから，依頼者に対して，依頼が必要となった背景，証券化スキーム，取引の内容，依頼者の立場，利害関係等について詳細に確認したうえで，当該各確認の内容，各論第3章の適用の有無とその理由について鑑定評価報告書に記載しなければならない。

　上記③及び④に関して，各論第3章別紙1に記載されている項目のすべてを，提示されたエンジニアリング・レポートが必ず満たしているとは限らないため，既存のエンジニアリング・レポートの内容に不足がある場合は，不足を補うための追加調査を求める等，適切に対応しなければならない。また，対象不動産の確認を行った結果とエンジニアリング・レポートの内容とで相違がある場合等において，エンジニアリング・レポートの作成者等からの説明を聞く機会があるか否かについても，依頼者に事前に確認する必要がある。

欄外：
処理計画の策定
「基準」各論第3章

確認事項
「基準」各論第3章

①②に関する留意点

③④に関する留意点
「基準」各論第3章

　上記⑤に関して，建物内部の状況は，その不動産の価格に大きく影響することから，実地調査においては，建物の内覧を行うことが必須である。ただし，建物の占有状況等によっては，建物内部への立入調査ができない場合があるので，対象不動産の内覧が可能な範囲等を依頼者に確認するとともに，鑑定評価報告書にも内覧した範囲等を明確に示す必要がある。

⑤に関する留意点

　上記事項の確認を行った場合には，それぞれ次の事項に関する記録を作成し，及び鑑定評価報告書の附属資料として添付しなければならない。

　①確認を行った年月日，②確認を行った不動産鑑定士の氏名，③確認の相手方の氏名及び職業，④確認の内容及び当該内容の処理計画への反映状況，⑤確認の内容の変更により鑑定評価の作業，内容等の変更をする場合にあっては，その内容

確認に際しての記録事項
「基準」各論第3章

　なお，処理計画の策定に当たっての確認については，対象不動産の鑑定評価を担当する不動産鑑定士以外の者が行う場合もあり得るが，当該不動産鑑定士が鑑定評価の一環として責任を有するものであることに留意しなければならない。

連帯責任
「留意事項」各論第3章

　また，処理計画の策定に当たっての確認において，依頼者から鑑定評価を適切に行うための資料の提出等について依頼者と交渉を行った場合には，その経緯を確認事項として記録しなければならない。

交渉経緯の記録
「留意事項」各論第3章

　さらに，エンジニアリング・レポート及びＤＣＦ法等を適用するために必要となる資料等の入手が複数回行われる場合並びに対象不動産の実地調査が複数回行われる場合にあっては，各段階ごとの確認及び記録が必要であることに留意しなければならない。

複数回の記録
「留意事項」各論第3章

　　　　　　　　　　　　　　　　　　　　　　　　　以　上

　本問は，「基準」各論第3章のうち，「不動産鑑定士の説明責任」と「処理計画の策定」に着目した問題である。

　小問(1)は，まず，鑑定評価全般における不動産鑑定士の責務としての説明責任（総論第1章）について述べてから，証券化対象不動産の鑑定評価（以下，証券化評価）における不動産鑑定士の責務としての説明責任（各論第3章）について述べると，厚みのある解答となってよい。証券化評価は，広範な利害関係者に重大な影響を及ぼすこと，そのために利害関係者が容易に鑑定評価の内容を理解，比較できるようにする必要があることについて，「基準」プラス補足により丁寧に述べてほしい。さらに，採用資料，ＥＲ活用の有無の明示等，説明責任の具体的内容について記述できれば高得点が見込める。とはいえ，解答例だとやや分量オーバーのため，総論第1章の責務については適宜圧縮又はカットしてもよい。

　小問(2)は，証券化評価における処理計画の策定と，当該策定に当たって依頼者に確認すべき6つの事項と，当該確認における留意点を「基準」「留意事項」に即して述べること。解答例のような補足説明があれば，加点対象となり得るが，こちらもやや分量オーバーのため，適宜圧縮又はカットしてもよい。解答例では省略したが，前提理論として，総論第8章の鑑定評価の手順における処理計画の策定について「基準」を引用してもよい。

───── MEMO ─────

問題① 不動産の価格に関する諸原則及び最有効使用の判定について，次の各設問に答えなさい。

(1) 「最有効使用の原則」の定義を述べなさい。

(2) 「均衡の原則」及び「適合の原則」のそれぞれの定義を述べたうえで，建物及びその敷地の最有効使用の判定において各原則をどのように活用するか述べなさい。

(3) 土地の最有効使用が近隣地域の標準的使用の用途と異なると判定する場合において，判定上の留意点を述べなさい。また，商業地域内にある土地の最有効使用が，近隣地域の標準的使用の用途と異なると判定する場合の留意点について，商業地の価格形成要因に触れつつ説明しなさい。

解答例

小問(1)

　不動産の価格形成過程には基本的な法則性が認められる。不動産の鑑定評価とは，その不動産の価格形成過程を追究し，分析することを本質とするものであるから，不動産の鑑定評価に際しては，鑑定評価に必要な指針としてこれらの法則性を認識し，かつ，これらを具体的に現した諸原則を活用すべきである。

価格諸原則の意義「基準」総論第4章

　不動産の価格は，その不動産の効用が最高度に発揮される可能性に最も富む使用（最有効使用）を前提として把握される価格を標準として形成される。これを最有効使用の原則という。

　この場合の最有効使用とは，現実の社会経済情勢の下で客観的にみて，良識と通常の使用能力を持つ人による合理的かつ合法的な最高最善の使用方法に基づくものである。

最有効使用の原則の定義「基準」総論第4章

　最有効使用の原則は，原価法において減価修正を行う際の機能的，経済的な減価要因の分析，取引事例比較法において配分法を適用する際の取引事例の収集選択，及び収益還元法（土地残余法）における最有効使用の建物の想定等に当たって活用されるものであり，不

最有効使用の原則の鑑定評価上の意義

動産の鑑定評価の行為基準となる重要な原則である。

なお，ある不動産についての現実の使用方法は，必ずしも最有効使用に基づいているものではなく，不合理な又は個人的な事情による使用方法のために，当該不動産が十分な効用を発揮していない場合があることに留意すべきである。

現実の使用方法「基準」総論第4章

小問(2)

不動産の価格は，その不動産の最有効使用を前提として把握される価格を標準として形成されるものであるから，不動産の鑑定評価に当たっては，地域分析及び個別分析を通じて対象不動産の最有効使用を判定する必要がある。個別分析とは，対象不動産の個別的要因が対象不動産の利用形態と価格形成についてどのような影響力を持っているかを分析してその最有効使用を判定することをいう。

最有効使用判定の必要性と個別分析の定義「基準」総論第6章

ここで，更地の最有効使用の判定とは，当該宅地の効用を最高度に発揮する特定の用途を判定することを指すのに対し，建物及びその敷地の最有効使用の判定とは，当該敷地部分の更地としての最有効使用を踏まえ，現況の建物利用を継続すべきか否かを判定することをいい，より具体的には，①現況の建物利用の継続，②建物の用途変更，構造改造等，③建物の取壊し，のうちいずれが最も合理的かを判定することをいう。

建物及びその敷地の最有効使用判定の意義

不動産の収益性又は快適性が最高度に発揮されるためには，その構成要素の組合せが均衡を得ていることが必要である。したがって，不動産の最有効使用を判定するためには，この均衡を得ているかどうかを分析することが必要である。これを均衡の原則という。

均衡の原則の定義「基準」総論第4章

また，不動産の収益性又は快適性が最高度に発揮されるためには，当該不動産がその環境に適合していることが必要である。したがって，不動産の最有効使用を判定するためには，当該不動産が環境に適合しているかどうかを分析することが必要である。これを適合の原則という。

適合の原則の定義「基準」総論第4章

不動産が最有効使用の状態にあるためには，その内部構成要素が均衡を得ているとともに，当該不動産とその外部環境とが適合していなければならず，均衡の原則及び適合の原則は，最有効使用判定の重要な指針となるものである。

補足

建物及びその敷地の最有効使用の判定に当たっては，均衡の原則及び適合の原則を活用し，建物等と敷地との適応の状態（敷地内における建物，駐車場，通路，庭等の配置，建物と敷地の規模の対応関係等）や建物とその環境との適合の状態（標準的使用の用途との適合性等）を分析し，建物等の配置が極端に不合理な場合や容積未消化の程度が大きい場合，場違い建物である場合等には，②建物の用途変更，構造改造等，③建物の取壊しの可能性を検討すべきである。

均衡・適合原則の活用方法
「基準」総論第3章

なお，当該検討に当たっては，現実の建物の用途等を継続する場合の経済価値と建物の取壊しや用途変更等を行う場合のそれらに要する費用等を適切に勘案した経済価値を十分比較考量することが必要であり，特に①物理的，法的にみた当該建物の取壊し，用途変更等の実現可能性，②建物の取壊し，用途変更等を行った後における対象不動産の競争力の程度等を踏まえた収益の変動予測の不確実性及び取壊し，用途変更に要する期間中の逸失利益の程度に留意すべきである。

建物及びその敷地の最有効使用判定上の留意点
「基準」「留意事項」総論第6章

したがって，建物等とその敷地とが均衡を欠いている場合や建物がその環境に適合していない場合であっても，上記のように更地としての最有効使用を実現するために要する費用等を勘案する必要があるため，建物及びその敷地と更地の最有効使用は必ずしも一致するものではないことに留意すべきである。

補足
「基準」総論第6章

小問(3)

地域の特性は，通常，その地域に属する不動産の一般的な標準的使用に具体的に現れるが，この標準的使用は，その地域に属する不動産のそれぞれについての最有効使用を判定する有力な標準となるものである。

標準的使用の意義
「基準」総論第6章

つまり，個々の不動産の最有効使用は，一般に近隣地域の地域の特性の制約下にあるので，近隣地域の標準的使用と当該地域内の個々の不動産の最有効使用は合致するのが通常であるが，対象不動産の位置，規模，環境等の個別的要因の如何によっては，標準的使用の用途と異なる用途が最有効使用となる可能性が考えられるので，こうした場合には，それぞれの用途に対応した個別的要因の分析を行っ

設問における最有効使用判定上の留意点
「基準」総論第6章

た上で，最有効使用を判定することに留意すべきである。

　商業地域とは，商業活動の用に供される建物，構築物等の敷地の用に供されることが，自然的，社会的，経済的及び行政的観点からみて合理的と判断される地域をいい，商業地とは商業地域のうちにある土地をいう。商業地における典型的需要者としては投資家等が挙げられ，特に「収益性」に関する要因が重視される。

　個別的要因とは，不動産に個別性を生じさせ，その価格を個別的に形成する要因をいう。

　対象不動産（商業地域内の土地）の最有効使用が標準的使用の用途と異なる場合とは，中高層事務所として用途が純化された地域において，交通利便性に優れ広域的な集客力を有するホテルが存する場合のように，対象不動産の個別性（個別的要因）のために近隣地域の制約の程度が著しく小さいと認められるものをいう。

　これは例えば，標準的使用は「事務所ビル」であるが，対象不動産の個別的要因のうち，「主要交通機関との接近性」及び「顧客の流動の状態との適合性」に関し，ターミナル駅に近接しておりペデストリアンデッキ等で直接対象地への顧客誘引が期待でき，また，「地積」に関し，標準的な土地の面積よりも大規模で，市場ニーズに見合った規模，品等のホテル建築が可能であり，さらに，「公法上及び私法上の規制，制約等」に関し，ホテル用途限定で容積率の割増が認められる場合等において，最有効使用を「ホテル」と判定するケースが挙げられる。

　このほか，標準的使用は「店舗ビル」であるが，対象不動産の「間口」が狭小で視認性に劣り，十分な顧客誘引が期待できない場合等において，最有効使用を「事務所ビル」等と判定するケースや，標準的使用は「事務所ビル」であるが，対象不動産が「角地」に存し，日照・通風面で優れる場合等において，最有効使用を「共同住宅」等と判定するケースも考えられる。

　なお，地域分析及び個別分析に当たっては，それぞれの過程で適切に市場分析を行い，対象不動産について現実的に想定される市場参加者の属性や行動基準等を明らかにし，当該市場参加者の観点から各種の要因を把握した上で，最有効使用を判定する必要がある。

商業地域の定義等
「基準」総論第2章

個別的要因の定義
「基準」総論第3章

設問の場合における具体例と説明
「基準」総論第3章，「留意事項」総論第7章

補足

特に，本問のように標準的使用と異なる用途を最有効使用として判定する場合には，非現実的な使用方法となっていないか十分留意すべきである。

以　上

解　説

本問は，「基準」総論第4章「最有効使用・均衡・適合の原則」と，総論第6章「最有効使用判定上の留意点」に着目した問題である。

小問(1)は，まず，上位概念として価格諸原則の意義に触れ，最有効使用の定義，補足説明等を述べれば十分である。解答例のほか，最有効使用の原則の成立根拠を補足として挙げてもよい。

小問(2)は，最有効使用判定の必要性と個別分析の定義を述べた上で，建物及びその敷地の最有効使用の判定内容について述べる。「基準」で明確に規定されていないが，基本かつ重要な論点なので，「更地」の場合と「建物及びその敷地」の場合とに分けて説明すること。均衡・適合の原則の定義を先に述べても問題ない。

各原則の活用方法については，総論第3章の価格形成要因を引用して説明しないと点数が伸びないと思われる。また，建物及びその敷地の最有効使用判定上の留意点を「基準」「留意事項」に即して述べた上で，不均衡・不適合であっても「現況継続」が最有効使用となる場合もあるという点を指摘できるかもポイントである。

小問(3)は，まず標準的使用と最有効使用が通常一致するものであり，本問のケースは例外である点を「基準」に即して指摘することが最低限必要である。その後，商業地域の定義や個別的要因の定義，商業地で重視される個別的要因等を述べつつ，具体的な事例を挙げて留意点について説明すること。解答例では，「留意事項」総論第7章の例示のうち商業地に関するものを挙げ，これを中心に説明しているが，「留意事項」にない他の具体例を挙げて説明しても問題ない。いずれにせよ，関連する価格形成要因を挙げて説明する必要があるので難易度は相当高い。間違ったことを書かずに正論（どのような要因故に，標準的使用と異なる用途が最有効使用となるのか）を展開してほしい。

―― MEMO ――

問題②　鑑定評価の基本的事項のうち，対象不動産の確定と求める価格の種類の確定について，次の各問に答えなさい。

(1)　対象不動産の確定について説明しなさい。また，対象確定条件とはどのような条件であり，具体的にどのようなものか述べなさい（ア〜オの符号を付して5つ記載すること）。

(2)　鑑定評価において求める価格の種類について簡潔に説明し，正常価格及び限定価格の定義を述べなさい。

(3)　A土地（概算額100）の所有者が，隣接するB土地（概算額100）を購入した上で，一体地（概算額250）として利用することを検討しており，A土地所有者から鑑定評価を依頼された場合において，次の①〜③のそれぞれについて，対象確定条件が(1)のア〜オのいずれに該当するか，また，その場合に求める価格の種類について答えなさい。但し，B土地上には老朽化した自用の建物（概算額0，解体費用20）が存している。なお，回答はア〜オの符号と価格の種類のみを記載すれば足り，説明は不要である。

①　B土地上の建物を売主の負担で解体・除却することを前提とした場合におけるB土地の鑑定評価

②　B土地及び地上建物をA土地の所有者が購入後，建物を自己の負担で解体・除却することを前提とした場合におけるB土地及び地上建物の鑑定評価

③　B土地上の建物を売主の負担で解体・除却すること及びその後にA土地とB土地を併合することを前提とした場合における一体地の鑑定評価（対象確定条件は2つ記載すること）

解答例

小問(1)

①　対象不動産の確定について

　　対象不動産の確定とは，鑑定評価の対象となる土地又は建物等を物的に確定することのみならず，鑑定評価の対象となる所有権及び所有権以外の権利を確定することをいう。

対象不動産の
確定の定義
「基準」総論第
5章

　不動産は，その自然的特性及び人文的特性により，複数筆の土地が集まって一体の土地として利用されたり，逆に一体の土地が分割されたりと可変的なものであり，また外観上は一つの不動産であっても，そこに複数の権利が複合的に存在したりと，物理的な面のみならず権利関係の面においても複雑な様相を呈することが多いため，対象不動産を確定することが必要となる。

　対象不動産の確定は，鑑定評価の対象を明確に他の不動産と区別し，特定することであり，それは不動産鑑定士が鑑定評価の依頼目的及び条件に照応する対象不動産と当該不動産の現実の利用状況とを照合して確認するという実践行為（対象不動産の確認）を経て最終的に確定されるべきものである。

　この対象不動産の確定は，当初の段階では机上レベルのものであって，いわば暫定的なものに過ぎない。その後，不動産鑑定士は，必ず現地に赴いて対象不動産の確認（現地調査）を行わなければならず，これによって最終的に鑑定評価の対象が確定されることとなる。

② 対象確定条件について

　鑑定評価に際しては，現実の状態を所与として不動産の価格を求めることのみでは多様な不動産取引の実態に即応することができず，社会的な需要に応ずることができない場合があるので，条件設定の必要性が生じてくる。条件設定は，鑑定評価の妥当する範囲及び鑑定評価を行った不動産鑑定士の責任の範囲を示すという意義を持つものである。

　対象不動産の確定に当たって必要となる鑑定評価の条件を対象確定条件という。対象確定条件は，鑑定評価の対象とする不動産の所在，範囲等の物的事項及び所有権，賃借権等の対象不動産の権利の態様に関する事項を確定するために必要な条件であり，依頼目的に応じて次のような条件がある。

ア．不動産が土地のみの場合又は土地及び建物等の結合により構成されている場合において，その状態を所与として鑑定評価の対象とすること（現況所与の鑑定評価）。

イ．不動産が土地及び建物等の結合により構成されている場合に

側注：
- 対象不動産の確定の必要性
- 確定と確認「基準」総論第 5 章
- 対象不動産の確認の必要性
- 条件設定の必要性，意義「留意事項」総論第 5 章

おいて，その土地のみを建物等が存しない独立のもの（更地）として鑑定評価の対象とすること（独立鑑定評価）。

ウ．不動産が土地及び建物等の結合により構成されている場合において，その状態を所与として，その不動産の構成部分を鑑定評価の対象とすること（部分鑑定評価）。

エ．不動産の併合又は分割を前提として，併合後又は分割後の不動産を単独のものとして鑑定評価の対象とすること（併合鑑定評価又は分割鑑定評価）。

オ．造成に関する工事が完了していない土地又は建築に係る工事（建物を新築するもののほか，増改築等を含む。）が完了していない建物について，当該工事の完了を前提として鑑定評価の対象とすること（未竣工建物等鑑定評価）。

なお，上記に掲げるもののほか，対象不動産の権利の態様に関するものとして，価格時点と異なる権利関係を前提として鑑定評価の対象とすることがある。

対象確定条件の定義，例示「基準」総論第5章

小問(2)

不動産の鑑定評価によって求める価格は，基本的には正常価格であるが，鑑定評価の依頼目的に対応した条件により限定価格，特定価格又は特殊価格を求める場合があるので，依頼目的に対応した条件を踏まえて価格の種類を適切に判断し，明確にすべきである。なお，評価目的に応じ，特定価格として求めなければならない場合があることに留意しなければならない。

鑑定評価によって求める価格「基準」総論第5章

不動産鑑定士による不動産の鑑定評価は，不動産の適正な価格を求め，その適正な価格の形成に資するものでなければならない。したがって，鑑定評価によって求める価格は，基本的には正常価格であるが，多様な不動産取引の実態に即応し，社会的な需要に応ずるため，依頼目的に応じて限定価格，特定価格，特殊価格を求めることも認められる。

補足「基準」「留意事項」総論第5章

これらは，対象となる不動産の市場性や前提となる市場が異なるため，同一不動産であっても求められる価格はそれぞれ異なる。したがって，鑑定評価に当たっては，依頼目的に対応した条件を明確にし，価格の種類を確定しなければならない。

価格の種類の確定の必要性

　正常価格とは，市場性を有する不動産について，現実の社会経済情勢の下で合理的と考えられる条件を満たす市場で形成されるであろう市場価値を表示する適正な価格をいう。

　限定価格とは，市場性を有する不動産について，不動産と取得する他の不動産との併合又は不動産の一部を取得する際の分割等に基づき正常価格と同一の市場概念の下において形成されるであろう市場価値と乖離することにより，市場が相対的に限定される場合における取得部分の当該市場限定に基づく市場価値を適正に表示する価格をいう。

　限定価格を求める場合を例示すれば，次のとおりである。

①　借地権者が底地の併合を目的とする売買に関連する場合

②　隣接不動産の併合を目的とする売買に関連する場合

③　経済合理性に反する不動産の分割を前提とする売買に関連する場合

　限定価格は，市場性を有する不動産についての市場価値を表示する点において，正常価格と共通している。

　しかし，限定価格は，不動産の併合や分割に係る売買に関連し，当該併合又は分割前の不動産の正常価格と乖離する価値の増減が発生することにより，市場参加者が特定当事者間に限定される場合に求められる価格であり，第三者が参入する余地はなく，当該当事者間にのみ経済合理性が認められる価格であるという点において，正常価格と異なる。

小問(3)

①の場合

　　対象確定条件：上記小問(1)②イ．の独立鑑定評価

　　価格の種類：限定価格

②の場合

　　対象確定条件：上記小問(1)②ア．の現況所与の鑑定評価

　　価格の種類：限定価格

③の場合

　　対象確定条件：上記小問(1)②イ．の独立鑑定評価及びエ．の併合鑑定評価

［欄外注記］
正常価格の定義
「基準」総論第5章

限定価格の定義，例示
「基準」総論第5章

正常価格と限定価格の違い

①の場合の対象確定条件，価格の種類

②の場合の対象確定条件，価格の種類

③の場合の対象確定条件，価格の種類

価格の種類：正常価格

以　上

解　説

　本問は，「基準」総論第5章から「対象不動産の確定及び対象確定条件」「正常価格及び限定価格」に着目した問題である。

　小問(1)は，まず，対象不動産の確定について「定義」「必要性」「確定と確認」「確認の必要性」の順番で述べ，次に，対象確定条件について「定義」と「具体例」を「基準」に即して述べればよい。いずれも基本論点であり，取りこぼしがないようにしてほしい。条件設定全般の必要性，意義について解答例のように「留意事項」を引用できれば加点事由となる。

　小問(2)は，「鑑定評価で求める価格が基本的に正常価格である点」「正常価格以外の価格を求める必要性」等の上位概念を説明してから，正常価格と限定価格の定義を述べればよい。補足として正常価格と限定価格の違いについても説明してほしい。こちらも小問(1)と同様基本中の基本レベルである。

　小問(3)はやや捻った問題だが，問題文に「対象確定条件と価格の種類のみ記載し，説明は不要」とあるため，結論のみ正しければよい。①については，売主負担で建物を解体することが前提で，求めるのは更地価格であるため対象確定条件は「独立鑑定評価」である。一方，価格の種類については，具体的な購入者の記述がなくやや微妙だが，本小問の前提が「A土地の所有者が購入する場合」の参考としての評価であることから，素直に「限定価格」とするのが無難であろう。ただし，「第三者が購入する場合」という意図で出題された場合には「正常価格」が正解となり，やや疑義の残る設問である。②については，買主負担で建物を解体することが前提で，解体費用も織り込んだ価格を求める必要があるため対象確定条件は「現況所与」である。また，上記のとおり隣接地所有者による併合を前提にしており，本件では併合による増分価値が生じるため，価格の種類は「限定価格」である。③については，①同様売主負担で建物を解体することが前提で，求めるのは更地価格であり，さらに併合後の一体地の評価であるため対象確定条件は「独立鑑定評価及び併合鑑定評価」である。また，併合鑑定評価であることから価格の種類は「正常価格」である。短答で頻出の論点であり，併合の事実は考慮せず併合後の一体地を単独のものとして評価する点に注意してほしい。

─── MEMO ───

問題3　新規地代を求めるための積算法に関する次の各設問に答えなさい。

(1)　積算法の定義を述べなさい。

(2)　更地としての最有効使用は高層店舗付事務所地である土地について，使用目的を低層店舗に限る借地契約が結ばれる場合，基礎価格をどのように求めるか述べなさい。

(3)　期待利回りについて次の各問に答えなさい。

①　収益還元法の還元利回りと積算法の期待利回りの定義を述べた上，両者の違いについて説明しなさい。

②　期待利回りを求める方法について述べなさい。

(4)　必要諸経費等として計上すべき項目を２つ挙げなさい。

解答例

小問(1)

不動産の新規賃料を求める鑑定評価の手法には，積算法，賃貸事例比較法，収益分析法等がある。

積算法は，対象不動産について，価格時点における基礎価格を求め，これに期待利回りを乗じて得た額に必要諸経費等を加算して試算賃料（積算賃料）を求める手法である。

積算法は，不動産の価格と賃料との間に認められる元本・果実の相関関係に着目し，賃貸人等が投下資本に対して期待する収益（純収益）に基づいて試算賃料を求める手法である。よって，積算法は，対象不動産の基礎価格，期待利回り及び必要諸経費等の把握を的確に行い得る場合に有効である。

小問(2)

基礎価格とは，積算賃料を求めるための基礎となる価格をいい，原価法及び取引事例比較法により求めるものとする。

なお，積算賃料を求めるに当たっての基礎価格は，必ずしも対象不動産の最有効使用を前提とした経済価値を示すものではなく，賃貸借等の契約において，賃貸人等の事情によって使用方法が制約されている場合等で最有効使用の状態を確保できない場合には，最有

新規賃料を求める鑑定評価の手法
「基準」総論第７章

積算法の定義
「基準」総論第７章

積算法の有効性
「基準」総論第７章

基礎価格の定義
「基準」総論第７章

基礎価格の意義
「留意事項」各論第２章

効使用が制約されている程度に応じた経済価値の減分（いわゆる契約減価）を考慮して求めるものとする。

したがって，宅地の基礎価格を求めるに当たっては，前提となる契約内容を十分確認のうえ，①当該宅地の最有効使用が可能な場合は，「更地」の経済価値に即応した価格を，②建物の所有を目的とする賃貸借等の場合で契約により敷地の最有効使用が見込めないときは，当該契約条件を前提とする「建付地」としての経済価値に即応した価格をそれぞれ求める必要がある。

本問は，更地としての最有効使用が高層店舗付事務所である土地について，使用目的を低層店舗に限る借地契約が結ばれる場合であり，最有効使用が見込めないため，上記②の「建付地」としての経済価値に即応した価格を求めなければならない。

宅地の基礎価格判定上の留意点
「留意事項」総論第 7 章

本問への当てはめ

小問(3)

① 還元利回りは，収益還元法のうち直接還元法の収益価格及びDCF法の復帰価格の算定において，一期間の純収益から対象不動産の価格を直接求める際に使用される率であり，将来の収益に影響を与える要因の変動予測と予測に伴う不確実性を含むものである。

還元利回りの定義
「基準」総論第 7 章

これに対し，期待利回りとは，賃貸借等に供する不動産を取得するために要した資本に相当する額に対して期待される純収益のその資本相当額に対する割合をいう。

期待利回りの定義
「基準」総論第 7 章

積算法で用いる期待利回りは，収益還元法で用いる還元利回りと同様，対象不動産に係る収益率を示すという点で共通している。ただし，還元利回りは価格（経済的残存耐用年数の全期間にわたる効用）に対応するものであるのに対し，期待利回りは賃料（当該全期間のうち一部の期間における効用）に対応するものであるから，期待利回りは将来の危険性や上昇期待等を反映する程度が還元利回りより低くなる。例えば，「将来，近隣に新駅が開業する見込みである」という要因が生じた場合，還元利回りはこれを反映して低くなるが，期待利回りは変化しないことがある。

また，期待利回りの判定に当たっては，地価水準の変動に対する賃料の遅行性及び地価との相関関係の程度を考慮する必要があ

共通点及び相違点
「留意事項」各論第 2 章

り，例えば，地価が急変動している時期において，還元利回りは
これに対応して変化するが，賃料の遅行性により，期待利回りは
変化しないことがある。

② 　期待利回りを求める方法については，収益還元法における還元
利回りを求める方法に準ずるものとする。

期待利回りの
求め方

　　還元利回りを求める方法には，「類似の不動産の取引事例との
比較から求める方法」「借入金と自己資金に係る還元利回りから
求める方法」「割引率との関係から求める方法」等があり，期待
利回りについてもこれらの方法を準用して求める必要がある。

「基準」総論第
7章

　　ただし，この場合において，前記①で述べた賃料の有する特性
に留意し，期待利回りに適切に反映しなければならない。

　　なお，期待利回りは，還元利回り同様，共に比較可能な他の資
産の収益性や金融市場における運用利回りと密接な関連があるの
で，その動向に留意しなければならない。また，期待利回りは，
還元利回り同様，地方別，用途的地域別，品等別等によって異な
る傾向を持つため，対象不動産に係る地域要因及び個別的要因の
分析を踏まえつつ適切に求めることが必要である。

還元利回りの
求め方を準用
する場合の具
体的留意点
「基準」総論第
7章
「留意事項」総
論第7章

　　さらに，期待利回りは，賃貸市場の実勢を反映した利回りとし
て求める必要があり，必要に応じ，投資家等の意見や整備された
不動産インデックス等を参考として活用すべきである。

小問(4)

建物及びその敷地の賃貸借に当たってその賃料（家賃）に含まれ
る必要諸経費等としては，①減価償却費（償却前の純収益に対応す
る期待利回りを用いる場合には，計上しない），②維持管理費（維
持費，管理費，修繕費等），③公租公課（固定資産税，都市計画税
等），④損害保険料（火災，機械，ボイラー等の各種保険），⑤貸倒
れ準備費，⑥空室等による損失相当額，があげられる。

新規家賃を求
める場合の必
要諸経費等
「基準」総論第
7章

　　これに対し，設問のような新規地代の評価の場合，土地上の建物
は借地権者が所有するものであり，建物の維持管理等に係る費用も
当然に当該借地権者が負担することから，上記項目のうち，②の管
理費等と③の土地公租公課を計上することが妥当である。ただし，
近年では賃料の口座振替等による管理事務の簡素化により，②は計

新規地代を求
める場合の必
要諸経費等2
つ

上せず，③のみを計上することも十分考えられる。

以　上

解　説

　本問は，「基準」総論第 7 章から積算法に関する出題である。

　小問(1)は，積算法の基本論点で，積算法の定義・有効性をコンパクトに述べればよい。

　小問(2)は，基礎価格に関する出題である。基礎価格は，賃貸借等の契約によって定められた使用方法が前提となるため，必ずしも最有効使用を前提とするものではない点を，「留意事項」からの引用によって確実に解答すること。

　小問(3)は，期待利回りに関する出題である。還元利回りは価格（経済的残存耐用年数の全期間にわたる効用）に対応するものであるのに対して，期待利回りは賃料（当該全期間のうち一部の期間における効用）に対応するものであることから，同じ要因でも各々の利回りに与える影響に差が生じる可能性がある点について述べること。また，解答例のように，賃料の遅行性・保守性の影響にも言及できれば加点事由となる。

　小問(4)は，必要諸経費等に関する出題である。本問では，管理費等を指摘することがやや難しかったかもしれないが，家賃同様に地代においても賃借人からの賃料徴収業務等の一定の手間が生じるため，管理費等を計上することが考えられる。

問題4　底地の鑑定評価について，次の各設問に答えなさい。

(1)　底地の価格とは何か。借地権設定者に帰属する経済的利益に触れつつ述べなさい。

(2)　普通借地権に基づく底地の鑑定評価額（正常価格）の求め方について述べなさい。

(3)　定期借地契約の期間満了が近づいている底地の鑑定評価について，次の各問に答えなさい。

①　当該底地の鑑定評価に当たって，契約期間の満了に係る留意点を述べなさい。

②　当該底地の鑑定評価に当たって，借地権設定者に帰属する経済的利益としてどのような点が重視されると考えられるか，簡潔に説明しなさい。

解答例

小問(1)

宅地の類型は，その有形的利用及び権利関係の態様に応じて，更地，建付地，借地権，底地，区分地上権等に分けられる。

（宅地の類型　「基準」総論第２章）

借地権とは，借地借家法（廃止前の借地法を含む。）に基づく借地権（建物の所有を目的とする地上権又は土地の賃借権）をいい，底地とは，宅地について借地権の付着している場合における当該宅地の所有権をいう。

（借地権・底地の定義　「基準」総論第２章）

底地の価格は，借地権の付着している宅地について，借地権の価格との相互関連において借地権設定者に帰属する経済的利益を貨幣額で表示したものである。

（底地の価格　「基準」各論第１章）

借地権設定者に帰属する経済的利益とは，当該宅地の実際支払賃料から諸経費等を控除した部分の賃貸借等の期間に対応する経済的利益及びその期間の満了等によって復帰する経済的利益の現在価値をいう。なお，将来において一時金の授受が見込まれる場合には，当該一時金の経済的利益も借地権設定者に帰属する経済的利益を構成する場合があることに留意すべきである。

つまり，借地権設定者（底地の所有者）は，借地権が付着している限り，自ら当該宅地上に建物を建築して使用収益することはできないため，底地の価格は，①借地契約が持続する期間内の地代収入に基づく経済的利益のほか，②近い将来，借地契約が終了して完全所有権が復帰することが予測される場合の最有効使用の実現等に基づく経済的利益や，③近い将来，更新料・条件変更承諾料・増改築承諾料等の一時金の発生が予測される場合のこれら一時金収入に基づく経済的利益等も加味して形成される。

借地権設定者に帰属する経済的利益「基準」各論第1章

小問(2)

設問の普通借地権に基づく底地の鑑定評価額（正常価格）は，実際支払賃料に基づく純収益等の現在価値の総和を求めることにより得た収益還元法による収益価格及び取引事例比較法による比準価格を関連づけて決定するものとする。

普通借地権に基づく底地の鑑定評価「基準」各論第1章

設問の普通借地権は，借地借家法の規定により，借地権設定者に一定の正当事由がない限り借地権者の更新請求を拒絶できないことなどから，契約の持続する期間が半永久的となることがある。

普通借地権の特徴

このような場合は，収益還元法（直接還元法）の適用に当たっては，永久還元法（$P = a / R$）を採用することが多い。

なお，底地の売主が既に受領した権利金は，通常，売買に当たって買主に承継されないことから，底地の純収益は，実際支払賃料から必要諸経費等を控除して求めるが，預り金的性格を有する保証金や，前払地代のうち価格時点以降の期間に対応する部分については，通常，売買に当たって買主に承継されることから，当該保証金等の預り金的性格を有する一時金についてはその運用益を，前払地代に相当する一時金については各期の前払地代及び運用益を，それぞれ考慮する点に留意する必要がある。

収益還元法適用上の留意点「留意事項」各論第1章

取引事例比較法の適用に当たっては，契約内容について類似性を有する事例を選択すべきであり，同種の普通借地権に基づく底地の取引事例を選択すべきである。また，底地の正常価格を求めることから，買主が借地権者以外の第三者の取引事例を選択すべきである。

取引事例比較法適用上の留意点

この場合においては，次に掲げる事項を総合的に勘案するものと

317

する。

　（ア）将来における賃料の改定の実現性とその程度，（イ）借地権の態様及び建物の残存耐用年数，（ウ）契約締結の経緯並びに経過した借地期間及び残存期間，（エ）契約に当たって授受された一時金の額及びこれに関する契約条件，（オ）将来見込まれる一時金の額及びこれに関する契約条件，（カ）借地権の取引慣行及び底地の取引利回り，（キ）当該借地権の存する土地に係る更地としての価格又は建付地としての価格

総合的勘案事項
「基準」各論第1章

小問(3)

①について

　定期借地権とは，借地借家法第二章第四節（第22条〜第24条）に規定する借地権（一般定期借地権・事業用定期借地権・建物譲渡特約付借地権）をいい，普通借地権と異なり契約の更新性はなく，期間の満了によって確定的に契約が終了する。

定期借地権の特徴

　そのため，定期借地権が付着した底地の鑑定評価に当たっては，（ア）定期借地権は，契約期間の満了に伴う更新がなされないこと，（イ）契約期間満了時において，借地権設定者に対し，更地として返還される場合又は借地上の建物の譲渡が行われる場合があることに留意すべきである。

契約期間満了に係る留意点
「留意事項」各論第1章

　この場合，上記小問(2)で挙げた事項に加え，（ク）借地期間満了時の建物等に関する契約内容を勘案するものとする。

総合的勘案事項
「基準」各論第1章

　したがって，設問のような定期借地契約の期間満了が近づいている底地の場合，現状の地代収入は短期的なものに過ぎないため，収益還元法（直接還元法）の適用に当たっては，有期還元法（インウッド式）を採用し，借地期間中の地代収入の現在価値の総和に，借地期間満了時の建物等に関する契約内容に応じて求めた復帰価格（更地価格又は建物及びその敷地の価格等）の現在価値を加算して求める。

収益還元法適用上の留意点

　また，取引事例比較法の適用に当たっては，同種の定期借地権に基づく底地の取引事例を採用すべきである。

取引事例比較法適用上の留意点

②について

　小問(1)のとおり，底地の価格は，「地代収入に基づく利益」，「完

318

全所有権復帰に基づく利益」，「一時金収入に基づく利益」によって構成され，小問(2)のような普通借地権の場合，契約期間が満了しても更新されることが多いため，当該借地権に基づく底地の価格は，「完全所有権復帰に基づく利益」はさほど重視されず，「地代収入に基づく利益」を中心に，「一時金収入に基づく利益」を加味して形成されることが多い。

　一方，設問の定期借地権の場合，上記①のとおり，期間の満了によって確定的に借地契約が終了するため，当該借地権に基づく底地については，更新料等の「一時金収入に基づく利益」は見込めないものの，「地代収入に基づく利益」と「完全所有権復帰に基づく利益」が価格形成に大きく影響し，特に設問のように定期借地契約の期間満了が近づいている底地の場合，「完全所有権復帰に基づく利益」が最も重視される。

以　　上

> 普通借地権が付着している底地価格の特徴

> 定期借地権が付着している底地価格の特徴

解　説

　本問は，「基準」各論第１章から底地の鑑定評価に着目した問題である。

　小問(1)は，底地の価格を形成する「借地権設定者に帰属する経済的利益」が，①地代収入，②将来の完全所有権復帰（の可能性），③将来の一時金収入（の可能性）からなることを，「基準」に即して述べること。解答例のような補足説明があるとよい。

　小問(2)は，普通借地の付着している底地の鑑定評価方法及び総合的勘案事項を「基準」に即して述べること。各手法適用上の留意点についても述べること。

　小問(3)①は定期借地権の説明し，契約期間満了に係る留意点を「留意事項」に即して述べること。小問(2)と同様に各手法適用上の留意点についても述べるとよい。

　小問(3)②は小問(1)で述べた①地代収入，②将来の完全所有権復帰（の可能性），③将来の一時金収入（の可能性）のうち，普通借地権が付着している底地価格は①と③，定期借地権が付着している底地価格は①と②が重視される点を対比して述べること。

問題①　不動産鑑定評価基準における不動産の鑑定評価に関する基本的考察について，次の各設問に答えなさい。

(1)　土地が有する他の一般の諸財と異なる2つの特性を簡潔に述べなさい。

(2)　不動産の価格の二面性について具体例を用いて説明しなさい。

(3)　不動産の鑑定評価の必要性に触れつつ，不動産の鑑定評価が，なぜ社会的公共的意義が極めて大きいといわれるかについて説明しなさい。

解答例

小問(1)

　不動産は，通常，土地とその定着物をいう。土地はその持つ有用性の故にすべての国民の生活と活動とに欠くことのできない基盤である。

| 不動産の意義 「基準」総論第 1章

　不動産（土地）が国民の生活と活動に組み込まれどのように貢献しているかは具体的な価格として現れるものであるが，土地は他の一般の諸財と異なって次のような特性を持っている。

①　自然的特性として，地理的位置の固定性，不動性（非移動性），永続性（不変性），不増性，個別性（非同質性，非代替性）等を有し，固定的であって硬直的である。

　　自然的特性は，ありのままの土地自体に内在する固有の特性である。

②　人文的特性として，用途の多様性（用途の競合，転換及び併存の可能性），併合及び分割の可能性，社会的及び経済的位置の可変性等を有し，可変的であって伸縮的である。

　　人文的特性は，土地に対して人間が種々の働きかけをする場合において人間と土地との関係として生じてくる特性である。

| 土地の特性 「基準」総論第 1章

　不動産は，この土地の持つ諸特性に照応する特定の自然的条件及び人文的条件を与件として利用され，その社会的及び経済的な有用性を発揮するものである。そして，これらの諸条件の変化に伴って，

| 補足 「基準」総論第 1章

その利用形態並びにその社会的及び経済的な有用性は変化する。

小問(2)

一般に，市場人が財の経済価値を把握するに当たっては，「効用」，「相対的稀少性」，「有効需要」の3つの価値概念に着目する。不動産の場合も同様であって，その価格は，一般に，①その不動産に対してわれわれが認める効用，②その不動産の相対的稀少性及び③その不動産に対する有効需要の三者の相関結合によって生ずる不動産の経済価値を，貨幣額をもって表示したものということができる。

「効用」とは，われわれ人間の欲求を満たすことができる能力（日常生活や経済活動等における有用性）を意味する。

「相対的稀少性」とは，「全ての人間の欲求を満たし得るほどの量はない」という意味で有限であって，それを取得するためには何らかの経済的犠牲を要することを意味する。

「有効需要」とは，市場において購買力の裏付けを有する買手が存在することを意味する。

不動産の経済価値は，これら3つの価値概念に係る条件が全て満たされたとき，その相関結合によって生ずるものであって，どれか一つが欠けても不動産に経済価値は生じない。

また，不動産の価格を形成する要因（価格形成要因）とは，前記の不動産の効用及び相対的稀少性並びに不動産に対する有効需要の三者に影響を与える要因をいう。不動産の価格は，多数の要因の相互作用の結果として形成されるものであるが，要因それ自体も常に変動する傾向を持っている。したがって，不動産の鑑定評価を行うに当たっては，価格形成要因を市場参加者の観点から明確に把握し，かつ，その推移及び動向並びに諸要因間の相互関係を十分に分析して，前記三者に及ぼすその影響を判定することが必要である。

不動産の経済価値（価格）は，基本的には前記三者を動かす価格形成要因の相互作用によって決定される。不動産の価格と価格形成要因との関係は，不動産の価格が，①価格形成要因の影響の下にあると同時に，②選択指標としてこれらの要因に影響を与えるという二面性を持つものである。

すなわち，①不動産の価格は，多数の価格形成要因の影響により

不動産の経済価値を生む3つの価値概念「基準」総論第1章

不動産の経済価値が生じる条件

価格形成要因の意義「基準」総論第3章

不動産の価格の二面性「基準」総論第1章

形成されると同時に，②ある地域の価格水準は，その地域に存する不動産のあり方（不動産がどのように構成され，どのように貢献しているかということ）を方向づけることを通じて，その地域の価格形成要因に影響を与えるのである。

　具体的には，繁華性の程度が優れ，商業背後地が広く，顧客の質と量に優れているという価格形成要因等の影響により，価格水準の高い高度商業地として取引され利用される不動産について，選択指標として，その地域の物価，賃金，雇用及び企業活動の状態や商業施設の種類，規模，集積度等の状態等に影響を与えることが考えられる。

具体例
「基準」総論第
3章

小問(3)

　不動産の経済価値（価格）は，取引市場において形成されている。しかし，不動産の現実の取引価格等は，取引等の必要に応じて個別的に形成されるのが通常であり，しかもそれは個別的な事情に左右されがちのものである。

　なぜなら，不動産の取引は，前記土地の特性を反映して個別的に行われることが多く，また，隣接不動産の併合や不動産の一部の分割等を目的とする取引等，取引の性格上，必然的に市場が限定されることも少なくないからである。さらに，不動産市場の特性，取引等における当事者双方の能力の多様性と特別の動機により売り急ぎ，買い進み等特殊な事情が存在する場合もある。

不動産の価格
の特徴
「基準」総論第
1章

　このような状況で形成された取引価格等の中には，その不動産の適正な価値を反映していないものも数多く含まれ，また，このような取引価格等から不動産の適正な価格を見出すことは一般の人には非常に困難である。したがって，不動産の適正な価格については専門家としての不動産鑑定士の鑑定評価活動が必要となる。

鑑定評価の必
要性
「基準」総論第
1章

　不動産の鑑定評価とは，現実の社会経済情勢の下で合理的と考えられる市場で形成されるであろう市場価値を表示する適正な価格を，不動産鑑定士が的確に把握する作業に代表されるように，練達堪能な専門家によって初めて可能な仕事であるから，このような意味において，不動産の鑑定評価とは，不動産の価格に関する専門家の判断であり，意見であるといってよいであろう。

鑑定評価の意
義
「基準」総論第
1章

それはまた，この社会における一連の価格秩序のなかで，対象不動産の価格の占める適正なあり所を指摘し，不動産のあり方を方向付ける主要な指標を示すことを意味する。個人の幸福も社会の成長，発展及び公共の福祉も，不動産のあり方に依存しているものであることを考えると，鑑定評価活動の社会的公共的意義は極めて大きいといわなければならない。

鑑定評価の社会的公共的意義「基準」総論第1章

不動産鑑定士は，このような不動産の鑑定評価の意義を理解の上，前記の価値概念に関する十分な検討や価格形成要因の的確な分析を踏まえ，鑑定評価の手法を駆使する等，的確かつ誠実な鑑定評価活動を実践しなければならない。

不動産鑑定士の責務「基準」総論第1章

以　上

解　説

本問は，「基準」総論第1章から「土地の特性」，「価格の二面性」及び「鑑定評価の必要性と社会的公共的意義」等に着目した問題である。

小問(1)は，土地が有する2つの特性を「基準」に即して正確に引用する。各特性の具体例について補足してもよいが，「簡潔に」と問題文にあることや「価格の特徴」とは問われていないこと等からシンプルに解答するのが妥当であろう。

小問(2)は，「効用」「相対的稀少性」「有効需要」の三者及び「価格形成要因」並びに「不動産の価格」の関連性（二面性）について，「基準」からの引用だけでなく，具体例を挙げて説明する必要がある。具体例は準備していないとやや書きにくいが，解答例の具体例のほか，基本テキストの例示などを記述すれば問題ない。当然，説明に矛盾がなければ，解答例以外の具体例でも及第点である。なお，「価格とあり方の二面性」を中心に述べても誤りではないが，出題者の意図は解答例の「価格と価格形成要因の二面性」を問うているものと思われる。

小問(3)は，不動産の価格の特徴のうち，現実の取引価格の特徴について述べ，鑑定評価の必要性→鑑定評価の意義（社会的公共的意義）とつなげるとよい。頻出論点かつ基本であることから，丁寧な解答が求められる。

問題②　鑑定評価における市場分析に関する次の各設問に答えなさい。

　(1)　地域分析及び個別分析の定義を述べなさい。

　(2)　地域分析及び個別分析において対象不動産に係る市場の特性を把握することの必要性を述べなさい。

　(3)　賃貸用店舗及びその敷地の典型的な需要者（買手，借手）とそれらの者が取引等に際し重視する要因を例示しなさい。あわせて，直接還元法の適用において，需要者の属性及び行動をどのように反映するか説明しなさい。なお，店舗は新築未入居であるものとする

解答例

小問(1)

　不動産は，他の不動産とともに，用途的地域を構成してこれに属することを通常とし（不動産の地域性），地域は，その規模・構成の内容・機能等にわたってそれぞれ他の地域と区別されるべき特性を有している（地域の特性）。

　不動産の価格は，用途的地域の価格水準という大枠の下で個別的に形成されるものであり，価格形成要因の分析に当たっては，収集された資料に基づき，地域分析及び個別分析を通じて対象不動産についてその最有効使用を判定しなければならない。

地域分析，個別分析の必要性
「基準」総論第8章

　地域分析とは，その対象不動産がどのような地域に存するか，その地域はどのような特性を有するか，また，対象不動産に係る市場はどのような特性を有するか，及びそれらの特性はその地域内の不動産の利用形態と価格形成について全般的にどのような影響力を持っているかを分析し，判定することをいう。

地域分析の定義
「基準」総論第6章

　個別分析とは，対象不動産の個別的要因が対象不動産の利用形態と価格形成についてどのような影響力を持っているかを分析してその最有効使用を判定することをいう。

個別分析の定義
「基準」総論第6章

小問(2)

　市場分析とは，地域分析・個別分析の各手順において，対象不動産に係る市場の範囲，主たる市場参加者の属性や行動基準，需給動

市場分析の定義

向や対象不動産の市場競争力等を分析し，現実の市場の実態を把握
することをいう。

　一般に，市場参加者は，市場の需給動向に関する見通しを前提と
して取引の可否・取引価格等についての意思決定を行うが，その決
定基準は市場参加者の属性ごとに一定の傾向を見出すことができる。
市場参加者は，不動産の利用形態や価格形成に主導的な役割を果た
していることから，市場分析により市場参加者の属性や行動等の市
場の特性を把握することを通じて，価格形成要因の把握・分析を的
確に行うことができる。

市場の特性を
把握すること
の必要性

　地域分析における市場分析に当たっては，①同一需給圏における
市場参加者がどのような属性を有しており，②どのような観点から
不動産の利用形態を選択し，価格形成要因についての判断を行って
いるかを的確に把握することが重要である。あわせて③同一需給圏
における市場の需給動向を的確に把握する必要がある。

地域分析にお
ける市場分析
「基準」総論第
6章

　個別分析における市場分析に当たっては，①対象不動産に係る典
型的な需要者がどのような個別的要因に着目して行動し，②対象不
動産と代替，競争等の関係にある不動産と比べた優劣及び競争力の
程度をどのように評価しているかを的確に把握することが重要であ
る。

個別分析にお
ける市場分析
「基準」総論第
6章

小問(3)

1．直接還元法と市場分析の関連

　収益還元法は，対象不動産が将来生み出すであろうと期待され
る純収益の現在価値の総和を求めることにより対象不動産の試算
価格（収益価格）を求める手法である。

収益還元法の
定義
「基準」総論第
7章

　直接還元法とは，一期間の純収益を還元利回りによって還元す
る方法であり，基本的には次の式により表される。

$$P = \frac{a}{R}$$

　P：求める不動産の収益価格，a：一期間の純収益，R：還元
利回り

直接還元法の
定義，基本式
「基準」総論第
7章

　対象不動産の種別，類型ごとに市場参加者は異なり，不動産に
期待する効用の尺度も異なることから，対象不動産ごとに重視す

325

べき要因が異なる。また，価格を求める場合と賃料を求める場合についても同様のことがいえる。

このような市場分析の結果は，鑑定評価の手法の適用，試算価格又は試算賃料の調整等における各種の判断においても反映すべきであり，設問の場合における直接還元法の適用においても以下のように反映する必要がある。

市場分析結果
の反映
「基準」総論第
6章

2. 需要者（借手）の属性及び行動の反映

直接還元法の適用に当たって，純収益は，一般に1年を単位として総収益から総費用を控除して求めるが，賃貸用不動産の総収益は，一般に，①支払賃料に②預り金的性格を有する保証金等の運用益，③賃料の前払的性格を有する権利金等の運用益及び償却額並びに④駐車場使用料等のその他収入を加えた額とする。このうち，①支払賃料は賃借人（借手）が負担するものであり，借手の観点から負担可能な水準として求めなければならない。

純収益，総収
益の定義等
「基準」総論第
7章

設問のような賃貸用店舗及びその敷地の借手の属性としては物販，飲食及びサービス業等に係る店舗事業者が挙げられ，賃貸借に当たっては売上高を左右する事業収益性を念頭に意思決定が行われるため，顧客誘引力や客動線を左右することを通じてこれに影響を与える，商業背後地及び顧客の質と量（地域要因）や接面街路の幅員，建物の施工の質と量（個別的要因）等の要因を特に重視して支払賃料を査定する必要があり，賃貸事例比較法を適用する場合には事例選択及び要因比較に当該要因を適切に反映する必要がある。また，対象不動産は新築未入居の状態であり，賃貸事例も同様に新築か築後間もないものが望ましい。

設問の場合の
借手の属性及
び行動，重視
すべき要因並
びに直接還元
法への反映
「基準」総論第
3章

3. 需要者（買手）の属性及び行動の反映

還元利回りは，直接還元法の収益価格の算定において，一期間の純収益から対象不動産の価格を直接求める際に使用される率であり，将来の収益に影響を与える要因の変動予測と予測に伴う不確実性を含むものである。当該不確実性に基づくリスクは購入者（買手）が負担するものであり，買手の観点から適切な還元利回りを求めなければならない。

還元利回りの
定義等
「基準」総論第
7章

設問のような賃貸用店舗及びその敷地の買手の属性としては投

資家が挙げられ，取引に当たっては賃貸による収益性，投資採算
性を念頭に意思決定が行われるため，将来収支や投資選好度を左
右することを通じてこれに影響を与える，繁華性の程度及び盛衰
の動向（地域要因）や隣接不動産等周囲の状態，建物の面積（個
別的要因）等の要因を特に重視して還元利回りを査定する必要が
あり，特に設問の対象不動産は新築未入居の状態であることから，
上記要因を考慮し，稼働当初の空室消化ペースや将来の賃料変動
リスク，元本リスク等を適切に反映する必要がある。

以　上

設問の場合の
買手の属性及
び行動，重視
すべき要因並
びに直接還元
法への反映
「基準」総論第
3 章

解　説

　本問は，「基準」総論第 6 章「市場分析」を中心としつつ，総論第 7 章「直接
還元法」や総論第 3 章「価格形成要因」に係る記述も必要で，基準を広範囲かつ
体系的に理解しているかを問う問題である。

　小問(1)は，まず，上位概念として地域分析，個別分析の必要性に触れてから各
分析の定義を正確に引用すること。上位概念は解答例よりコンパクトにまとめて
も全く問題ない。

　小問(2)は，市場分析の定義，必要性については「基準」以外の文言となるが，
ＴＡＣの答練で頻出の論点であることからほぼ解答例どおりの記述が望ましい。
市場分析に係る「基準」総論第 6 章の記述については小問(1)同様，正確な引用が
必要である。

　小問(3)は，難易度が高く必ずしも解答例と同じ内容である必要はないが，最低
限問題文で問われている「需要者（買手，借手）」「重視する要因」「直接還元法
への反映」については触れるようにしてほしい。「基準」の引用で加点を狙う場
合，解答例のように「基準」総論第 7 章の直接還元法における純収益，還元利回
りの定義等の引用が無難であるが，「基準」総論第 3 章の価格形成要因の定義等
でも構わないだろう。いずれにしても加点狙いで論文の趣旨がぼやけ，読みづら
い内容とならないように注意してほしい。

問題3 収益分析法に関する次の各設問に答えなさい。
 (1) 収益分析法の意義と有効性について述べなさい。
 (2) 収益純賃料と不動産の価格に関する諸原則について，次の各問に答えなさい。
   ① 不動産の価格に関する諸原則とは何かを述べなさい。また，企業は不動産のみならず様々な経営資源を用いて収益を生み出すが，この点と関連が深い不動産の価格に関する諸原則を1つ挙げその内容を説明しなさい。
   ② 上記①で挙げた不動産の価格に関する諸原則との関連をふまえて，収益純賃料の意義と求め方について説明しなさい。
 (3) 原則として収益分析法を賃貸用不動産に適用できない理由について，いわゆる元本と果実との間に認められる相関関係に関する不動産の経済価値の特徴との関連をふまえて説明しなさい。

解答例

小問(1)

　不動産の新規賃料を求める鑑定評価の手法には，積算法，賃貸事例比較法，収益分析法等がある。

　収益分析法は，一般の企業経営に基づく総収益を分析して対象不動産が一定期間に生み出すであろうと期待される純収益（減価償却後のものとし，これを収益純賃料という。）を求め，これに必要諸経費等を加算して対象不動産の試算賃料（収益賃料）を求める手法である。

　なお，一般企業経営に基づく総収益を分析して収益純賃料及び必要諸経費等を含む賃料相当額を収益賃料として直接求めることができる場合もある。

　収益分析法は，対象不動産の収益性に着目した手法であり，企業経営に基づく総収益（売上高）を分析して求めた不動産に帰属する純収益（収益純賃料）を基に試算賃料を求めるものである。

　したがって，収益分析法は，企業の用に供されている不動産のう

新規賃料を求める鑑定評価の手法
「基準」総論第7章

収益分析法の定義
「基準」総論第7章

補足
「基準」総論第7章

収益分析法の特徴

ち，特にホテル・旅館等の宿泊施設や，百貨店・ショッピングセンター等の商業施設等，その企業の営業活動に当該不動産が大きく寄与しており，かつ当該不動産に帰属する純収益を適切に求め得る場合に有効な手法である。

なお，売上高の大部分が優れた経営や強大な資本力により生み出されている場合等には，不動産自体に帰属する純収益を正確に把握する必要があり，超過収益の適正な配分ができない場合等にはこの手法を適用することはできない。

収益分析法の
有効性
「基準」総論第
7章

小問(2)

① 不動産の価格は，不動産の効用及び相対的稀少性並びに不動産に対する有効需要に影響を与える諸要因の相互作用によって形成されるが，その形成の過程を考察するとき，そこに基本的な法則性を認めることができる。不動産の鑑定評価に当たっては，これらを具体的に現した諸原則を活用すべきである。

価格諸原則の
意義
「基準」総論第
4章

収益分析法と特に関連する価格原則は，収益配分の原則である。

収益配分の原則とは，「土地，資本，労働及び経営（組織）の各要素の結合によって生ずる総収益は，これらの各要素に配分される。したがって，このような総収益のうち，資本，労働及び経営（組織）に配分される部分以外の部分は，それぞれの配分が正しく行われる限り，土地に帰属するものである」という原則である。

収益配分の原
則の指摘及び
定義
「基準」総論第
4章

不動産を含む複数の生産要素の結合によって生ずる収益は，すべて不動産に帰属するものではなく，各生産要素の収益獲得の貢献度に応じて配分することが必要であり，企業が様々な経営資源より生み出した収益を，不動産以外の各要素（資本，労働，経営等）の貢献度に応じて配分することにより，不動産に帰属する純収益を適切に求めることができる。

収益配分の原
則の意義

② 収益純賃料は，企業経営に基づく総収益から求めた不動産に帰属する純収益であり，収益目的のために用いられている不動産とこれに関与する資本，労働及び経営の諸要素の結合によって生ずる総収益から，資本，労働及び経営の総収益に対する貢献度に応じた分配分を控除した残余の部分である。

収益純賃料の
意義
「基準」総論第
7章

したがって，収益純賃料の算定については，収益配分の原則を活用し，収益還元法における純収益の算定に準じて，総収益としての売上高から，総費用として売上原価，販売費及び一般管理費等を控除して求めるものとする。

収益純賃料の算定方法「基準」総論第7章

なお，収益純賃料には賃借人等に帰属する企業経営上の利潤等を含めるべきではないことから，必ずしも企業会計上の営業収益と一致するものではない点に留意する必要がある。

また，収益純賃料の算定に当たっては，賃料の有する特性に留意しなければならない。つまり，賃料は，一般に契約期間のみの使用収益が前提となることから，収益還元法（直接還元法）のように長期的な将来予測を踏まえた純収益の標準化は行うべきではない。また，賃貸借等の契約によって使用方法が制約されている場合，当該制約下での使用に基づく純収益として求める必要がある。

収益純賃料算定上の留意点

小問(3)

賃貸用不動産とは，賃借人からの賃料収入が収益源となる不動産をいい，賃貸事務所や賃貸マンション等がある。

賃貸用不動産の定義

不動産の経済価値は，一般に，交換の対価である価格として表示されるとともに，その用益の対価である賃料として表示される。そして，この価格と賃料との間には，いわゆる元本と果実との間に認められる相関関係を認めることができる。

価格の特徴①「基準」総論第1章

すなわち，不動産の価格は，不動産の経済的残存耐用年数の全期間にわたり，当該不動産を使用収益できることを基礎として生ずる経済価値を貨幣額表示したもの，不動産の賃料とは不動産の経済的残存耐用年数の全期間のうち，一部の期間について，当該不動産を使用収益できることを基礎として生ずる経済価値を貨幣額表示したもので，両者は一方が増加すれば他方も増加するという正の相関関係にあるため，価格と賃料は元本果実の相関関係にある，という特徴である。

元本果実の相関関係

この特徴に着目して価格（元本）から賃料（果実）を求める手法が積算法，賃料（果実）から価格（元本）を求める手法が収益還元法であり，これらの手法はいずれも賃貸用不動産又は一般企業用不

元本果実の相関関係に着目した手法

動産の賃料や価格を求める際に適用し得るものである。

　一方，収益分析法は，元本果実の相関関係に着目した手法ではなく，一般の企業経営に基づく総収益（果実）を分析して賃料（果実）を求める手法である。一般的な賃貸用不動産から生み出される総収益は，これから正に求めようしている賃料を源泉とするものであり，いわゆる循環論法に陥るため，一般的な賃貸用不動産には適用が困難である。

賃貸用不動産に収益分析法が適用できない理由

以　上

解　説

　本問は，「基準」総論第７章のうち「収益分析法」に着目した問題である。

　小問(1)は，収益分析法の定義・特徴・有効性について「基準」プラス補足説明によって確実に解答すること。簡便な試算方法についても忘れずに言及してほしい。

　小問(2)①は，「基準」総論第４章の前文を引用してから，題意に該当する原則が「収益配分の原則」である点を指摘し，当該原則の定義と特徴を述べること。②の収益純賃料の算定方法については，収益還元法における「賃貸以外の事業の用に供する不動産」の純収益の求め方を引用し，算定上の留意点については，「賃借人等に帰属する利潤を考慮する必要があること」「収益還元法のように長期的な将来予測を踏まえた標準化を行うべきではないこと」「契約によって定められた使用方法を前提とすること」等を挙げるとよい。これらのうち，少なくとも１つは挙げてほしいところである。

　小問(3)は，難易度の高い問題である。「基準」総論第１章から，価格の特徴（元本と果実の相関関係）の規定を引用し，当該特徴に着目した手法（積算法や収益還元法）は賃貸用不動産について適用することが可能だが，収益分析法は循環論法に陥るため，賃貸用不動産について適用することが困難である点を説明する必要がある。題意の把握がやや困難だが，総論第１章の規定を確実に引用したうえで，「収益還元法（又は積算法）との有効性の違い」や「循環論法」という観点で簡潔にまとめれば十分であろう。

問題4　更地の鑑定評価について，次の各設問に答えなさい。

　(1)　更地の定義を述べなさい。

　(2)　中規模の更地の鑑定評価額はどのように決定するか述べなさい。また，手法の適用における建物及びその敷地の取引事例の採用について，留意点及びその理由を簡潔に述べなさい。

　(3)　原価法の適用に関し，次の各問に答えなさい。

　　①　土地の再調達原価の求め方を簡潔に述べなさい。

　　②　更地の鑑定評価において，原価法の適用が困難な場合を1つ例示し，その理由を簡潔に述べなさい。

　(4)　当該更地の面積が近隣地域の標準的な土地の面積に比べて大きく，分割利用することが合理的と認められる場合の鑑定評価において，比較考量すべき手法について説明するとともに，留意事項を述べなさい（ただし，基本式の記載は不要である）。また，当該手法による価格を比較考量すべき理由を簡潔に述べなさい。

解答例

小問(1)

　宅地の類型は，その有形的利用及び権利関係の態様に応じて，更地，建付地，借地権，底地，区分地上権等に分けられる。

　更地とは，建物等の定着物がなく，かつ，使用収益を制約する権利の付着していない宅地をいう。

小問(2)

　更地は，当該宅地の最有効使用に基づく経済的利益を十全に享受することを期待し得るものであるから，更地の鑑定評価に当たっては，当該宅地の最有効使用を前提とした価格を求める必要がある。

　中規模の更地の鑑定評価額は，更地並びに配分法が適用できる場合における建物及びその敷地の取引事例に基づく比準価格並びに土地残余法による収益価格を関連づけて決定するものとする。再調達原価が把握できる場合には，積算価格をも関連づけて決定すべきである。また，当該更地の面積が近隣地域の標準的な土地の面積に比

（右側注記）
- 宅地の類型　「基準」総論第2章
- 更地の定義　「基準」総論第2章
- 更地の価格の特徴
- 更地の鑑定評価　「基準」各論第1章

べて大きい場合等においては，さらに開発法による価格を比較考量して決定するものとする。

　更地の鑑定評価に当たって取引事例比較法を適用する場合，「更地」の取引事例だけでなく，「建物及びその敷地」の取引事例を採用することも可能である。これは，既成市街地においては，更地そのものよりも建物と土地が一体となって取引される事例が多く，また敷地が最有効使用の状態にある建物及びその敷地の取引事例であれば，配分法を適用することにより更地価格と同じ水準の建付地価格を導出することが出来るからである。したがって，建物及びその敷地の取引事例については，敷地が最有効使用の状態にあるものを採用すべきであり，建物が敷地の最有効使用に合致していない事例の場合，建付増減価が発生していることから，建付増減価補正が可能な事例を採用する必要がある。特に，貸家及びその敷地の取引事例を採用する場合は，賃借人が居付であることによる増減価が取引価格に含まれているか否かについて十分分析し，必要に応じて土地価格を補正する必要がある。

建物及びその敷地の取引事例を採用する場合の留意点「基準」各論第1章

小問(3)

① 原価法は，費用性に着目した手法であり，価格時点における対象不動産の再調達原価を求め，この再調達原価について減価修正を行って対象不動産の試算価格（積算価格）を求める手法である。

原価法の定義・「基準」総論第7章

　再調達原価とは，対象不動産を価格時点において再調達することを想定した場合において必要とされる適正な原価の総額をいう。

再調達原価の定義「基準」総論第7章

　土地の再調達原価は，その素材となる土地の標準的な取得原価に当該土地の標準的な造成費と発注者が直接負担すべき通常の付帯費用とを加算して求めるものとする。

土地の再調達原価「基準」総論第7章

　なお，土地についての原価法の適用において，宅地造成直後の対象地の地域要因と価格時点における対象地の地域要因とを比較し，公共施設，利便施設等の整備及び住宅等の建設等により，社会的，経済的環境の変化が価格水準に影響を与えていると客観的に認められる場合には，地域要因の変化の程度に応じた増加額を熟成度として再調達原価に加算することができる。

熟成度加算「基準」総論第7章

　再調達原価を求める方法には，直接法（対象不動産について直

接的に再調達原価を求める方法）及び間接法（近隣地域若しくは同一需給圏内の類似地域等に存する対象不動産と類似の不動産又は同一需給圏内の代替競争不動産から間接的に対象不動産の再調達原価を求める方法）があるが，収集した造成事例等の資料としての信頼度に応じていずれかを適用するものとし，また，必要に応じて併用するものとする。

② 原価法は，対象不動産が建物又は建物及びその敷地である場合において，再調達原価の把握及び減価修正を適切に行うことができるときに有効であり，対象不動産が土地のみである場合においても，再調達原価を適切に求めることができるときはこの手法を適用することができる。

　したがって，比較的最近において造成又は埋立された造成地又は埋立地であれば，再調達原価（素地価格＋造成費＋付帯費用）を把握し得るため，原価法を適用することができるが，一般的な既成市街地内の更地については，素地価格が認識できず，再調達原価の把握が困難なため，原価法の適用は困難である。

小問(4)

　当該更地の面積が近隣地域の標準的な土地の面積に比べて大きく，分割利用することが合理的（最有効使用）と認められる場合の鑑定評価において，比較考量すべき手法は開発法である。

　開発法は，近隣地域の標準的な土地の面積に比べて大きい更地等，宅地分譲やマンション宅地分譲を企図する開発事業者が需要者となり得るような更地の鑑定評価において適用可能な手法であり，当該開発事業者の視点に立ち，対象不動産において開発事業を実施した場合に事業採算が合う土地価格を求めるものである。

　本問のように分割利用をすることが合理的（最有効使用）と認められるときは，価格時点において，当該更地を区画割りして，標準的な宅地とすることを想定し，販売総額を価格時点に割り戻した額から土地の造成費相当額及び発注者が直接負担すべき通常の付帯費用を価格時点に割り戻した額を控除して試算価格を求めるものとする。

　このうち，販売総額の査定には取引事例比較法の考え方を，土地

（右欄注記）
直接法・間接法
「基準」総論第7章

原価法の有効性
「基準」総論第7章

原価法の困難性

開発法の指摘

開発法の特徴
「基準」各論第1章

開発法の適用方法
「基準」「留意事項」各論第1章

の造成費等の査定には原価法の考え方を，収支の現在価値の査定には収益還元法の考え方をそれぞれ活用していることから，開発法は鑑定評価の基本的な三手法の考え方を活用した手法といえる。

開発法と三手法の関係「基準」総論第 7 章

　この場合において，細区分を想定した宅地は一般に法令上許容される用途，容積率等の如何によって土地価格が異なるので，地域分析及び個別分析の結果を踏まえ，敷地の形状，道路との位置関係等の条件のほか，細区分した宅地の規模及び配置等に関する合理的な開発計画を想定し，これに応じた事業実施計画を策定することが必要である。

留意事項「留意事項」各論第 1 章

　開発法は，開発事業者の「事業採算性（投資採算性）」の観点に着目した手法であり，各種の想定が適切に行われたときは，基本的な三手法によって求めた試算価格の有力な検証手段となり得るものである。しかしながら，開発法は想定項目が多いこと等から，他の手法に比べ試算価格が流動的であるという面は否定できず，鑑定評価基準では「比較考量」すべきと規定されている。但し，「比較考量」はあくまで鑑定評価基準が示す基本形に過ぎず，設問のような開発用地の場合，典型的な需要者としては開発事業者が想定され，取引に当たっては事業採算性が重視されることから，事業採算性に係る各種の要因（販売価格や投下資本収益率等）が適切に査定できた場合，開発法による価格の説得力が高まり，これを最も重視して鑑定評価額を決定することも可能である。

開発法による価格を比較考量すべき理由

以　上

解　説

　本問は，「基準」各論第 1 章における「更地」の鑑定評価に着目した問題である。

　小問(1)は，「基準」を引用し，確実に得点すること。

　小問(2)は，まず，標準的な更地の評価方法について触れ，次に「建物及びその敷地」の取引事例を採用する場合の留意点について，「敷地が最有効使用であること」もしくは「適切に建付増減価補正が可能であること」について論じていく必要がある。「基準」及び基本テキスト等からの引用で合格点に到達可能である。

小問(3)は，原価法に着目した問題であるが，本問も基本論点であり，「原価法の定義及び有効性」，「再調達原価の定義，土地の再調達原価の構成要素」，「既成市街地内の更地に原価法が適用困難な理由」等について，「基準」及び基本テキスト等から確実に引用すること。熟成度加算については，土地の再調達原価固有の規定のため，解答すれば加点対象となるが，本問は論点が多いため，分量に応じて適宜カットしてもよい。

　小問(4)は，開発法（分割利用前提）についての問題である。三手法と開発法との関係について触れた上で，開発法を比較考量すべき理由について，「基準」及び基本テキスト等を引用しつつ，丁寧に解答すること。

—— MEMO ——

> **問題①** 不動産の個別的要因について，次の各設問に答えなさい。
>
> (1) 個別的要因とは何か，簡潔に述べなさい。
>
> (2) 建物の各用途に共通する個別的要因のうち，「設計，設備等の機能性」及び「維持管理の状態」について，それぞれ留意すべき点を述べなさい。
>
> (3) (2)の2つの個別的要因については，原価法の適用に当たり，どのように反映すべきか，それぞれ簡潔に説明しなさい。
>
> (4) 次の建物の用途毎に特に留意すべき個別的要因は何か答えなさい。
>
> ① 事務所ビル（大規模な高層事務所ビルの場合の留意点についても触れること）
>
> ② 物流施設（大規模で機能性が高い物流施設の場合の留意点についても触れること）

解答例

小問(1)

　不動産の価格を形成する要因（価格形成要因）とは，不動産の効用及び相対的稀少性並びに不動産に対する有効需要の三者に影響を与える要因をいい，一般的要因，地域要因及び個別的要因に分けられる。

　個別的要因とは，不動産に個別性を生じさせ，その価格を個別的に形成する要因をいう。

　不動産の価格は，その不動産の最有効使用を前提として把握される価格を標準として形成されるものであり（最有効使用の原則），当該最有効使用は，その不動産が有する個別的要因の如何によって異なることから，不動産の鑑定評価に当たっては，対象不動産の個別的要因が対象不動産の利用形態と価格形成についてどのような影響力を持っているかを分析してその最有効使用を判定（個別分析）する必要がある。

――――――――――――

価格形成要因の意義
「基準」総論第3章

個別的要因の定義
「基準」総論第3章

個別分析の必要性
「基準」総論第6章

小問(2)

建物の個別的要因は，①その建物の再調達（新築）に要する建築工事費に影響を与える要因と，②当該工事費からの経済価値・市場価値の減少分に影響を与える要因と，これら双方に影響を与える要因に分けられる。

設問の個別的要因について，特に留意すべき点は以下のとおりである。

「設計，設備等の機能性」については，各階の床面積，天井高，床荷重，情報通信対応設備の状況，空調設備の状況，エレベーターの状況，電気容量，自家発電設備・警備用機器の有無，省エネルギー対策の状況，建物利用における汎用性等に特に留意する必要がある。

「維持管理の状態」については，屋根，外壁，床，内装，電気設備，給排水設備，衛生設備，防災設備等に関する破損・老朽化等の状況及び保全の状態について特に留意する必要がある。

なお，設問の要因以外で，建物の各用途に共通する個別的要因の主なものを例示すれば，ａ．建築（新築，増改築等又は移転）の年次，ｂ．面積，高さ，構造，材質等，ｃ．施工の質と量，ｄ．耐震性，耐火性等建物の性能，ｅ．有害な物質の使用の有無及びその状態，ｆ．建物とその環境との適合の状態，ｇ．公法上及び私法上の規制，制約等がある。

小問(3)

原価法は，価格時点における対象不動産の再調達原価を求め，この再調達原価について減価修正を行って対象不動産の試算価格（積算価格）を求める手法である。

再調達原価とは，対象不動産を価格時点において再調達することを想定した場合において必要とされる適正な原価の総額をいう。

減価修正とは，減価の要因に基づき発生した減価額を対象不動産の再調達原価から控除して価格時点における対象不動産の適正な積算価格を求めることをいう。

小問(2)の「設計，設備等の機能性」は，その建物を利用する者にとっての利用効率を左右する要因であり，その建物の建築工事費に影響を与えることから，再調達原価の査定において適切に反映する

［欄外注記］

建物の個別的要因について

「設計，設備等の機能性」について留意すべき点「留意事項」総論第3章

「維持管理の状態」について留意すべき点「留意事項」総論第3章

建物の各用途に共通する他の個別的要因「基準」総論第3章

原価法の定義「基準」総論第7章

再調達原価の定義「基準」総論第7章

減価修正の定義「基準」総論第7章

設計，設備等の機能性と再調達原価との関係

必要がある。特に，建物の再調達原価を間接法で求める場合，できる限り対象不動産に係る建物と同等の設計，設備等の機能性を有する建設事例を選択するものとし，当該要因に係る格差がある場合は，適切に修正する必要がある。

また，当該要因が代替競争不動産と比べて劣る場合は，減価の要因のうち，主に機能的要因（設計の不良，設備の不足及びその能率の低下等）としても認識される。例えば，天井高や電気容量等の低い事務所ビル等で，情報通信設備（ＯＡフロア等）が十分に設置できない場合，機能的要因に基づく減価として適切に反映する必要がある。

設計，設備等の機能性と減価修正との関係「基準」総論第7章

また，小問(2)の「維持管理の状態」は，その建物の減価の進行度合い及び将来見込まれる修繕費等を左右する要因であり，建築工事費からの経済価値・市場価値の減少分に影響を与えることから，減価修正において適切に反映する必要がある。例えば，当該要因が代替競争不動産と比べて劣る場合，大規模修繕等の必要性が前倒しされるリスクや，家賃収入が築年数相応よりも低い水準となるリスク等があることから，減価の要因のうち，主に経済的要因（不動産と代替，競争等の関係にある不動産又は付近の不動産との比較における市場性の減退等）に基づく減価として適切に反映する必要がある。

維持管理の状態と減価修正との関係「基準」総論第7章

小問(4)

市場参加者が取引等に際して着目するであろう個別的要因が，建物の用途毎に異なることに留意する必要がある。つまり，建物の用途毎に市場参加者が異なり，不動産に期待する効用の尺度も異なることから，建物の用途毎に留意すべき個別的要因が異なる。

建物の用途毎に留意すべき個別的要因が異なる理由「基準」総論第3章

① 事務所ビル

事務所ビルの入居テナント（事業法人等）から得られる賃料収入等は，執務スペースの快適性や業務効率性等に左右されるため，賃貸用不動産に関する一般的な個別的要因（賃貸経営管理の良否）に加えて，これらに影響を与える基準階床面積，天井高，床荷重，情報通信対応設備・空調設備・電気設備等の状況及び共用施設の状態等に留意する必要がある。

特に，設問のような就労人口が多い大規模な高層事務所ビルの

事務所ビル特有の個別的要因「留意事項」総論第3章

場合は，エレベーターの台数・配置，建物内の店舗等の面積・配置等にも留意する必要がある。

② 物流施設

物流施設の入居テナント（物流事業者，製造事業者，小売・卸売事業者等）から得られる賃料収入等は，荷役・管理の効率性や取扱う荷物量，倉庫有効率等に左右されるため，建物の各用途に共通する個別的要因に加えて，階数，各階の床面積，天井高，柱間隔，床荷重，空調設備，エレベーター等に留意する必要がある。

特に，設問のような大規模で機能性が高い物流施設の場合は，保管機能のほか，梱包，仕分け，流通加工，配送等の機能を担うことから，これらの機能に応じた設備や，各階への乗入を可能とする自走式車路の有無等に留意する必要がある。

以 上

物流施設特有の個別的要因「留意事項」総論第3章

解 説

本問は，「基準」総論第3章の個別的要因を中心に，総論第7章を絡めた問題で，平成30年度問題1の類題といえる。

小問(1)(2)は，「基準」「留意事項」からの引用でほぼ完璧に解答できる。上位概念として価格形成要因の意義に触れてから，小問(1)は個別的要因の定義及び補足説明等を，小問(2)は建物の個別的要因の特徴に触れてから，設問の2つの要因に係る留意すべき点を述べること。

小問(3)は，原価法の定義や再調達原価・減価修正の定義を述べて基礎点を確保した上で，小問(2)で説明した個別的要因の反映方法を丁寧かつ簡潔に論じること。「設計，設備等の機能性」については，再調達原価及び減価修正の双方に反映する可能性があるのに対して，「維持管理の状態」については，減価修正のみに反映する点を意識して解答できたかがポイントとなる。再調達原価を求める方法（直接法・間接法）や減価修正の方法（耐用年数に基づく方法・観察減価法）について掘り下げた論述をしてもよいが，他の小問とのバランスも考慮してほしい。

小問(4)は，設問の「事務所ビル」「物流施設」について特に留意すべき個別的要因を述べること。解答例のように「基準」「留意事項」の文言に少し補足があると厚みのある解答となって良い。

問題② 土地に関する価格形成要因の鑑定評価上の取扱いについて，次の各設問に答えなさい。

(1) 土地に関する個別的要因の一つである「土壌汚染の有無及びその状態」について，特に留意すべき点を述べなさい。

(2) 対象不動産に土壌汚染等の特定の価格形成要因が存することが判明している場合，「調査範囲等条件」を設定することができる要件を述べなさい。

(3) 「調査範囲等条件」及び「地域要因又は個別的要因についての想定上の条件」について，それぞれの条件を設定することができる要件にどのような違いがあるか説明しなさい。

(4) 価格形成に影響があるであろうといわれている事項について，価格形成要因から除外して鑑定評価を行うことが可能な場合について述べなさい（ただし，鑑定評価の条件設定を行う場合を除く。）。

解答例

小問(1)

　不動産の価格を形成する要因（価格形成要因）とは，不動産の効用及び相対的稀少性並びに不動産に対する有効需要の三者に影響を与える要因をいい，一般的要因，地域要因及び個別的要因に分けられる。

　個別的要因とは，不動産に個別性を生じさせ，その価格を個別的に形成する要因をいう。

　個別的要因は，土地の価格に関していえば，地域の価格水準と比較して個別的な差異を生じさせる要因ということができる。

　土地に土壌汚染が存する場合には，当該汚染の除去，当該汚染の拡散の防止その他の措置（以下「汚染の除去等の措置」という。）に要する費用の発生や土地利用上の制約により，価格形成に重大な負の影響を与えることがある。

　なお，過去に土壌汚染が存していた土地については，汚染の除去等の措置が行われた後でも，心理的嫌悪感等による価格形成への負

価格形成要因の定義
「基準」総論第3章

個別的要因の定義
「基準」総論第3章

土地の個別的要因の特徴

土壌汚染と土地価格との関係
「留意事項」総論第3章，各論第1章

の影響を考慮しなければならない場合がある。

土壌汚染対策法に規定する土壌の特定有害物質による汚染に関しては，同法に基づく手続に応じて次に掲げる事項に特に留意する必要がある。

① 対象不動産が，土壌汚染対策法に規定する有害物質使用特定施設に係る工場若しくは事業場の敷地又はこれらの敷地であった履歴を有する土地を含むか否か。なお，これらの土地に該当しないものであっても，土壌汚染対策法に規定する土壌の特定有害物質による汚染が存する可能性があることに留意する必要がある。

② 対象不動産について，土壌汚染対策法の規定による土壌汚染状況調査を行う義務が発生している土地を含むか否か。

③ 対象不動産について，土壌汚染対策法の規定による要措置区域の指定若しくは形質変更時要届出区域の指定がなされている土地を含むか否か，又は過去においてこれらの指定若しくは改正前の土壌汚染対策法の規定による指定区域の指定の解除がなされた履歴がある土地を含むか否か。

> 土壌汚染の有無について留意すべき事項「留意事項」総論第 3 章

土壌汚染の有無及びその状態は，専門性の高い個別的要因であることから，上記の土壌汚染対策法の手続きに応じた調査等を踏まえ，土壌汚染の存在が確認される場合は，原則として汚染の分布状況，汚染の除去等の措置に要する費用等を他の専門家が行った調査結果等を活用して把握し，減価の程度を判定すべきである。

> 土壌汚染に関する原則的な取扱い「留意事項」各論第 1 章

小問(2)

鑑定評価に際しては，現実の地域要因及び個別的要因を所与として不動産の価格を求めることのみでは多様な不動産取引の実態に即応することができず，社会的な需要に応ずることができない場合があるので，条件設定の必要性が生じてくる。

> 条件設定の必要性「留意事項」総論第 5 章

調査範囲等条件とは，設問の土壌汚染のほか，埋蔵文化財，建物に関する有害物質，地下埋設物等，不動産鑑定士の通常の調査の範囲では，対象不動産の価格への影響の程度を判断するための事実の確認が困難な特定の価格形成要因が存する場合に設定する，当該価格形成要因についての調査の範囲に係る条件をいう。

> 調査範囲等条件の定義等「基準」「留意事項」総論第 5 章

調査範囲等条件を設定するための要件としては，調査範囲等条件

を設定しても鑑定評価書の利用者の利益を害するおそれがないと判断されることが必要であり，例えば，①依頼者等による当該価格形成要因に係る調査，査定又は考慮した結果に基づき，鑑定評価書の利用者が不動産の価格形成に係る影響の判断を自ら行う場合や②不動産の売買契約等において，当該価格形成要因に係る契約当事者間での取扱いが約定される場合等には，設定することができる。

なお，調査範囲等条件を設定する価格形成要因については，「土壌汚染を価格形成要因から除外する」等，当該価格形成要因の取扱いを明確にする必要がある。

また，条件設定をする場合，依頼者との間で当該条件設定に係る鑑定評価依頼契約上の合意がなくてはならない。

調査範囲等条件を設定する際の要件「基準」「留意事項」総論第5章

小問(3)

上記(2)の調査範囲等条件のほか，対象不動産について，依頼目的に応じ対象不動産に係る価格形成要因のうち地域要因又は個別的要因について想定上の条件を設定する場合がある。土壌汚染の存する土地を例にすると，「土壌汚染は除去されたものとして」といった条件を設定することとなるが，この場合には，設定する想定上の条件が鑑定評価書の利用者の利益を害するおそれがないかどうかの観点に加え，特に実現性及び合法性の観点から妥当なものでなければならない。

実現性とは，設定された想定上の条件を実現するための行為を行う者の事業遂行能力等を勘案した上で当該条件が実現する確実性が認められることをいい，合法性とは，公法上及び私法上の諸規制に反しないことをいう。

想定条件を設定する際の要件「基準」「留意事項」総論第5章

なお，一般に，地域要因について想定上の条件を設定することが妥当と認められる場合は，計画及び諸規制の変更，改廃に権能を持つ公的機関の設定する事項に主として限られる。

補足「基準」総論第5章

調査範囲等条件と設問の想定上の条件は，ともに，「鑑定評価書の利用者の利益を害するおそれがないこと」と「鑑定評価依頼契約上の合意があること」が設定要件として必要だが，調査範囲等条件については，設問の想定上の条件のような「実現性及び合法性」は特に必要とされない点が相違している。

要件の相違①

また，調査範囲等条件については，あくまで上記(2)の特定の価格形成要因に限り設定対象となる点も相違している。 ｝要件の相違②

|小問(4)|

上記(2)の調査範囲等条件を設定する場合のほか，価格形成に影響があるであろうといわれている事項について，一般的な社会通念や科学的知見に照らし原因や因果関係が明確でない場合又は不動産鑑定士の通常の調査において当該事項の存否の端緒すら確認できない場合において，当該事項が対象不動産の価格形成に大きな影響を与えることがないと判断されるときには，価格形成要因から除外して鑑定評価を行うことができるものとする。 ｝価格形成要因から除外して鑑定評価を行うことが可能な場合「留意事項」総論第8章

例えば，「土壌汚染の有無及びその状態」に関して，不動産鑑定士の通常の調査（役所調査，地歴調査，現地目視，関係人聴取等）を行った結果，土壌汚染の存否の端緒すら確認できない場合，条件を設定せずに，「土壌汚染の有無については価格形成要因から除外する」という価格形成要因の分析上の判断として，鑑定評価を行うことができる。 ｝具体例

以　上

解　説

本問は，前半が「基準」総論第3章の土地の個別的要因のうち「土壌汚染の有無及びその状態」に係る留意事項について問う暗記重視型の問題，後半が「基準」総論第5章の「条件設定」と総論第8章の「不明事項（要因）の取扱い」の複合論点で，暗記プラス理解も必要な問題である。「基準」「留意事項」の暗記量に加え，体系的・具体的な理解力も試されており，総じて難易度は高めといえる。

小問(1)は，個別的要因の定義，特徴等に触れてから，「土壌汚染の有無及びその状態」に関する「留意事項」総論第3章の規定を引用すればよい。解答例では，加点狙いで，心理的嫌悪感の可能性や，鑑定評価上の原則的取扱いについても述べているが，他の小問で述べてもよい。

小問(2)は，条件設定の必要性に触れてから，調査範囲等条件の定義，設定対象となる特定の価格形成要因の具体例，当該条件設定の際の取扱いと要件といった内容を「基準」「留意事項」総論第5章に即して述べればよい。

小問(3)は，小問(2)と対比する形で，想定条件の定義，当該条件設定の際の取扱いと要件といった内容を「基準」「留意事項」総論第5章に即して述べてから，調査範囲等条件との要件の違い（①実現性・合法性の要否，②特定の価格形成要因か否か）について丁寧に説明すること。

　小問(4)は，価格形成要因から除外して鑑定評価を行うことが可能な場合について，「留意事項」総論第8章を引用して述べればよい。解答例のような補足説明があると，解答に一貫性が生じてよい。

―― MEMO ――

解答例

小問(1)

地域分析とは，その対象不動産がどのような地域に存するか，その地域はどのような特性を有するか，また，対象不動産に係る市場はどのような特性を有するか，及びそれらの特性はその地域内の不動産の利用形態と価格形成について全般的にどのような影響力を持っているかを分析し，判定することをいう。

> 地域分析の定義
> 「基準」総論第6章

地域分析に当たって特に重要な地域は，用途的観点から区分される地域（用途的地域），すなわち近隣地域及びその類似地域と，近隣地域及びこれと相関関係にある類似地域を含むより広域的な地域，すなわち同一需給圏である。

> 地域分析に当たって特に重要な地域
> 「基準」総論第6章

これらのうち，近隣地域とは，対象不動産の属する用途的地域であって，より大きな規模と内容とを持つ地域である都市あるいは農村等の内部にあって，居住・商業活動・工業生産活動等人の生活と活動とに関して，ある特定の用途に供されることを中心として地域的にまとまりを示している地域をいい，対象不動産の価格の形成に関して直接に影響を与えるような特性を持つものであり，街路条件，交通接近条件，環境条件，行政的条件等の地域要因を共通にする一定範囲である。

> 近隣地域の定義
> 「基準」総論第6章

近隣地域は，客観的な地域区分として独立して存在するものでは

なく，対象不動産とその価格形成要因の分析の仕方によってその範囲が相対的に定まるものといえる。 ┃補足

小問(2)

不動産の価格形成過程には基本的な法則性が認められる。不動産の鑑定評価は，その不動産の価格の形成過程を追究し，分析することを本質とするものであるから，不動産の経済価値に関する適切な最終判断に到達するためには，鑑定評価に必要な指針としてこれらの法則性を認識し，かつ，これらを具体的に現した価格に関する諸原則を活用すべきである。

価格諸原則のうち，変動の原則とは，一般に財の価格は，その価格を形成する要因の変化に伴って変動する。不動産の価格も多数の価格形成要因の相互因果関係の組合せの流れである変動の過程において形成されるものである。したがって，不動産の鑑定評価に当たっては，価格形成要因が常に変動の過程にあることを認識して，各要因間の相互因果関係を動的に把握すべきである，という原則である。

近隣地域の地域分析は，まず対象不動産の存する近隣地域を明確化し，次いでその近隣地域がどのような特性を有するかを把握することである。

この対象不動産の存する近隣地域の明確化及びその近隣地域の特性の把握に当たっては，対象不動産を中心に外延的に広がる地域について，対象不動産に係る市場の特性を踏まえて地域要因をくり返し調査分析し，その異同を明らかにしなければならない。これはまた，地域の構成分子である不動産について，最終的に地域要因を共通にする地域を抽出することとなるため，近隣地域となる地域及びその周辺の他の地域を併せて広域的に分析することが必要である。

不動産の属する地域は固定的なものではなくて，常に拡大縮小，集中拡散，発展衰退等の変化の過程にあるものであるから，不動産の利用形態が最適なものであるかどうか，仮に現在最適なものであっても，時の経過に伴ってこれを持続できるかどうか，これらは常に検討されなければならない。つまり，近隣地域は，その地域の特性を形成する地域要因の推移，動向の如何によって，変化していくものである。

価格諸原則の意義
「基準」総論第4章

変動の原則の定義
「基準」総論第4章

近隣地域の地域分析の定義等
「留意事項」総論第6章

地域の変化
「基準」総論第1章、第6章

したがって，近隣地域の地域分析における地域要因の分析に当たっては，変動の原則を活用し，近隣地域の地域要因についてその変化の過程における推移，動向を時系列的に分析するとともに，近隣地域の周辺の他の地域の地域要因の推移，動向及びそれらの近隣地域への波及の程度等について分析することが必要である。この場合において，対象不動産に係る市場の特性が近隣地域内の土地の利用形態及び価格形成に与える影響の程度を的確に把握することが必要である。

近隣地域の地域要因分析における変動の原則の活用
「留意事項」総論第6章

また，近隣地域の特性は，通常，その地域に属する不動産の一般的な標準的使用に具体的に現れるが，地域分析に当たっては，対象不動産に係る市場の特性の把握の結果を踏まえて地域要因及び標準的使用の現状と将来の動向とをあわせて分析し，標準的使用を判定しなければならない。

補足
「基準」総論第6章

小問(3)

近隣地域の範囲の判定に当たっては，基本的な土地利用形態や土地利用上の利便性等に影響を及ぼす自然的状態並びに人文的状態に係る各事項に留意することが必要である。

近隣地域の範囲判定上の留意点
「留意事項」総論第6章

① 自然的状態に係る事項

自然的状態に係る事項としては，「河川」及び「地勢，地質，地盤等」が挙げられる。川幅が広い河川等は，土地・建物等の連たん性及び地域の一体性を分断する場合があることから，また，地勢，地質，地盤等は，日照，通風，乾湿等に影響を及ぼすとともに，居住，商業活動等の土地利用形態に影響を及ぼすことから，近隣地域の範囲の判定に当たって留意することが必要である。

自然的状態に係る事項
「留意事項」総論第6章

② 人文的状態に係る事項

人文的状態に係る事項としては，「公法上の規制等」及び「道路」が挙げられる。公法上の規制等に関しては，都市計画法等による土地利用の規制内容が土地利用形態に影響を及ぼすことから，また，広幅員の道路等は，土地・建物等の連たん性及び地域の一体性を分断する場合があることから，近隣地域の範囲の判定に当たって留意することが必要である。

人文的状態に係る事項
「留意事項」総論第6章

以　上

解　説

　本問は，「基準」総論第 6 章における「近隣地域」を主なテーマとした問題である。

　小問(1)は，まず，上位概念として地域分析の定義に触れ，地域分析に当たって特に重要な地域，近隣地域の定義と論じていく。「基準」を引用し，確実に得点すること。

　小問(2)は，まず，変動の原則について述べた上で，不動産の価格の特徴③にも触れつつ，近隣地域の地域分析における変動の原則の活用について，「留意事項」を引用し論じていく必要がある。ただし，当該「留意事項」の暗記に関して不十分な受験生が多いと考えられることから，解答例のように「基準」の規定を引用する等して，論ずべき基本的な点（動態的な観点で地域要因を把握・分析すること）をきちんと解答できたかどうかで差がつく問題である。

　小問(3)は，近隣地域の範囲の判定に関する留意事項からの出題であるが，やや細かい規定であり，項目の列挙はできたが，留意が必要な理由に関する説明について正確に解答できた受験生は少数だと思われる。なお，解答例では取り扱っていないが，自然的状態に係る項目として「山岳及び丘陵」や人文的状態に係る事項として「行政区域」・「鉄道・公園等」について解答しても問題ない。

問題④　継続中の建物及びその敷地（商業地域内のスケルトン貸しの店舗用ビル）の普通借家契約に基づく実際支払賃料を改定する場合の鑑定評価について，次の各設問に答えなさい。なお，現行賃料は，直近合意時点である新規契約締結時における新規賃料（正常賃料）相当額であるが，直近合意時点以降の，一般経済社会における消費者の賃金上昇と消費の活発化を受け，近隣地域の商業収益が向上したことで，対象不動産の価格時点における新規賃料と現行賃料との間に差額が発生しているものとする。また，契約内容は一般的なもので，特筆すべき契約締結の経緯等は無いものとする。

(1)　本問の鑑定評価額はどのように決定するかを簡潔に述べなさい（ただし，総合的に勘案する事項及び賃料の改定が契約期間の満了に伴う更新を契機とする場合において更新料が支払われるときについての記載は不要である）。

(2)　差額配分法について，次の各問に答えなさい。

①　差額配分法の定義を述べ，当該手法の適用に当たり，賃料差額のうち賃貸人等に帰属する部分はどのように判断するか簡潔に説明しなさい。

②　本問の近隣地域の地域要因のうち，一般経済社会における消費者の賃金上昇と消費の活発化とを受け変化したと考えられるものを1つ挙げなさい。その上で，その地域要因の変化に触れつつ，どのように近隣地域の商業収益が向上し差額が発生したと考えられるかを，具体的に説明しなさい（ただし，近隣地域及び地域要因の定義についての記載は不要である）。

(3)　利回り法の定義と，利回り法における基礎価格の定義とをそれぞれ述べなさい。また，本問において対象不動産の基礎価格を求める際の留意点を説明しなさい。

解答例

小問(1)

　不動産の鑑定評価によって求める賃料は、一般的には正常賃料又は継続賃料であるが、鑑定評価の依頼目的に対応した条件により限定賃料を求めることができる場合があるので、依頼目的に対応した条件を踏まえてこれを適切に判断し、明確にすべきである。

鑑定評価によって求める賃料の種類
「基準」総論第5章

　継続賃料とは、不動産の賃貸借等の継続に係る特定の当事者間において成立するであろう経済価値を適正に表示する賃料をいう。

継続賃料の定義
「基準」総論第5章

　継続賃料の鑑定評価額は、現行賃料を前提として、契約当事者間で現行賃料を合意しそれを適用した時点（直近合意時点）以降において、公租公課、土地及び建物価格、近隣地域若しくは同一需給圏内の類似地域等における賃料又は同一需給圏内の代替競争不動産の賃料の変動等のほか、賃貸借等の契約の経緯、賃料改定の経緯及び契約内容を総合的に勘案し、契約当事者間の公平に留意の上決定するものである。

継続賃料の評価方針
「基準」総論第7章

　継続中の建物及びその敷地の賃貸借契約に基づく実際支払賃料を改定する場合の鑑定評価額は、差額配分法による賃料、利回り法による賃料、スライド法による賃料及び賃貸事例比較法による比準賃料を関連づけて決定するものとする。

継続賃料（家賃）の鑑定評価額の求め方
「基準」各論第2章

小問(2)

①　差額配分法は、対象不動産の経済価値に即応した適正な実質賃料又は支払賃料と実際実質賃料又は実際支払賃料との間に発生している差額について、契約の内容、契約締結の経緯等を総合的に勘案して、当該差額のうち賃貸人等に帰属する部分を適切に判定して得た額を実際実質賃料又は実際支払賃料に加減して試算賃料を求める手法である。

差額配分法の定義
「基準」総論第7章

　対象不動産の経済価値に即応した適正な実質賃料は、価格時点において想定される新規賃料であり、積算法、賃貸事例比較法等により求めるものとする。

　対象不動産の経済価値に即応した適正な支払賃料は、契約に当たって一時金が授受されている場合については、実質賃料から権

対象不動産の経済価値に即応した適正な実質賃料及び支払賃料
「基準」総論第7章

利金，敷金，保証金等の一時金の運用益及び償却額を控除することにより求めるものとする。

　賃貸人等に帰属する部分については，継続賃料固有の価格形成要因（近隣地域若しくは同一需給圏内の類似地域等における宅地の賃料又は同一需給圏内の代替競争不動産の賃料の推移及びその改定の程度，土地及び建物価格の推移，公租公課の推移，契約の内容及びそれに関する経緯，賃貸人等又は賃借人等の近隣地域の発展に対する寄与度等）に留意しつつ，一般的要因の分析及び地域要因の分析により差額発生の要因を広域的に分析し，さらに対象不動産について契約内容及び契約締結の経緯等に関する分析を行うことにより適切に判断するものとする。

賃貸人等に帰属する部分「基準」総論第7章，各論第2章

　賃貸人等に帰属する部分の査定に当たって，諸般の事情により契約当初から賃料差額が生じている場合等には，安易に2分の1法や3分の1法を採用すると当事者間の公平を損なうおそれがあるが，本問では特筆すべき契約締結の経緯等は無いことから，公平の観点から2分の1法や3分の1法を採用することが妥当と考えられる。

賃貸人等に帰属する部分の査定上の留意点

② 　変化したと考えられる地域要因として，「繁華性の程度及び盛衰の動向」が考えられる。

変化したと考えられる地域要因「基準」総論第3章

　一般経済社会における消費者の賃金上昇と消費の活発化により，物販や飲食等の消費が拡大するため，各種店舗の出店が増加し，近隣地域の繁華性が高くなることが考えられる。その結果，近隣地域全体の収益性が向上し，賃借人の賃料負担力が上昇することにより，店舗の新規賃料水準が上昇したため，現行賃料との間に差額が発生したものと考えられる。

賃料差額発生の理由

　なお，本問の賃料差額は，一時金の支払い等により発生する創設的なものではなく，近隣地域の収益性向上に伴う新規家賃の上昇により発生した自然発生的なものであることに留意する。

補足

小問(3)

　利回り法は，基礎価格に継続賃料利回りを乗じて得た額に必要諸経費等を加算して試算賃料を求める手法である。

利回り法の定義「基準」総論第7章

　基礎価格とは，積算賃料や利回り法による試算賃料を求めるため

基礎価格の定義「基準」総論第7章

の基礎となる価格をいう。

対象不動産は，スケルトン貸しの店舗用ビルであり，躯体及び建物設備の一部は賃貸人資産，建物設備の一部及び内装は賃借人資産と考えられるので，基礎価格には，賃借人資産である建物設備の一部や内装の価格を含まないことに留意する。

基礎価格の留意点①（スケルトン貸し）

基礎価格は賃料を求めるための基礎となる価格なので，建物及びその敷地の最有効使用が用途変更等や取壊しであったとしても，建物及びその敷地の現状に基づく利用を前提として成り立つ当該建物及びその敷地の経済価値に即応した価格を基礎価格とすることに留意する。

基礎価格の留意点②（現況継続前提）「留意事項」総論第7章

基礎価格は，積算法に準じ，原価法及び取引事例比較法により求めるものとする。収益還元法は果実から元本を求める手法であり，元本から果実を求める利回り法で適用すると循環論になるため適用しないことに留意する。

基礎価格の留意点③（求め方）「基準」総論第7章

対象不動産が建物及びその敷地の一部の場合，一棟の建物及びその敷地の積算価格に配分率を乗じて基礎価格を求めるが，敷地が最有効使用にない場合には，敷地について過大な配分を行わないことに留意する。

基礎価格の留意点④（建物及びその敷地の一部）「基準」各論第1章

以　上

解説

本問は，「基準」総論第7章及び各論第2章から「継続中の建物及びその敷地の実際支払賃料を改定する場合の鑑定評価」に着目した問題である。

小問(1)は，まず，上位概念として賃料の種類を述べ，継続賃料の定義，継続賃料の評価方針，継続賃料（家賃）の鑑定評価額の求め方と論じていく。基準の引用のみで記述できるのでとりこぼしなく確実に記述すること。

小問(2)①は，差額配分法の定義と，賃貸人等に帰属する部分について基準を引用して記述すること。解答例では，対象不動産の経済価値に即応した適正な実質賃料及び支払賃料についても触れているが，必須ではない。賃貸人等に帰属する部分の査定については，差額発生の原因が契約締結の経緯等に起因する場合には，安易に2分の1法や3分の1法を採用すべきでない点を補足するとよい。

小問(2)②は，変化したと考えられる地域要因を挙げ，賃料差額発生の理由について記述する。本問では変化したと考えられる地域要因として「繁華性の程度及び盛衰の動向」を挙げたが，他の要因を挙げても問題ない。消費の活発化等により何らかの地域要因が変化し，近隣地域の収益性が向上，新規賃料が上昇，賃料差額が発生，というように順を追って記述していくとよい。

　小問(3)は，利回り法の定義，基礎価格の定義を記述し，基礎価格査定の留意点を論じていく。基礎価格の留意点は複数考えられるが，本問はスケルトン貸しの店舗ビルの基礎価格なので，賃借人資産と考えられる建物設備の一部及び内装の価格を基礎価格に含めない旨は必ず記述すること。

─ MEMO ─

◇ 令和6年度

> 問題① 不動産の種別について，次の各設問に答えなさい。
> (1) 不動産の種別の定義を簡潔に述べなさい。
> (2) 宅地地域の定義を簡潔に述べなさい。
> (3) 住宅地域について細分化した地域の分類の例を2つ挙げなさい。
> (4) 取引事例比較法との関連において，次の問に答えなさい。
>   ① 取引事例比較法の意義を述べなさい。
>   ② 取引事例比較法の適用における事例の選択に当たり，備えなければならない要件のうち，不動産の種別に特に関連するものを1つ挙げ，その要件との関連において，不動産の種別を分析し的確に分類・整理することの必要性を説明しなさい。

解答例

小問(1)

　不動産の鑑定評価においては，不動産の地域性並びに有形的利用及び権利関係の態様に応じた分析を行う必要があり，その地域の特性等に基づく不動産の種類ごとに検討することが重要である。

　不動産の種類とは，不動産の種別及び類型の二面から成る複合的な不動産の概念を示すものである。

　不動産の種別とは，不動産の用途に関して区分される不動産の分類をいい，地域の種別と土地の種別に分けられる。

　不動産は，他の不動産と共に，用途的に同質性を有する地域（用途的地域）を構成してこれに帰属することを通常とし（不動産の地域性），地域はその規模・構成の内容・機能等にわたってそれぞれ他の地域と区別されるべき特性を有している（地域の特性）。不動産の属する用途的地域は，他の用途的地域との相互関係を通じて，その社会的及び経済的位置を占め，また，個別の不動産は，地域内の他の不動産との代替・競争関係を通じて，その社会的及び経済的な有用性を発揮する。すなわち，不動産の属する地域では，その特性に応じて価格水準が形成され，個別の不動産は，その地域の価格

（右欄注記）
不動産の種類
「基準」総論
第2章

種別の定義
「基準」総論
第2章

種別判定の必要性
「基準」総論
第2章

水準という大枠の下で価格が個別的に形成されるのである。

したがって，不動産の種別（不動産の用途による分類）は不動産の経済価値を本質的に決定づけるものであるから，この分析をまって初めて精度の高い不動産の鑑定評価が可能となるものである。

地域の種別の分類「基準」総論第2章

小問(2)

地域の種別は，宅地地域，農地地域，林地地域等に分けられる。

宅地地域とは，居住，商業活動，工業生産活動等の用に供される建物，構築物等の敷地の用に供されることが，自然的，社会的，経済的及び行政的観点からみて合理的と判断される地域をいい，住宅地域，商業地域，工業地域等に細分される。

宅地地域の定義「基準」総論第2章

なお，宅地地域等の種別の判定に当たっては，「現にどのように用いられているか」という現況主義を採用することは妥当ではなく，「自然的，社会的，経済的及び行政的観点からみて合理的か否か」という判断基準を重視して，不動産鑑定士が適切に判定すべきである。

補足（合理的用途として判定）

小問(3)

住宅地域とは，宅地地域のうち居住の用に供される建物，構築物等の敷地の用に供されることが，自然的，社会的，経済的及び行政的観点からみて合理的と判断される地域をいう。

住宅地域の定義「基準」総論第2章

住宅地域については，その規模，構成の内容，機能等に応じた細分化が考えられ，「優良住宅地域」，「準優良住宅地域」，「普通住宅地域」，「混在住宅地域」及び「農家集落地域」等が挙げられる。

住宅地域の細分類「基準」総論第2章

住宅（宅地）地域は，一般的に，地域自体の発展にしたがって，その内部において用途的に細分化する傾向を持っており，地域の種別は，極力細分化された分類によって捉えることが望ましく，これにより地域の特性や市場の特性がより明確になり，鑑定評価の精度は高まる。

地域の種別を細分化することの意義

上記の細分化された住宅地域のうち，優良住宅地域とは，敷地が広く，街区及び画地が整然とし，植生と眺望，景観等が優れ，建築の施工の質の高い建物が連たんし，良好な近隣環境を形成する等居住環境の極めて良好な地域であり，従来から名声の高い住宅地域をいう。

優良住宅地域・準優良住宅地域の定義「留意事項」総論第2章

また，準優良住宅地域とは，敷地の規模及び建築の施工の質が標準的な住宅を中心として形成される居住環境の良好な住宅地域をいう。

小問(4)

① 取引事例比較法は，まず多数の取引事例を収集して適切な事例の選択を行い，これらに係る取引価格に必要に応じて事情補正及び時点修正を行い，かつ，地域要因の比較及び個別的要因の比較を行って求められた価格を比較考量し，これによって対象不動産の試算価格（比準価格）を求める手法である。

取引事例比較法の定義
「基準」総論
第7章

取引事例比較法は，市場性の観点から，現実の市場で成立した取引価格との比較によって試算価格を求める手法であることから，近隣地域若しくは同一需給圏内の類似地域等において対象不動産と類似の不動産の取引が行われている場合又は同一需給圏内の代替競争不動産の取引が行われている場合に有効である。したがって，文化財の指定を受けた建造物や宗教建築物のように代替性の認められる不動産の取引がほとんどみられない場合や，土地建物一体としての要因比較が困難な場合，取引事例比較法は適用できない。

取引事例比較法の有効性及び困難性
「基準」総論
第7章

② 不動産の種別の分類は，不動産の鑑定評価における地域分析，個別分析，鑑定評価手法の適用等の各手順を通じて重要な事項となっており，これらを的確に分類，整理することは鑑定評価の精密さを一段と高めることとなるものである。

不動産の種別を分類する意義
「留意事項」
総論第2章

取引事例比較法の適用における事例の選択にあたり，備えなければならない要件は下記アからエまでの4要件である。取引事例は，次の4要件の全部を備えるもののうちから選択するものとし，かつ，投機的取引であると認められる事例等適正さを欠くものであってはならない。

ア 原則として近隣地域又は同一需給圏内の類似地域に存する不動産に係るもののうちから選択するものとし，必要やむを得ない場合には近隣地域の周辺の地域に存する不動産に係るもののうちから，対象不動産の最有効使用が標準的使用と異なる場合等には，同一需給圏内の代替競争不動産に係るもののうちから

取引事例の選択4要件
「基準」総論
第7章

選択するものとする（場所的代替性）。

イ　取引事情が正常なものと認められるものであること又は正常なものに補正することが可能なものであること（事情正常性又は正常補正可能性）。

ウ　時点修正をすることが可能なものであること（時点修正可能性）。

エ　地域要因の比較及び個別的要因の比較が可能なものであること（要因比較可能性）。

このうち，不動産の種別に特に関連する要件としては「エ　地域要因の比較及び個別的要因の比較が可能なものであること（要因比較可能性）」が挙げられる。 ← 不動産の種別に特に関連する要件

不動産の価格は，市場参加者の合理的意思に基づき形成されるが，通常，地域の種別ごとに主たる市場参加者は異なり，不動産に期待する効用の尺度も異なることから，地域の種別ごとに重視すべき地域要因も異なる。したがって，不動産の鑑定評価に当たっては，対象不動産が属する用途的地域の種別及び対象不動産の種別を的確に判定し，当該種別等に応じた市場参加者の観点に立って，各手順における分析・判断を行わなければならない。 ← 要因比較可能性と不動産の種別を分類・整理することの必要性

以上より，取引事例比較法の適用に際しては，市場分析を踏まえ，種別ごとに想定される典型的な市場参加者の観点で地域要因・個別的要因の比較が可能な事例を選択することが必要となる。

以　上

解　説

本問は，「基準」総論第 2 章から「不動産の種別」に着目した問題である。

小問(1)は，まず，上位概念として不動産の種類の意義に触れ，種別の定義，種別判定の必要性等を論じればよい。問題文は「定義を簡潔に述べなさい」となっているが，種別の定義だけだと 1 行で終わってしまうことから，「不動産の地域性」「地域の特性」などの論点を踏まえて補足するとよい。論文問題では書いた文章が採点対象となる以上，他の小問の記述量を考慮し，臨機応変に答案作成すべきである。

小問(2)は，地域の種別に触れた上で，宅地地域の定義を丁寧に論じること。小問(1)と同様，他の小問とのバランスを踏まえて，「種別は合理的用途として不動産鑑定士が判定すべき」点などを挙げて補足するとよい。

　小問(3)は，小問(2)との流れで住宅地域の定義を明示し，細分化された各住宅地域の名称とその定義を2つ明示すること。補足として，種別を細分化して捉えることの意義について，「地域の特性・市場の特性がより明確になる」という点を示すと加点事由となる。細分化した各地域の定義については，「留意事項」からの引用が必要となるが，問題文がどの地域かを指定していないので，自信のある地域の定義を2つ挙げれば問題ない。

　小問(4)①は，取引事例比較法の意義（定義・特徴・有効性等）を「基準」に即して丁寧に述べること。②は，事例適格4要件のうち，不動産の種別と関連する要件として「場所的代替性」か「要因比較可能性」かのいずれかを挙げて説明する必要がある。どの要件を挙げて説明しているかわかるよう適宜記号を付して明確かつ丁寧に解答してほしい。解答例では，「要因比較可能性」を挙げて説明しているが，「場所的代替性」との関連を挙げて説明しても，内容が論理的で合っていれば問題ない。

（「場所的代替性」を挙げた場合の解答例）

　このうち，不動産の種別に特に関連する要件としては「ア　原則として近隣地域又は同一需給圏内の類似地域に存する不動産に係るもののうちから選択するものとし，必要やむを得ない場合には近隣地域の周辺の地域に存する不動産に係るもののうちから，対象不動産の最有効使用が標準的使用と異なる場合等には，同一需給圏内の代替競争不動産に係るもののうちから選択するものとする（場所的代替性）」が挙げられる。

　不動産の価格は，市場参加者の合理的意思に基づき形成されるが，通常，地域の種別ごとに主たる市場参加者は異なり，不動産に期待する効用の尺度も異なることから，近隣地域内の取引事例だけでなく，同一需給圏内において，近隣地域と同種別の類似地域内の取引事例についても対象不動産との間に代替性を見出すことができる。一方，近隣地域の周辺に存する地域であっても，種別が異なる場合は，市場参加者の属性が異なり，代替性が希薄になるため，必要やむを得ない場合を除き採用すべきではない。

　ただし，戸建住宅地域内の大規模な開発用地等，対象不動産の個別性が強く，

地域の標準的な市場参加者と対象不動産に係る典型的な需要者とが異なる場合は、近隣地域の外かつ同一需給圏内の類似地域の外に存する不動産であっても、同一需給圏内に存し対象不動産とその用途、規模、品等等の類似性に基づいて、これら相互の間に代替、競争等の関係が成立する場合がある点に留意する必要がある。

　以上より、取引事例比較法の適用に際しては、市場分析を踏まえ、種別ごとに想定される典型的な市場参加者の観点で代替性が認められる事例を選択することが必要となる。

問題② 価格を求める鑑定評価の基本的事項について，次の各設問に答えなさい。

(1) 基本的事項として確定すべき事項を列挙し，それぞれを簡潔に説明しなさい。なお，条件設定に関する説明は不要である。

(2) 価格の種類について，次の問に答えなさい。

① 正常価格の定義を述べなさい。また，正常価格の前提となる市場の条件について，不動産鑑定評価基準に即して述べなさい。なお，市場参加者に関する説明は不要である。

② ある土地の所有者から，所有する土地と隣接地の併合を目的とする売買に関連して，併合後の価値を考慮した当該隣接地の鑑定評価を依頼された際，求める価格の種類が正常価格になる場合と限定価格になる場合がある。その理由を限定価格の定義に即して簡潔に述べなさい。

(3) 鑑定評価報告書の記載事項のうち，鑑定評価により求める価格の種類が限定価格である場合に，正常価格を求める場合との相違を明確にするために記載する事項について述べなさい。

解答例

小問(1)

　不動産の価格を求める鑑定評価に当たっては，基本的事項として，１．対象不動産，２．価格時点，３．価格の種類を確定しなければならない。

〔基本的事項　「基準」総論　第5章〕

　不動産の価格を求める鑑定評価は，特定の不動産について，特定の時点における，特定の市場条件等を前提とする価格を求めるものであるから，これらの基本的事項が不明確であっては，鑑定評価額は意味をなさず，また鑑定評価額の妥当性を説明することもできない。したがって，基本的事項の確定が必要となる。

〔基本的事項を確定する理由〕

１．対象不動産の確定

　不動産の鑑定評価を行うに当たっては，まず，鑑定評価の対象となる土地又は建物等を物的に確定することのみならず，鑑定評

価の対象となる所有権及び所有権以外の権利を確定する必要がある。

対象不動産の確定は，鑑定評価の対象を明確に他の不動産と区別し，特定することであり，それは不動産鑑定士が鑑定評価の依頼目的及び条件に照応する対象不動産と当該不動産の現実の利用状況とを照合して確認するという実践行為を経て最終的に確定されるべきものである。

対象不動産の
確定の意義
「基準」総論
第 5 章

2．価格時点の確定

価格形成要因は，時の経過により変動するものであるから，不動産の価格はその判定の基準となった日においてのみ妥当するものである。したがって，不動産の鑑定評価を行うに当たっては，不動産の価格の判定の基準日を確定する必要があり，この日を価格時点という。

価格時点は，鑑定評価を行った年月日を基準として現在の場合（現在時点），過去の場合（過去時点）及び将来の場合（将来時点）に分けられる。

価格時点の確
定の意義
「基準」総論
第 5 章

3．価格の種類の確定

不動産の鑑定評価によって求める価格は，基本的には正常価格であるが，鑑定評価の依頼目的に対応した条件により限定価格，特定価格又は特殊価格を求める場合があるので，依頼目的に対応した条件を踏まえて価格の種類を適切に判断し，明確にすべきである。なお，評価目的に応じ，特定価格として求めなければならない場合があることに留意しなければならない。

価格の種類の
確定の意義
「基準」総論
第 5 章

小問(2)

① 正常価格とは，市場性を有する不動産について，現実の社会経済情勢の下で合理的と考えられる条件を満たす市場で形成されるであろう市場価値を表示する適正な価格をいう。

正常価格の定
義
「基準」総論
第 5 章

この場合において，現実の社会経済情勢の下で合理的と考えられる条件を満たす市場とは，以下の条件を満たす市場をいう。

(1) 市場参加者が自由意思に基づいて市場に参加し，参入，退出が自由であること。

(2) 取引形態が，市場参加者が制約されたり，売り急ぎ，買い進

正常価格の前
提条件
「基準」総論
第 5 章

み等を誘引したりするような特別なものではないこと。

(3) 対象不動産が相当の期間市場に公開されていること。

② 限定価格とは，市場性を有する不動産について，不動産と取得する他の不動産との併合又は不動産の一部を取得する際の分割等に基づき正常価格と同一の市場概念の下において形成されるであろう市場価値と乖離することにより，市場が相対的に限定される場合における取得部分の当該市場限定に基づく市場価値を適正に表示する価格をいう。

限定価格の定義
「基準」総論
第5章

設問のように，ある土地の所有者が隣接地を併合する場合，併合後の土地の正常価格が，併合前のそれぞれの土地の正常価格の合計額よりも高くなることがある。これは，併合による画地の適正規模への拡大，不整形地から整形地への変更等，併合後の土地の最有効使用の程度が上昇するため増分価値が生じるからである。この場合，当該土地の所有者にとっては，隣接地を併合することで増分価値を享受することができるため，正常価格に当該増分価値の一部を上乗せした金額で取得しても経済合理性が認められ，正常価格と同一の市場概念の下で成立するであろう市場価値との乖離が生じることから限定価格を求めることが適切となる。

限定価格となる理由

ただし，隣接地の併合であっても，整形地同士の併合等，特段の増分価値が生じない場合には，当該乖離は生じないため，正常価格を求めることが適切となる。

正常価格となる理由

小問(3)

鑑定評価報告書は，不動産の鑑定評価の成果を記載した文書であり，不動産鑑定士が自己の専門的学識と経験に基づいた判断と意見を表明し，その責任を明らかにすることを目的とするものである。

鑑定評価報告書の意義
「基準」総論
第9章

設問に関して，鑑定評価報告書に記載する事項は以下のとおりである。

1. 鑑定評価額及び価格の種類

正常価格を求めることができる不動産について，依頼目的に対応した条件により限定価格を求めた場合は，かっこ書きで正常価格である旨を付記してそれらの額を併記しなければならない。

正常価格の併記
「基準」総論
第9章

これは，特定当事者間にのみ妥当する限定価格を求めた場合で

あっても，一般の市場参加者にとって妥当する正常価格を併記することにより，両者の関係が明確になり，鑑定評価報告書の説明性が高まるからである。

2．鑑定評価の条件

　限定価格は，隣接不動産の併合や不動産の一部の分割等に伴う，特定当事者間にのみ妥当する価格概念であるため，「隣接不動産の併合を目的とする売買を前提とした鑑定評価」や「対象不動産の一部の分割を前提とした鑑定評価」等，鑑定評価を行う上での具体的な条件を明確に記載する必要がある。

鑑定評価の条件
「基準」総論
第9章

3．鑑定評価の依頼目的及び依頼目的に対応した条件と価格の種類との関連

　鑑定評価の依頼目的に対応した条件により，限定価格を求めるべきと判断した理由を記載しなければならない。

　「本件では，隣接不動産の併合に伴い正常価格と乖離する増分価値が生じることから，限定価格を求めることが適切と判断した」等の記載をすることにより，鑑定評価によって求める価格の種類の判断の適否を再確認することができる。したがって，依頼目的についても「売買の参考として」といった曖昧な記載は避けるべきである。

鑑定評価の依頼目的及び依頼目的に対応した条件と価格の種類との関連
「基準」総論
第9章

以　上

解　説

　本問は，「基準」総論第5章の全般的な知識と，価格の種類のうち「正常価格」と「限定価格」に着目した問題である。

　小問(1)は，3つの基本的事項（対象不動産，価格時点，価格の種類）について，「基準」に即して解答すればよい。解答例では3つの基本的事項の必要性について冒頭で簡潔に述べているが，各事項の必要性をそれぞれ述べてもよい。ただし，小問(2)以降の解答も考慮し，簡潔にまとめるべきである。

　小問(2)の①は，正常価格の定義と前提条件を「基準」に即して解答すればよい。市場の公開期間について，「留意事項」の規定を引用して加点を狙ってもよいが，問題文に「不動産鑑定評価基準に即して」とあるので，解答例では避けた。

②は，限定価格の定義を述べ，設問のケースが限定価格となる場合と，正常価格となる場合について，それぞれ理由を述べること。特に，限定価格となる理由を具体的に説明できるかがポイントである。

小問(3)は，鑑定評価報告書の意義を軽く述べてから，必須記載事項のうち，「鑑定評価額及び価格の種類」「鑑定評価の条件」「鑑定評価の依頼目的及び依頼目的に対応した条件と価格の種類との関連」の３つについて，限定価格を求めた場合に留意すべき点を述べること。少なくとも「鑑定評価額及び価格の種類」は基本論点なのできちんと述べてほしい。

― MEMO ―

原価法の適用における減価修正について，次の各設問に答えなさい。

(1) 減価の要因について説明しなさい。

(2) 対象不動産が建物及びその敷地である場合において，当該建物の減価額を求めるための耐用年数に基づく方法及び観察減価法について，簡潔に説明しなさい。また，当該建物が複数の分別可能な組成部分により構成されている場合，耐用年数に基づく方法を適用してどのように減価額を決定すべきか述べなさい。

(3) 上記(2)の対象不動産について，建物の組成部分の一つである室内の仕上げが更新された。この場合に，室内の仕上げの更新が行われたことに直接的に関連している不動産の価格に関する原則を1つ挙げ，その意義を述べなさい。また，その原則との関連において，耐用年数に基づく方法及び観察減価法を適用する際の留意点を説明しなさい。

解答例

小問(1)

原価法は，価格時点における対象不動産の再調達原価を求め，この再調達原価について減価修正を行って対象不動産の試算価格（積算価格）を求める手法である。

原価法は，対象不動産が建物又は建物及びその敷地である場合において，再調達原価の把握及び減価修正を適切に行うことができるときに有効であり，対象不動産が土地のみである場合においても，再調達原価を適切に求めることができるときはこの手法を適用することができる。

減価修正とは，減価の要因に基づき発生した減価額を対象不動産の再調達原価から控除して価格時点における対象不動産の適正な積算価格を求めることである。

減価修正を行うに当たっては，減価の要因に着目して対象不動産を部分的かつ総合的に分析検討し，減価額を求めなければならない。減価の要因は，物理的要因，機能的要因及び経済的要因に分けられる。

原価法の定義
「基準」総論
第7章

原価法の有効性
「基準」総論
第7章

減価修正の定義
「基準」総論
第7章

減価の要因
「基準」総論
第7章

　物理的要因としては，不動産を使用することによって生ずる摩滅及び破損，時の経過又は自然的作用によって生ずる老朽化並びに偶発的な損傷があげられる。

　物理的要因は，主として対象不動産の新築の状態を前提とする価値からの減価を生じさせる要因をいう。

物理的要因
「基準」総論
第7章

　機能的要因としては，不動産の機能的陳腐化，すなわち，建物と敷地との不適応，設計の不良，型式の旧式化，設備の不足及びその能率の低下等があげられる。

　建物等と敷地との適応の状態について，高度利用が標準的な地域で，敷地規模に対して容積を充分に消化していない建物，いわゆる低利用建物が存する場合，均衡の原則を活用して，建付減価等を把握する必要がある。

機能的要因
「基準」総論
第7章

　経済的要因としては，不動産の経済的不適応，すなわち，近隣地域の衰退，不動産とその付近の環境との不適合，不動産と代替，競争等の関係にある不動産又は付近の不動産との比較における市場性の減退等があげられる。

　建物と付近の環境との適合の状態が劣る，いわゆる場違い建物が存する場合，適合の原則を活用して，経済的要因に基づく減価を把握する必要がある。

経済的要因
「基準」総論
第7章

小問(2)

　減価額を求めるには，次の二つの方法があり，これらを併用するものとする。

　耐用年数に基づく方法は，対象不動産の価格時点における経過年数及び経済的残存耐用年数（価格時点において，対象不動産の用途や利用状況に即し，物理的要因及び機能的要因に照らした劣化の程度並びに経済的要因に照らした市場競争力の程度に応じてその効用が十分に持続すると考えられる期間）の和として把握される耐用年数を基礎として減価額を把握する方法である。

　この方法は，経年劣化等，目で見えない減価を把握，反映できる点に優れるが，偶発的な損傷等の個別的な事象に基づく減価を反映し難い。

　観察減価法は，対象不動産について，設計，設備等の機能性，維

耐用年数に基づく方法
「基準」総論
第7章

371

持管理の状態，補修の状況，付近の環境との適合の状態等各減価の
要因の実態を調査することにより，減価額を直接求める方法である。

観察減価法
「基準」総論
第7章

　この方法は，偶発的な損傷等の個別的な事象に基づく減価を反映
できる点において説得力を有するが，経年劣化等目で見えない減価
を把握，反映し難い。

　以上により，両者は一長一短の関係にあることから，長所を活か
し短所を補完するため両者を併用しなければならない。

二方法の併用
の必要性

　なお，対象不動産が二以上の分別可能な組成部分により構成され
ていて，それぞれの経過年数又は経済的残存耐用年数が異なる場合
に，これらをいかに判断して用いるか，また，耐用年数満了時にお
ける残材価額をいかにみるかについても，対象不動産の用途や利用
状況に即して決定すべきである。

二以上の分別
可能な組成部
分によって構
成されている
場合の耐用年
数法適用上の
留意点
「基準」総論
第7章

　建物を構成する躯体部分，仕上げ部分，設備部分は，通常，減価
のスピードがそれぞれ異なる。したがって，耐用年数に基づく方法
の適用に当たって，より精度の高い減価額を求めるためには，一体
の建物として求めた再調達原価を，躯体部分，仕上げ部分及び設備
部分に分け，それぞれの経済的残存耐用年数に応じて減価額を算出
してから，合算する必要がある。

小問(3)

　不動産の価格形成過程には基本的な法則性が認められる。不動産
の鑑定評価は，その価格形成過程を追究し，分析することを本質と
するものであるから，鑑定評価に際しては，必要な指針としてこれ
らの法則性を認識し，かつ，これらを具体的に現した価格諸原則を
活用すべきである。

価格諸原則の
意義
「基準」総論
第4章

　設問の直接的に関連している諸原則は「寄与の原則」である。

　寄与の原則とは，不動産のある部分がその不動産全体の収益獲得
に寄与する度合いは，その不動産全体の価格に影響を及ぼす。この
原則は，不動産の最有効使用の判定に当たっての不動産の追加投資
の適否の判定等に有用である，という原則である。

寄与の原則
「基準」総論
第4章

　寄与の原則は，対象不動産に対する追加投資の適否を検討するた
めの指針となる原則であり，追加投資部分が対象不動産全体の市場
価値に与える貢献度合いや費用等を勘案の上，投資効率が最大とな

寄与の原則の
意義

る追加投資を把握する際に活用する原則である。

　また，耐用年数に基づく方法及び観察減価法を適用する場合においては，対象不動産が有する市場性を踏まえ，建物の組成部分の一つである室内の仕上げの更新が耐用年数及び減価の要因に与える影響の程度について留意しなければならない。

　具体的には，室内の仕上げの更新による効用増を踏まえ，耐用年数に基づく方法では，仕上げ部分の経済的残存耐用年数を延長させること等により反映する。なお，寄与の原則の作用により，室内の仕上げの更新によって建物全体の市場性が回復し，他の既存部分の経済的残存耐用年数にも影響を与える場合等があることに留意する必要がある。観察減価法の適用に当たっても，更新部分が建物全体の市場性にどのように影響を与えているかを分析し，建物全体としての減価額を直接的に求める必要がある。

以　上

耐用年数法及び観察減価法を適用する際の留意点「留意事項」総論第7章

解　説

　本問は，「基準」総論第7章から「原価法」における減価修正に着目した問題である。

　小問(1)は，原価法の定義，有効性に触れ，減価修正の定義，減価の要因と論じていく。減価の要因については，各要因について補足説明があるとよい。

　小問(2)は，耐用年数に基づく方法及び観察減価法の定義及び併用の理由を述べ，二以上の分別可能な組成部分によって構成されている場合の減価額の決定方法と論じていく。建物は，通常，躯体部分・仕上げ部分・設備部分から構成され，それぞれ耐用年数が異なるため，各構成部分の減価額をそれぞれ求め，合計する方法が適切である点を述べるとよい。

　小問(3)は，関連している諸原則として寄与の原則を挙げ，寄与の原則の定義と補足説明，耐用年数法及び観察減価法を適用する際の留意点と論じていく。耐用年数法及び観察減価法を適用する際の留意点については，室内の仕上げが更新されたことによる市場性の回復や効用の増加が見込まれる点を指摘し，耐用年数に基づく方法による経済的耐用年数の延長や観察減価法での直接的な減価の査定に反映させることを述べるとよい。

問題④　借地権等に関する次の各設問に答えなさい。

(1)　借地権について，次の各問に答えなさい。

①　借地権の定義を述べなさい。

②　借地権の価格について，借地権者に帰属する経済的利益に触れつつ説明しなさい。

③　借地権の価格と底地の価格とは密接に関連し合っているため，借地権の鑑定評価に当たっては，これらを相互に比較検討すべきとされている。この場合において，十分に考慮すべき諸点のうち，借地権取引の態様及び借地権の態様以外のものを2つ挙げなさい。

④　借地権の取引慣行の成熟の程度の高い地域において，借地権の鑑定評価額をどのように決定するかを説明しなさい。また，その場合に総合的に勘案する事項を3つ挙げなさい。ただし，定期借地権の評価に固有の事項は除くものとする。

(2)　借地権付建物について，次の各問に答えなさい。

①　借地権付建物の定義を述べなさい。

②　建物が賃貸されている場合，借地権付建物の鑑定評価額をどのように決定するかを説明しなさい。ただし，総合的に勘案する事項については触れなくてよい。

解答例

小問(1)

① 宅地の類型は，その有形的利用及び権利関係の態様に応じて，更地，建付地，借地権，底地，区分地上権等に分けられる。

> 宅地の類型
> 「基準」総論
> 第2章

借地権とは，借地借家法（廃止前の借地法を含む。）に基づく借地権（建物の所有を目的とする地上権又は土地の賃借権）をいう。

> 借地権の定義
> 「基準」総論
> 第2章

② 借地権の価格は，借地借家法（廃止前の借地法を含む。）に基づき土地を使用収益することにより借地権者に帰属する経済的利益（一時金の授受に基づくものを含む。）を貨幣額で表示したものである。

> 借地権の価格
> 「基準」各論
> 第1章

　借地権者に帰属する経済的利益とは，土地を使用収益すること
による広範な諸利益を基礎とするものであるが，特に次に掲げる
ものが中心となる。

a．土地を長期間占有し，独占的に使用収益し得る借地権者の安
　定的利益

　　借地権は最低契約期間が長く，また，期間が満了しても賃貸
　人に正当事由がない限り更新される可能性が高く，さらに借地
　権の譲渡に際して，賃貸人の承諾に代わる裁判所の許可を申し
　立てることもできる。

　　これらは，借地借家法の規定によって借地権者にもたらされ
　る，法的側面からみた利益といえる。

b．借地権の付着している宅地の経済価値に即応した適正な賃料
　と実際支払賃料との乖離（賃料差額）及びその乖離の持続する
　期間を基礎にして成り立つ経済的利益の現在価値のうち，慣行
　的に取引の対象となっている部分

　　価格時点現在の当該宅地に係る正常実質賃料よりも実際支払
　賃料が低い場合，両者の賃料差額は，借地権者（買手）にとっ
　て，いわゆる「借り得」となり，当該差額が持続する限り，借
　地権者に帰属するものである。

　　これは，賃料差額の持続によって借地権者にもたらされる，
　経済的側面からみた利益といえる。

③　a．宅地の賃貸借等及び借地権取引の慣行の有無とその成熟の
　　程度は，都市によって異なり，同一都市内においても地域に
　　よって異なることもあること。

　　　借地権の取引慣行がみられない地域の場合，借地権価格が
　　生じないことも考えられる。また，取引慣行があっても，そ
　　の成熟の程度によって鑑定評価の手法に影響を与えること等
　　から，借地権の鑑定評価に当たっては，取引の慣行の有無と
　　その程度について分析する必要がある。

　　b．借地権の存在は，必ずしも借地権の価格の存在を意味する
　　ものではなく，また，借地権取引の慣行について，借地権が
　　単独で取引の対象となっている都市又は地域と，単独で取引

借地権者に帰
属する経済的
利益
「基準」各論
第1章

法的側面から
みた利益
「基準」各論
第1章

経済的側面か
らみた利益
「基準」各論
第1章

考慮すべき点
①
「基準」各論
第1章

考慮すべき点
②
「基準」「留
意事項」各論
第1章

の対象となることはないが建物の取引に随伴して取引の対象となっている都市又は地域とがあること。

　借地権の存在は必ずしも借地権価格の存在を意味しない。借地権に価格が生じるためには，借地人に帰属する経済的利益（持続的な賃料差額等）があり，この経済的利益に係る取引慣行（市場性）があることが必要であることから，賃料差額が生じていない場合等においては借地権に価格が生じない場合があることに留意すべきである。また，借地権単独では取引の対象とされないものの，建物の取引に随伴して取引の対象となり，借地上の建物と一体となった場合に借地権の価格が顕在化する場合があることに留意すべきである。

④　借地権の鑑定評価は，借地権の取引慣行の有無及びその成熟の程度によってその手法を異にするものであるが，借地権の取引慣行の成熟の程度の高い地域における借地権の鑑定評価額は，借地権及び借地権を含む複合不動産の取引事例に基づく比準価格，土地残余法による収益価格，当該借地権の設定契約に基づく賃料差額のうち取引の対象となっている部分を還元して得た価格及び借地権取引が慣行として成熟している場合における当該地域の借地権割合により求めた価格を関連づけて決定するものとする。

借地権の鑑定
評価
「基準」各論
第1章

この場合においては，次の事項等を総合的に勘案するものとする。
（ア）将来における賃料の改定の実現性とその程度
（イ）契約締結の経緯並びに経過した借地期間及び残存期間
（ウ）契約に当たって授受された一時金の額及びこれに関する契約条件

総合的勘案事
項
「基準」各論
第1章

　取引事例比較法の適用に当たっては，地域要因及び個別的要因の比較において，対象不動産と取引事例に係る借地権取引の態様の相違や借地権の態様の相違について考慮する必要がある。

　土地残余法の適用に当たっては，総費用に土地の公租公課は計上せず，賃貸人（地主）への支払地代を計上する必要がある。また，還元利回りの査定に当たっては，借地権固有のリスク（市場性の減退等）についても考慮する必要がある。

各手法の適用
における留意
点

小問(2)

① 建物及びその敷地の類型は，その有形的利用及び権利関係の態様に応じて，自用の建物及びその敷地，貸家及びその敷地，借地権付建物，区分所有建物及びその敷地等に分けられる。

　借地権付建物とは，借地権を権原とする建物が存する場合における当該建物及び借地権をいう。借地権付建物は，建物が賃貸借に供されているか否かに応じて自用の場合と貸家の場合とに細分される。

② 設問のように，借地権付建物で，当該建物が賃貸されているもの（貸家）についての鑑定評価額は，実際実質賃料（売主が既に受領した一時金のうち売買等に当たって買主に承継されない部分がある場合には，当該部分の運用益及び償却額を含まないものとする。）に基づく純収益等の現在価値の総和を求めることにより得た収益価格を標準とし，積算価格及び比準価格を比較考量して決定するものとする。

　収益還元法の適用に当たっては，前記(1)④で挙げた点のほか，定期借地権付建物の場合，借地期間の満了によって借地権は消滅するため，残存期間が短い場合，有期還元法（インウッド式）を適用することが妥当である。

　原価法の適用に当たっては，土地の再調達原価として借地権価格及び付帯費用を計上する必要がある。

以　上

建物及びその敷地の類型
「基準」総論第2章

借地権付建物の定義
「基準」総論第2章

借地権付建物（貸家）の評価方法
「基準」各論第1章

各手法の適用における留意点

解　説

　本問は，「基準」各論第1章から「借地権」及び「借地権付建物」に着目した問題である。

　小問(1)①は，宅地の類型について触れ，借地権の定義を正確に記載すること。②は，法的側面からみた利益及び経済的側面からみた利益について，「基準」の引用のみならず，補足を添えつつ丁寧に解答すること。③は，やや細かい論点であるが，「借地権の取引慣行」及び「借地権と借地権の価格」について「基準」「留意事項」を引用しつつ，簡単に補足を加えてほしい。④は，借地権の鑑定評

価と総合的勘案事項について「基準」を正確に引用すればよい。解答例のように各手法適用上の留意点に言及すれば加点対象となり得る。

小問(2)①は，建物及びその敷地の類型について触れ，借地権付建物の定義を正確に記載すること。②は，借地権付建物（貸家）の鑑定評価について「基準」を正確に引用すればよい。小問(1)④と同様，各手法適用上の留意点に言及すれば加点対象となり得る。

———— MEMO ————

索 引

斜体で表記しているものは，別売「1965〜2005年　論文式試験　鑑定理論　過去問題集」に掲載している問題です。

総論第3章　不動産の価格を形成する要因

総論第4章 不動産の価格に関する諸原則

▶「最有効使用の原則」に関する論点を含むもの

▶その他の価格諸原則に関するもの

総論第5章　鑑定評価の基本的事項

▶主に「対象不動産の確定」に関するもの

▶主に「地域分析」に関するもの

▶主に「個別分析」に関するもの

総論第7章　鑑定評価の方式

▶主に「原価法」に関するもの

▶主に「取引事例比較法」に関するもの

▶主に「収益還元法」に関するもの

▶主に賃料の評価手法に関するもの

総論第9章　鑑定評価報告書

各論第1章　価格に関する鑑定評価

各論第 2 章　賃料に関する鑑定評価

各論第 3 章　証券化対象不動産の価格に関する鑑定評価

もうだいじょうぶ!! シリーズ

2025年度版　不動産鑑定士
論文式試験　鑑定理論　過去問題集　論文

（2001年度版　2001年4月25日　初版　第1刷発行）
2024年10月25日　初　版　第1刷発行

編　著　者	Ｔ　Ａ　Ｃ　株　式　会　社	
	（不動産鑑定士講座）	
発　行　者	多　田　敏　男	
発　行　所	Ｔ　Ａ　Ｃ株式会社　出版事業部	
	（ＴＡＣ出版）	

〒101-8383
東京都千代田区神田三崎町3-2-18
電話　03（5276）9492（営業）
FAX　03（5276）9674
https://shuppan.tac-school.co.jp

印　　刷	株式会社　ワ　　コ　　ー	
製　　本	株式会社　常　川　製　本	

© TAC 2024　　Printed in Japan

ISBN 978-4-300-11221-2
N.D.C. 673

乱丁・落丁による交換、および正誤のお問合せ対応は、該当書籍の改訂版刊行月末日までといた
します。なお、交換につきましては、書籍の在庫状況等により、お受けできない場合もございま
す。
また、各種本試験の実施の延期、中止を理由とした本書の返品はお受けいたしません。返金もい
たしかねますので、あらかじめご了承くださいますようお願い申し上げます。

不動産鑑定士

不動産鑑定士への道は
私たちTACで

地道な努力

大森 崇史さん
- 1.5年L本科生plus
- 教室講座

校舎が多いことや、教室講座を予定していたため自宅から通いやすい場所にあったことなどいくつかありますが、一番の理由は合格者数の多さでした。毎年の合格者が多いということは、それだけ合格の可能性が高まると思いTACを選びました。

講師の先生方に言われたことを素直に受け入れてください!

押野 将太さん
- 1.5年L本科生plus
- Web通信講座

TACの先生方は、効率的に合格できる道筋を示してくれていると思います。勉強中は常に不安が付きまとい、疑心暗鬼になることも多々あります。しかし、先生方の言葉を信じ、素直に受け入れることが重要だと感じました。

急がば回れ!地道な日々の努力の暗記こそ合格の近道

本杉 祐也さん
- 1.5年本科生
- Web通信講座

TACの講師陣は大変層が厚く、それぞれの科目ごとに個性的で優秀な先生が何人もいらっしゃいます。なので、自分が合う先生を見つけやすく、授業の選択肢の幅が広いことが魅力だと思っています。疑問点についての質問も、複数の講師に質問することで色々なことを学べて勉強になりました。

忍耐

黒田 悠佑さん
- 1.5年L本科生plus
- Web通信講座

合格者のほとんどがTAC生ということから、TACの中で上位を目指すことが試験合格に最も近づき、また自分の立ち位置を把握することができると考えたためです。また、講義やテキスト等の評判も高かったため、TAC以外の選択肢はありませんでした。

さあ、次はあなたの番です!

書籍の正誤に関するご確認とお問合せについて

書籍の記載内容に誤りではないかと思われる箇所がございましたら、以下の手順にてご確認とお問合せをしてくださいますよう、お願い申し上げます。

なお、正誤のお問合せ以外の**書籍内容に関する解説および受験指導などは、一切行っておりません。**
そのようなお問合せにつきましては、お答えいたしかねますので、あらかじめご了承ください。

1 「Cyber Book Store」にて正誤表を確認する

TAC出版書籍販売サイト「Cyber Book Store」の
トップページ内「正誤表」コーナーにて、正誤表をご確認ください。

CYBER TAC出版書籍販売サイト
BOOK STORE

URL：https://bookstore.tac-school.co.jp/

2 1の正誤表がない、あるいは正誤表に該当箇所の記載がない ⇒ 下記①、②のどちらかの方法で文書にて問合せをする

★ご注意ください★

お電話でのお問合せは、お受けいたしません。
①、②のどちらの方法でも、お問合せの際には、「お名前」とともに、
「対象の書籍名（○級・第○回対策も含む）およびその版数（第○版・○○年度版など）」
「お問合せ該当箇所の頁数と行数」
「誤りと思われる記載」
「正しいとお考えになる記載とその根拠」
を明記してください。
なお、回答までに１週間前後を要する場合もございます。あらかじめご了承ください。

① ウェブページ「Cyber Book Store」内の「お問合せフォーム」より問合せをする

【お問合せフォームアドレス】

https://bookstore.tac-school.co.jp/inquiry/

② メールにより問合せをする

【メール宛先　TAC出版】

syuppan-h@tac-school.co.jp

※**土日祝日はお問合せ対応をおこなっておりません。**
※**正誤のお問合せ対応は、該当書籍の改訂版刊行月末日までといたします。**

乱丁・落丁による交換は、該当書籍の改訂版刊行月末日までといたします。なお、書籍の在庫状況等により、お受けできない場合もございます。
また、各種本試験の実施の延期、中止を理由とした本書の返品はお受けいたしません。返金もいたしかねますので、あらかじめご了承くださいますようお願い申し上げます。

（2022年7月現在）